Beth Reekles

THE KISSING BOOTH 2
GOING THE DISTANCE

DIE AUTORIN

Beth Reekles, die gefeierte Autorin von »The Kissing Booth« und anderen Jugendromanen, hat inzwischen außerdem einen Universitätsabschluss in Physik. Sie ist Bücherwurm durch und durch, überzeugte Teetrinkerin und als Buchbloggerin sehr aktiv in den sozialen Netzwerken. Den Roman »The Kissing Booth« schrieb sie mit 17 Jahren. Er wurde zum Riesenerfolg, von Netflix verfilmt und dort eine der meistgeklickten Liebeskomödien.

Von Beth Reekles sind bei cbj erschienen:

The Kissing Booth (31327)
The Beach House (25569)
The Kissing Booth 2 – Going the Distance (31351)

DIE ÜBERSETZERIN

Henriette Zeltner, geboren 1968, lebt und arbeitet in München, Tirol und New York. Sie übersetzt Sachbücher sowie Romane für Erwachsene und Jugendliche aus dem Englischen, u. a. Angie Thomas' Romandebüt »The Hate U Give«, für das sie mit dem Deutschen Jugendliteraturpreis 2018 ausgezeichnet wurde.

Mehr zu cbj/cbt auf Instagram unter @hey_reader

BETH REEKLES

THE KISSING BOOTH 2
GOING THE DISTANCE

Aus dem Englischen
von Henriette Zeltner

Verlagsgruppe Random House
FSC® N001967

2. Auflage 2020
Erstmals als cbt Taschenbuch Februar 2020
© Beth Reeks, 2020
The moral right of the author has been asserted
Die Originalausgabe erschien unter dem Titel
»The Kissing Booth 2. Going the Distance« bei
Penguin Random House Children's Publishers UK,
London, in der Verlagsgruppe Penguin Random House.
© 2020 für die deutschsprachige Ausgabe
cbj Kinder- und Jugendbuchverlag
in der Verlagsgruppe Random House GmbH,
Neumarkter Straße 28, 81673 München
Alle deutschsprachigen Rechte vorbehalten
Aus dem Englischen von Henriette Zeltner
Außenlektorat: Antje Steinhäuser
Umschlaggestaltung: init | Kommunikationsdesign,
Bad Oeynhausen, unter Verwendung von
Bildmaterial von © Shutterstock (VLADYSLAV DANILIN; bedya)
kk · Herstellung: MJ
Satz: Buch-Werkstatt GmbH, Bad Aibling
Druck: GGP Media GmbH, Pößneck
ISBN 978-3-570-31351-0
Printed in Germany

www.cbj-verlag.de
 Dieses Buch ist auch als E-Book erhältlich.

Für Gransha,
die von Anfang an mein größter Fan war.

Liebe Leserinnen und Leser,

Ich bin ganz aufgeregt, nach so langer Zeit diese Fortsetzung von *The Kissing Booth* zu veröffentlichen. Ich weiß, dass viele von euch schon lange darauf gewartet haben. Von meiner Seite waren einige Jahre harter Arbeit nötig, um es bis hierher zu schaffen. Manche kennen Elle, Lee und Noah seit ihrem ersten Auftritt bei Wattpad 2011, anderen haben sie vielleicht erst durch die Netflix-Verfilmung 2018 kennengelernt. Apropos Verfilmung: Es ist echt unglaublich, dass wir bald einen zweiten *Kissing-Booth*-Film auf Netflix sehen werden. Und auch wenn dieser auf meinem Manuskript und dem, was ihr in diesem Buch lest, basiert, werdet ihr doch einige Unterschiede bemerken, sobald der Film rauskommt. Ist ja kein Wunder – der zweite Film ist die Fortsetzung des ersten, und der wich an einigen Stellen vom ersten Buch ab.

Mir hat das Drehbuch für den zweiten Film total gefallen und ehrlich gesagt mochte ich die Veränderungen in Bezug auf mein Buch. Sie ergaben wirklich Sinn und schließlich heißt es nicht grundlos »Adaptation«. Aber ich denke auch, dass der zweite Film seinen Figuren, ihren Herausforderungen, Erfolgen, Konflikten und Beziehungen gerecht wird, so, wie ihr sie auch in diesem Buch findet. Ich kann's kaum erwarten, den fertigen Film zu sehen. Ich hoffe, ihr alle werdet ihn und dieses Buch genauso lieben wie ich.

Beth x

1.

»Wir sind jetzt Seniors, Baby!«

Kaum hatte ich die Autotür hinter mir zuge-
schlagen, legte ich den Kopf in den Nacken, schloss
die Augen und holte tief Luft. Die Sonne kitzelte meine Wangen, und ein Lächeln umspielte
meine Lippen. Das Schulgelände roch nach frisch
gemähtem Rasen, und die Luft war erfüllt vom
lebhaften Geschnatter der Teenager, die sich auf
dem Parkplatz nach den Sommerferien zum ersten Mal wieder begegneten. Alle beschwerten sich
zwar immer darüber, wie sehr sie den ersten Schultag hassten – aber ich war mir sicher, dass ihn insgeheim jeder liebte.

Das neue Schuljahr hatte etwas von einem Neu-
beginn. Das war zwar ein bisschen lächerlich, weil es
ja schließlich nur die Highschool war, aber dennoch
fühlte es sich so an.

Ich drehte mich, jetzt wieder mit geöffneten Augen,
zu Lee um. Er grinste mich an.

Auch wenn es Montagmorgen war, fühlte ich mich

schwerelos. Mein Lächeln spiegelte seines wider. »Zwölfte Klasse, wir kommen«, erwiderte ich leise.

Wenn irgendetwas lohnte, dass man sich darauf freute, dann war das meiner Meinung nach der Beginn des letzten Jahres an der Highschool.

Ich hatte Leute zwar auch schon sagen hören, die Collegejahre seien die besten deines Lebens, aber College klang einfach nach so viel mehr harter Arbeit, selbst wenn man dort mehr Freiheiten genoss. Lee und ich waren jedenfalls überzeugt davon, dass die zwölfte Klasse das Jahr war, in dem wir uns noch mal so richtig amüsieren würden, bevor das Erwachsensein zuschlug.

Ich ging um den Wagen herum und lehnte mich neben Lee an die Motorhaube. Er machte immer ein Riesengetue um sein kostbares Auto, einen Mustang von 1965, den er so innig liebte. Jetzt funkelte der Lack geradezu im Sonnenschein.

»Ich kann gar nicht fassen, dass es endlich soweit ist. Ich meine, stell dir das mal vor: Heute ist unser letzter erster Tag an der Highschool. Nächstes Jahr um diese Zeit sind wir schon auf dem College …«

Lee stöhnte. »Erinner mich nicht dran. Den Vortrag hat Mom mir heute Morgen schon gehalten – mit Tränen in den Augen. Ich will übers College noch nicht mal nachdenken.«

»Pech gehabt, Kumpel. Das lässt sich nicht vermeiden. Danach ziehen wir in die Welt hinaus!«

Ich musste zugeben, dass der Gedanke an die College-Bewerbungen mir auch Bauchweh machte. Zwar hatte ich im Verlauf des Sommers versucht, an meinem Motivationsschreiben fürs College zu arbeiten, aber keine großen Fortschritte gemacht.

Ich wollte über die Möglichkeit, dass Lee und ich an verschiedenen Colleges landen würden, nicht einmal nachdenken. Weil er vielleicht irgendwo angenommen würde, wo man mich ablehnte. Weil wir ab nächstem Jahr vielleicht getrennt wären. Wir hatten schließlich unser ganzes Leben fast wie siamesische Zwillinge verbracht. Was zum Teufel sollte ich ohne ihn anfangen?

»Leider«, sagte Lee und riss mich aus meinen Gedanken. »Aber hör mal, du hast doch jetzt nicht vor, von der Zukunft zu schwärmen, oder? Sonst sag mir bitte Bescheid. Dann lasse ich dich mit deinen Überlegungen allein und geh die Jungs suchen.«

Scherzhaft rempelte ich ihn mit der Schulter an. »Ich höre sofort auf, vom College zu reden. Versprochen.«

»Gott sei Dank.«

»Obwohl, apropos Jungs – hat Cam dir schon was von seinem neuen Nachbarn erzählt?«

»Das hätte ich fast vergessen.«

Cam, einer unserer ältesten Freunde seit der Grundschule, hatte letzte Woche erzählt, dass in das Haus gegenüber von ihm ein Junge mit seiner Familie eingezogen war. Weil er in unserem Alter war, hatten Cams Eltern vorgeschlagen, er solle den Neuen ein bisschen unter seine Fittiche nehmen. Er hatte »vorgeschlagen« in dem Ton gesagt, dass es klang, als hätten sie ihm ein Ultimatum gestellt.

Lee berichtete: »Ich weiß schon, dass er aus Detroit ist und Levi heißt. Wie die Jeans. Sonst weiß ich aber nicht viel. Ich glaube auch nicht, dass Cam wirklich viel mehr erfahren hat.« Er stieß sich von seinem Mustang ab. »Ich hoffe nur, dass er kein totaler Idiot ist. Schließlich haben wir Cam ja versprochen, ihm beim Eingewöhnen zu helfen. Diesem Levi, meine ich.«

»Ich weiß schon, was du meinst«, murmelte ich. Dabei war ich von meinem Telefon abgelenkt, das in meiner Hand angefangen hatte zu läuten.

Lees Blick fiel auf mein Display, wo zu sehen war, wer anrief. Er seufzte. Ich blickte hoch und lächelte ihn entschuldigend an. Da sah ich, wie er die Augen verdrehte und mit dem Rucksack über einer Schulter davonspazierte.

»Kein Telefonsex, Shelly. Wir befinden uns hier auf Schulgelände. Da muss alles jugendfrei sein«, rief er mir noch zu.

»Ach, als ob du und Rachel nie in der Putzkammer geknutscht hättet!«, erwiderte ich. Lee reckte über die Schulter noch einen Daumen in die Höhe.

Dann nahm ich den Anruf entgegen. »Hey, Noah.«

Noah, Lees großer Bruder, war mit ein Grund, warum ich mit meinem Motivationsschreiben für die College-Bewerbung nicht recht weitergekommen war: Nachdem ich letzten Frühling ein paar Monate lang hinter Lees Rücken mit ihm zusammen gewesen war (was in der totalen Katastrophe geendet hatte, weil Lee uns beim Küssen erwischte) und wir dann offiziell seit diesem Sommer ein Paar waren, hatten wir so viel Zeit wie möglich miteinander verbracht. Jetzt war er am anderen Ende des Landes auf dem College, genauer gesagt: in Harvard.

Er war erst seit wenigen Wochen dort, aber ich vermisste ihn unendlich. Wie sollte ich das bloß aushalten, ihn bis Thanksgiving nicht zu sehen?

»Hey, wie geht's dir?«

»Gut. Die Aufregung über die zwölfte Klasse fängt gerade an. Wie ist das College?«

»Ach, nicht viel anders als bei unserem Telefonat gestern Abend. Heute Morgen hatte ich schon meine erste Vorlesung. Mathe. Das war ziemlich interessant. Differenzialgleichungen zweiter Ordnung.«

»Keine Ahnung, wovon du sprichst, und ich glaube, ich will es auch gar nicht wissen.«

Noah lachte. Mit so einem gehauchten Glucksen, das mein Herz zum Schmelzen brachte. Fast alles an ihm brachte mein Herz zum Schmelzen oder ließ meine Knie weich werden oder Schmetterlinge in meinem Bauch herumflattern. Ich war ein Dummkopf, ein Klischee wie aus einem Film. Und es fühlte sich fantastisch an.

Sein Lachen vermisste ich genauso wie seine Umarmungen oder seine Lippen auf meinen. Wir kommunizierten dauernd – über Video Chat, Snapchat, Textnachrichten oder gute alte Telefonanrufe … aber das war nicht das Gleiche. Ich war ein bisschen vorsichtig damit, ihn merken zu lassen, wie sehr ich ihn vermisste, weil ich nicht so klammernd rüberkommen wollte. Schließlich war ich in diesen ganzen Beziehungssachen noch ziemlich unsicher.

»Du bist so ein Nerd«, sagte ich zu ihm.

Dabei passte Nerd eigentlich gar nicht zu meinem Bild von Noah. Ich meine, er war klug. Sein Notendurchschnitt war 4.7 von 5 gewesen (wie mir seine Mom kürzlich verraten hatte – ich hatte ihn vorher schon für schlau gehalten, aber nicht für so schlau). Er war nur ganz knapp nicht der Beste seines Jahrgangs an unserer Highschool geworden. Trotzdem hatte er während seiner ganzen Schulzeit den Ruf des Bad Boy gehabt. Bis wir zusammengekommen waren, hätte ich nie gedacht, dass er trotz dieses Images tatsächlich gern Sachen lernte wie Differenzialgleichungen zweiter Ordnung. – Was immer das auch sein mochte.

»Pscht, jemand könnte dich hören.« Ich hörte seiner Stimme an, dass er dabei grinste. »Jedenfalls genug von mir. Ich hab dir doch erst gestern Abend ungefähr eine Stunde lang nur vom College erzählt. Jetzt wollte ich dir nur viel Glück für den ersten Tag deines Jahrs als Senior wünschen.«

Ich lächelte, obwohl er es nicht sehen konnte. »Tja, vielen Dank. Lieb von dir.«

»Also, wie fühlt es sich an? Zu den Großen an der Schule zu gehören?«

»Ein bisschen zum Fürchten, ein bisschen Übelkeit erregend und sehr, sehr spannend. Ich versuche, mich wegen dem College und all den Sachen nicht zu sehr zu stressen.«

»Zum Fürchten, ja?«

»Wenn ich ans College denke, komme ich mir so erwachsen vor, dabei fühle ich mich alles andere als das. Ich meine, mein kleiner Bruder musste gestern Abend eine Spinne aus meinem Zimmer holen.«

»Das gilt nicht nur für dich. Ich musste mir die Tage von jemand den Trockner in der Waschküche erklären lassen. Dabei kam ich mir so blöd vor.«

»Hast du etwa noch nie deine Wäsche gemacht?«

»Meine Mom hat sehr spezielle Vorstellungen davon, wie Wäsche gemacht werden sollte, Shelly, das weißt du doch.«

Das stimmte allerdings. Einmal hatte sie Lee aufgefordert, die Bettwäsche zum Trocknen aufzuhängen, weil sie weg musste. Kaum war sie zurück, hängte sie alles noch mal neu auf und bat ihn danach nie wieder darum. »Außerdem werden dir deine vier Teddybären im Bett auch nicht unbedingt helfen, dich erwachsener zu fühlen.«

»Ich wette, am College gibt es eine Menge Mädchen – und wahrscheinlich auch ein paar Jungs – die noch einen oder zwei Teddys im Bett haben.«

»Aber nicht vier.«

»Hey, kein Wort gegen Mr. Wiggles.« Ich zog unwillkürlich einen Schmollmund. »Außerdem bist du derjenige mit den Superman-Boxershorts.«

Bevor Noah sich verteidigen konnte, hörte ich bei ihm im Hintergrund jemand an eine Tür klopfen. Er seufzte. »Du, ich muss Schluss machen. Steve war auch im Zimmer, deshalb bin ich ins Bad gegangen, um mit dir zu sprechen und ein bisschen Privatsphäre zu haben –«

»Flynn, jetzt mach schon, Alter, ich muss mal pissen!«, hörte ich seinen Mitbewohner Steve rufen. Seine Stimme klang ein bisschen gedämpft. Wahrscheinlich durch die Badtür.

»Ich muss auch weiter. Die Jungs sollten inzwischen da sein und wir werden Cams neuen Nachbarn treffen. Dem sollen wir ein bisschen beim Eingewöhnen helfen.«

»Ist das der Typ aus Detroit? 7 For All Mankind?«

»Levi.«

»Sag ich doch. Na ja, dann viel Glück dabei. Und hey, sagt Lee, viel Glück von mir für die Testspiele. Ich hab ihm geschrieben, aber er hat nie geantwortet.«

Bei ihm wurde im Hintergrund an der Klinke gerüttelt und wieder gegen die Tür gehämmert. »Flynn! Jetzt mach schon!«

»Hab einen guten ersten Schultag«, sagte Noah.

»Danke. *I love you.*«

Ich konnte seiner Stimme das Lächeln ansehen und hatte das Grübchen vor Augen, das sich dabei auf seiner Wange bildete, als er sagte: »*I love you, too.*«

Wir zögerten das Auflegen beide noch einen Moment hinaus. Keiner sagte etwas, und wir lauschten nur auf den Atem des anderen. Dann nahm ich das Handy vom Ohr und beendete das Gespräch. Ich versicherte mich noch mal, dass es auf lautlos gestellt war, bevor ich es in meine Tasche fallen ließ. Dort verschwand es auch sofort zwischen meinen nagelneuen

Heften und anderen Dingen, die man an so einem ersten Tag unbedingt brauchte (Haarbürste, Schokoriegel, Tampons und sehr verhedderte Kopfhörer).

»Elle! Hey! Wir sind hier drüben!«

Ich verrenkte mir den Hals, als ich meinen Namen hörte, und stellte mich auf Zehenspitzen, um besser sehen zu können. Dixon stand nur ein paar Meter entfernt mit Lee und Warren, einem anderen gemeinsamen Freund, beisammen. Sie winkten mir. Ich winkte zurück, damit sie schon mal wussten, dass ich sie gesehen hatte.

Dann schlängelte ich mich zwischen ein paar anderen Autos durch, um zu den Jungs zu gelangen. Gerade als ich mich an einem mir unbekannten grünen Toyota vorbeischieben wollte, wurde die Fahrertür aufgemacht und knallte gegen meine Hüfte, während ich gegen den Ford hinter mir taumelte.

Ich holte scharf Luft und rechnete schon damit, dass die Alarmanlage des Ford losging. Als das nicht passierte, atmete ich erleichtert auf.

Dieses Jahr will ich nicht der größte Tollpatsch der Schule sein. Neuanfang, ich komme.

»O Shit. O Mann, das tut mir echt leid. Ich hab dich nicht gesehen …«

»War meine Schuld. Mach dir keine Gedanken«, antwortete ich und strich mir das Haar aus dem Gesicht, bevor ich den Fahrer genauer ansah. Ich kannte ihn nicht: Er war ziemlich schlaksig, aber kaum größer als ich und trug eine Sonnenbrille mit so dunklen Gläsern, dass ich mich darin spiegelte.

Mit einer fließenden Bewegung schob er die Brille in seine braunen Locken. In einer Hand hielt er einen Rucksack.

Er hatte sympathische Augen. Irgendwie freundlich. Sie waren grün, und er kniff sie ein wenig zusammen. Ich musste auch blinzeln, weil die Sonne direkt hinter ihm stand. Als er sein Gewicht von einem Fuß auf den anderen verlagerte, schob er sich genau davor.

»Alles okay mit dir? Hab ich dir wehgetan? Tut mir echt leid!«

»Ernsthaft, mach dir keine Sorgen. Mir geht's gut. Wirklich.« Ich lächelte, um ihn davon zu überzeugen, obwohl meine Hüfte schon ein bisschen wehtat.

Als die Beifahrertür geöffnet wurde, sah ich Cam mit seinen wuscheligen blonden Haaren und dem ramponierten blauen Rucksack aussteigen, den er schon ungefähr seit der achten Klasse hatte. Er grinste zu mir rüber.

»Warum überrascht mich das jetzt nicht? Elle, wie oft haben wir dir schon gesagt, dass du aufpassen musst, wo du langläufst?«

Ich schnitt eine Grimasse in seine Richtung, bevor ich mich wieder dem schlaksigen Typ mit der Sonnenbrille zuwandte. Ich wollte gerade so etwas sagen wie ›Du musst Levi sein‹, aber Cam kam mir zuvor.

»Ich schätze mal, jetzt sollte ich euch vorstellen. Elle, das ist Levi. Levi, meine Freundin Elle.«

»Freut mich, dich kennenzulernen.« Er winkte mir mit der freien Hand zu und schenkte mir ein Lächeln.

Seine Zähne schimmerten so weiß, dass sie bestimmt gebleicht waren.

»Freut mich auch, dich kennenzulernen. Sorry, dass ich in deine Autotür gelatscht bin. Als Cam meinte, wir sollten seinen neuen Nachbarn kennenlernen, war Tollpatsch nicht gerade der erste Eindruck, den ich machen wollte.«

Er lächelte noch breiter. »Bist du immer so tollpatschig oder hast du nur heute einen schlechten Tag?«

»Sie *ist* einfach ein Tollpatsch«, mischte Cam sich ein. Das klang für mich ein bisschen schnippisch. Mochte er seinen Nachbarn nicht oder war er nur gestresst? Weil mir das ein bisschen eigenartig vorkam, wechselte ich lieber das Thema.

»Dixon ist mit den anderen gleich da drüben.«

»Super.« Cam machte sich sofort in die Richtung auf, in die ich gezeigt hatte. Anscheinend hatte er die Jungs gleich entdeckt. Levi machte keine Anstalten, ihm sofort zu folgen.

»Komm mit«, sagte ich zu dem Neuen. »Damit du alle anderen kennenlernen kannst.«

Nachdem sich alle vorgestellt hatten, fing Levi an, sich nach dem Sport hier bei uns zu erkundigen. (In Detroit hatte er zur Lacrosse-Mannschaft gehört.) Ich stieß Cam leicht in die Seite.

»Was ist denn da zwischen euch beiden?«, fragte ich leise. »Du kannst mir ja sagen, ich soll die Klappe halten, wenn ich mich irre oder so, aber irgendwie … ich weiß nicht, es kommt mir so vor, als würdest du den Neuen nicht besonders mögen.«

Cams grimmige Miene wurde ein bisschen verlegen. »Es ist nicht so, dass ich ihn nicht mag – so gut kenne ich ihn ja auch gar nicht«, murmelte er. »Ich hasse es nur, für einen Neuen verantwortlich zu sein, verstehst du? Da habe ich das Gefühl, mir meinen Sarkasmus verkneifen und supernett sein zu müssen.«

»Das wird schon werden. Mir kommt er ganz nett vor. Du kannst ja wenigstens·versuchen, nicht aus der Wäsche zu gucken wie mein kleiner Bruder Brad, wenn Dad ihm sagt, er soll seinen Brokkoli essen.«

»Das sagst du so leicht«, flüsterte er. »Der Typ fährt wie ein Irrer – aber mein Auto ist eben noch in der Werkstatt.«

»Ich möchte dich nur mal dran erinnern, dass du das warst, der rückwärts gegen ein Straßenschild gekracht ist.«

»Aaah, erinner mich nicht daran!« Aber er lächelte und ich grinste zurück. Lee stupste mich mit der Schulter an und deutete auf Warren und Levi, die schon in ein Gespräch über Football vertieft waren. Ich fing seinen Blick auf.

Senior year, here we come!

2

Ich erinnerte mich schnell wieder daran, was am ersten Schultag unangenehm war: Horden von Schülern, die herumlärmten, um in ihre Klassenzimmer zu kommen und dort Plätze für ihre Freunde freizuhalten, bevor die guten alle belegt waren; Freshmen, also Neuntklässler, die in kleinen Gruppen rumstanden, die Flure blockierten und verloren und überfordert aussahen – manche sogar ein bisschen grün im Gesicht.

Es war seltsam, nicht irgendwo Noahs Kopf zu entdecken und ihn dabei zu beobachten, wie er sich einen Weg durch die Menge bahnte.

Lee lief so dicht neben mir, dass unsere Schultern sich berührten und ich fasste ihn fest am Handgelenk, damit wir nicht voneinander getrennt wurden.

Ich schaute über die Schulter. »Ich hab die anderen schon verloren.«

»Die wissen, wo sie hin müssen.« Lee blieb kurz stehen, sodass jemand von hinten in mich reinlief und fluchte, bevor er einen Bogen um uns machte.

Lee zog mich in den nächsten Flur und nahm einen Umweg zu unserem Klassenzimmer. An jedem anderen Tag hätten wir auf diese Weise doppelt so lang gebraucht, aber jetzt konnten wir verhindern, niedergetrampelt zu werden.

Mr Shane, unser Tutor in der Zwölften, war Lehrer für Englische Literatur. Sein Klassenzimmer war mit Infoplakaten zu den Büchern dekoriert, die seine Klassen lesen würden. Außerdem hingen da lauter Din-A4-Ausdrucke mit Porträts von Autoren wie John Steinbeck, William Shakespeare, Mary Shelley und F. Scott Fitzgerald.

Mr Shane selbst sah aus wie das Klischee eines Lehrers, der frisch von der Uni kam: Er trug eine Brille mit schmalem Rand, seine Krawatte hing ein bisschen schief und sein Hemd war nur vorn in den Hosenbund gesteckt. Er hatte auch noch nicht so einen verbissenen Gesichtsausdruck wie manche der älteren Lehrer, die es offenbar satthatten, denselben Stoff zwanzig Jahre lang zu unterrichten. Stattdessen lächelte er jeden einzelnen von uns an, als wir reinkamen.

Rachel und Lisa waren offenbar ganz kurz vor uns gekommen, denn sie legten ihre Taschen gerade erst auf Tische nah am Fenster. Lee steuerte direkt auf den Tisch gleich neben seiner Freundin zu, bevor er sie auf die Wange küsste. Ich schaute zum Tisch daneben, doch der war schon besetzt.

»Elle! Setz dich zu mir!«, rief Lisa, als ich zögerte, und deutete auf den Platz neben sich, vor Lee. Sie war seit ein paar Monaten Cams Freundin und seither Teil unseres Freundeskreises. »Habt ihr Levi schon kennengelernt? Ich war, kurz nachdem er eingezogen war, bei Cam zum Abendessen, da haben wir uns kennengelernt. Er war ein bisschen schüchtern, aber ich glaube, er ist ganz cool. Und ich würde alles für solche Wimpern geben, wie er sie hat! Und dieses Haare – was für Locken! Ich liebe die.«

Ich lächelte dazu nur und so nahm sie ihr Gespräch mit Rachel wieder auf. Lee hatte seinen Stuhl näher an Rachels geschoben und sah sie jetzt schmachtend an. Ich versuchte, nicht zu gekränkt zu sein, dass er einen Platz neben ihr einem neben mir vorgezogen hatte. An die neue Dynamik, die entstanden war, seit er mit Rachel zusammen war, musste ich mich immer noch gewöhnen. Bis zu der Zeit, die wir diesen Sommer gemeinsam im Beach House verbracht hatten, war mir das gar nicht so aufgefallen. Und jetzt war auch Noah nicht da, um mir zu helfen, es besser zu verkraften, dass Lee seine Freundin auf Platz eins setzte.

Nachdem fast alle Plätze besetzt waren, begann Mr Shane mit dem typischen Der-erste-Tag-nach-den-Ferien-Monolog: dass er hoffte, wir hätten alle einen guten Sommer gehabt, aber dass jetzt ein »wirklich wichtiges Jahr« vor uns läge, wie wichtig das für jeden von uns sei, und dass einige von uns sich »richtig reinknien und hart arbeiten« müssten.

Er war ungefähr bei der Hälfte seiner Ansprache angekommen, als es klopfte und die Schulsekretärin mit einem höflichen Lächeln eintrat.

»Entschuldigen Sie die Störung. Sie haben einen neuen Schüler in Ihrer Klasse, und ich dachte, ich bringe ihn persönlich herauf. Seine Verspätung ist meine Schuld – es gab noch Papierkram, der erledigt werden musste.«

Ich drehte mich zu Lee um, der eine Augenbraue hochzog. Dann drehte ich mich wieder nach vorn, um den neuen Schüler zu sehen, obwohl ich schon so eine Ahnung hatte, um wen es sich handelte.

Und ich behielt recht. Levi trat schüchtern hinter der Sekretärin hervor. Den Mund so verzogen, als wisse er nicht, ob er lächeln oder cool dreinschauen sollte. Die Sonnenbrille steckte noch oben in seinen Haaren, und weil er sie sich dadurch aus dem Gesicht geschoben hatte, merkte ich, wie länglich dieses war. Sein Kinn wirkte relativ spitz, nicht so ausgeprägt wie Noahs. Aus der Ferne kam er mir auch irgendwie größer vor. Ein paar Mädchen auf der anderen Seite des Klassenzimmers fingen an zu flüstern.

Sein Hemd war gebügelt, aber nur an einer Seite in die Hose gesteckt, den Pulli trug er um eine Schulter geknotet, unter dem Träger seines Rucksacks. Das Ganze sah aus, als habe er versucht, seiner Schuluniform einen coolen Touch zu geben, obwohl er immer noch ziemlich adrett wirkte.

Mr Shane lächelte ihn freundlich an. »Na dann, willkommen. Komm rein und such dir einen Platz. Wie heißt du?«

»Levi Monroe.«

Als Levi mich und Lee entdeckte, hellte seine Miene

sich auf. Bevor er es im Zickzack zu dem freien Platz direkt vor mir schaffte, stolperte er, fuchtelte mit den Armen und verzog erschrocken das Gesicht. Um sich abzufangen, hielt er sich am nächstbesten Tisch fest, den er dann aber mit sich riss.

Jemand versuchte hüstelnd, ein Lachen zu kaschieren. Lee und ich prusteten gleichzeitig los. Ein Typ stand auf und streckte Levi die Hand hin, um ihm aufzuhelfen. Jemand anderes hob den umgeworfenen Tisch wieder auf. Sogar Mr Shane lachte, obwohl er versuchte, es zu unterdrücken.

»Sieht aus, als bekämst du Konkurrenz als Klassentollpatsch«, flüsterte Lee mir zu.

Ohne auch nur ein bisschen rot zu werden, warf Levi den Kopf in den Nacken, zuckte mit einer Schulter und drehte sich mit ernster Miene zur Klasse um. »Da soll noch einer sagen, ich wüsste nicht, wie man einen großen Auftritt hinlegt.« Dann verbeugte er sich und Lee johlte hinter mir. Ein paar andere lachten noch, als Levi sich auf den Platz genau vor mir setzte, ohne erneut über seine eigenen Füße zu fallen.

Er drehte seinen Stuhl gleich so zur Seite, dass er uns und den Lehrer sehen konnte.

»Hey, noch mal«, sagte er zögernd. Ich konnte zwar verstehen, warum Cam nicht unbedingt einen Neuling an der Backe haben wollte, aber gleichzeitig tat mir der arme Kerl auch leid. Es war bestimmt nicht leicht, fürs letzte Schuljahr umzuziehen. Aufmunternd lächelte ich ihn an.

»Du bist ... Ella, stimmt's?«

»Elle«, verbesserte ich ihn und deutete mit dem Daumen über meine Schulter nach hinten. »Und das ist –«

»Lee. Hab ich mir gemerkt.« Er sah Lisa an. »Wir haben uns neulich schon mal gesehen, oder?«

»Genau. Lisa.«

Er nickte. »Lisa. Weiß ich.«

»Und das ist Rachel«, sagte Lisa und zeigte hinter sich. »Lees Freundin.«

»Ich glaube, ich muss mir eine Liste machen. Sonst kann ich mir nie merken, wer mit wem zusammen ist. Ich bin schon schlecht genug darin, mir nur die Namen zu merken.«

»Wenn du ›Alter‹ schreist, kann ich dir fast garantieren, dass einer von uns sich angesprochen fühlt«, meinte Lee.

Mr Shane ergriff wieder das Wort und wir schwiegen. Für einen Lehrer war er ziemlich cool, aber wir wussten schon, dass er es nicht gut finden würde, wenn wir uns während seiner kleinen Ansprache weiter unterhielten.

Nachdem wir unsere Stundenpläne bekommen hatten, redeten alle durcheinander und verglichen ihren mit denen von Freunden. Ich schnappte mir Lees sofort und vertiefte mich hinein.

»Und? Wie schlimm ist es?«

»Verschiedene Kurse in Englischer Literatur«, sagte ich. »Und du bist in Mathe auf Collegeniveau. Ich hab dafür Algebra II. Alles andere sieht gut aus.«

»Sport?«

»Haben wir gleichzeitig.«

»Ja! Du weißt doch, wie gerne ich zusehe, wenn du Leute beim Völkerball abschießt.«

»Du weißt, wie gerne ich dich beim Völkerball abschieße.«

Ich gab ihm seinen Stundenplan zurück, damit er ihn mit Rachels vergleichen konnte. Aber sie war im Moment noch damit beschäftigt, ihren mit Lisas abzugleichen. Als ich hochschaute, sah ich Levi an seinem Daumennagel knabbern. Dabei beobachtete er uns alle aus den Augenwinkeln. Als wäre er zu schüchtern, um mitzumischen, würde das aber eigentlich gern tun.

Ich beugte mich vor und sagte: »Komm, gib mal her.«

Seine Erleichterung darüber, einbezogen zu werden, war deutlich spürbar.

Wir hatten ein paar Kurse zusammen, aber während wir über Fächer und Lehrer sprachen, sah Levi zunehmend nervös aus.

»Ist alles okay?«, fragte ich.

Er schob das Kinn vor und machte ein trotziges Gesicht. »Weißt du, ich möchte nicht, dass du denkst, du müsstest dich mit mir abgeben, nur weil ich der Neue bin. Ich hab auch Cam gesagt, er muss nicht mit mir zusammen zur Schule fahren. Aber er meinte, es würde ihm nichts ausmachen. Zumindest nicht die ersten paar Tage, vor allem weil sein Wagen noch zur Reparatur in der Werkstatt ist. Aber, weißt du, fühl dich nicht gezwungen, nett zu mir zu sein oder so.«

»Du hast mir ja keinen Grund gegeben, *nicht* nett

27

zu dir zu sein. Bis jetzt jedenfalls. Abgesehen davon haben wir den ersten Kurs zusammen, da kannst du dann aber wirklich mit mir zusammen hingehen. Stimmt's?«

Er lächelte besorgt. »Du musst aber nicht.«

»Warum? Bist du ein Axtmörder? Oder auch der Flucht vor den Cops in Detroit?« Ich schnappte theatralisch nach Luft. »O mein Gott. Ich hab's. Ich wette, du gehörst zu den Leuten, die die Geschäftsbedingungen akzeptieren, ohne sie gelesen zu haben.«

Er lachte und die Anspannung und Unsicherheit fielen von ihm ab. »Jetzt hast du mich ertappt.«

Er klingelte und ich griff nach meiner Tasche. »Komm, Frischling. Die Hölle auf Erden in Gestalt von Algebra erwartet uns.«

Die Vormittagskurse vergingen wie im Flug und mein Kopf fühlte sich an wie ein Auto, das ständig abgewürgt wird. Es kam mir vor, als hätte ich über den Sommer verlernt, wie man ordentlich mitschreibt, wie man sich hinsetzt und Sachen lernt. Außerdem war ich jedes Mal abgelenkt, wenn mein Handy brummte, weil ich mich fragte, ob das eine Nachricht von Noah war (war es nie).

Aber jetzt war Mittagpause, und ich atmete erleichtert auf, weil der halbe Schultag geschafft war.

Nachdem ich mich am Ende der Reihe für die Essensausgabe angestellt hatte, lehnte ich den Kopf nach hinten an Lees Schulter. Er stützte den Kopf auf mein Kinn.

»Mhm, ich rieche Tacos.«

»Sabber bloß nicht auf meine Haare«, warnte ich ihn streng. »Die hab ich heute Morgen erst gewaschen.«

Lee machte ein schlürfendes Geräusch, und ich duckte mich schnell weg, bevor er mich tatsächlich ansabberte.

Wir waren die ersten aus unserer Clique in der Cafeteria. Und so suchten wir uns mit unseren Tabletts einen freien Tisch in der Mitte. Es war einer von denen, wo letztes Jahr die Zwölften gesessen waren, und nachdem sie jetzt aufs College gingen, fand ich, er stünde uns zu. Lee und ich setzten uns einander gegenüber. Als er mich mit seinem üblichen schelmischen Grinsen ansah, wusste ich, dass er das Gleiche dachte wie ich: Senior zu sein, das war *definitiv* cool.

Die anderen ließen nicht lange auf sich warten: Cam, Dixon, Warren, Oliver und auch Levi. Lisa und Rachel kamen als Nächste und setzten sich jede neben ihren Freund. Ein paar Mädchen aus ihrem Freundeskreis ließen sich am Ende des Tisches neben Lisa nieder.

Während alle sich Geschichten vom Vormittag erzählten, merkte ich, dass Levi wieder verunsichert aussah. Er bemühte sich, den Überblick zu behalten.

Lee war zu sehr damit beschäftigt, Rachel schmachtende Blicke zuzuwerfen, um irgendwas anderes mitzukriegen. Also sprach ich Levi an. »Wie gefällt die Kalifornien bis jetzt so?«, fragte ich fröhlich. »Ist es dir heiß genug?«

»Die Mädchen auf jeden Fall«, scherzte er und

zwinkerte mir zu, sodass ich rot wurde. Warren schnaubte und verschluckte sich dermaßen an seiner Limo, dass Oliver ihm ein paarmal auf den Rücken hauen musste. Lee wackelte nur mit den Augenbrauen in meine Richtung und bemühte sich, nicht zu lachen.

»Ich mache nur Spaß«, sagte Levi. »Also, nein – ich meine, du bist natürlich hübsch, aber – nein, nein, nicht bös gemeint – ich wollte einfach … mein Gott, das klang in meinem Kopf viel einfacher. Ich wollte was Charmantes, Cooles und Witziges sagen.« Da mussten alle lachen, Levi auch. »Eigentlich wollte ich einen Witz machen und jetzt klinge ich wie ein Loser.«

»Warum bist du überhaupt hergezogen?«, fragte Warren. Das fragten wir uns zwar alle, aber jetzt sah jeder von uns Warren mit aufgerissenen Augen an. Im Sinne von: *Was denkst du dir dabei?* Als er es kapierte, fügte er schnell noch hinzu: »Sorry, Alter, wollte nicht zu neugierig sein.«

Levi schien das aber nicht allzu viel auszumachen. »Nee, ist cool. Mein Dad ist Zahnarzt und meine Mom war die Buchhalterin der Praxis, in der er arbeitete. Aber dann hat die Praxis pleite gemacht und meine Eltern haben ihre Jobs verloren. Da haben wir entschieden umzuziehen. Wir haben Verwandte, nicht weit weg von hier, und meine Mom hat es geschafft, einen neuen Job zu finden, also …« Er verstummte. Dann räusperte er sich. »Tja, und hier sind wir jetzt.«

»Also nur du und deine Eltern?«, fragte Rachel, weniger direkt als Warren vorhin.

»Meine Schwester auch.«

»Schwester?« Oliver zog die Augenbrauen in die Höhe und beugte sich vor. »Single?«

»Äh, ja, sie ist aber auch erst acht und glaubt, alle Jungs hätten Läuse …«

Die Jungs feixten über Oliver, der ein bisschen rot wurde. Levi fuhr sich grinsend und sichtlich entspannter mit einer Hand durch die Locken. »Ich nehm's zurück«, murmelte Olly, den Kopf in die Hände gestützt. »Aber vielleicht sagst du das nächste Mal gleich *kleine* Schwester.«

»Ich versuch, dran zu denken.«

»Übrigens«, sagte Dixon, »apropos Geschwister … Lee, wie geht's eigentlich deinem Bruder am College?«

»Er liebt es. Würde mich wundern, wenn er zu Thanksgiving überhaupt nach Hause kommt.«

Moment mal, was?

Ich warf Lee einen Blick zu, aber er schien es nicht zu merken. Hatte Noah ihm etwa gesagt, er würde zum Feiertag nicht nach Hause kommen? Wann würde ich ihn dann das nächste Mal sehen? Aber nein – das hätte er mir doch bestimmt gesagt.

Ich holte tief Luft. Das hätte er mir garantiert gesagt. Bestimmt machte ich mir ganz unnötig Gedanken.

»Haben seine Vorlesungen schon angefangen?«, fragte Cam mich.

»Äh … ja. Heute Morgen hatte er Mathe.«

»Igitt.«

»Er fand's toll.«

Warren schnaubte wieder. »Wer hätte gedacht,

dass Flynn so ein Streber ist, was? Das hat er ganz gut verheimlicht. Ich wette, er hat seine Bücher immer im Sitz seines Motorrads versteckt.«

»Flynn«, sagte Levi und schaute zwischen Lee und mir hin und her. »Ist das euer Bruder?«

»Mein Bruder«, erklärte Lee. »Er heißt Noah – unser Nachname ist Flynn –, aber alle haben ihn immer nur Flynn genannt. Er ist mit Elle zusammen.«

»Oh. *Oh!* Ich – sorry, ich dachte, ihr beiden wärt irgendwie verwandt oder so. Ich meine, ihr seht euch zwar nicht sehr ähnlich, aber wie ihr so miteinander umgeht, da dachte ich …«

»Ist okay«, sagte Lee beruhigend. »Das kann man leicht denken.«

Lee und ich waren in praktisch jeder Hinsicht wie Zwillinge, nur nicht blutsverwandt: Wir waren am selben Tag geboren und miteinander aufgewachsen. Schon unser ganzes Leben lang waren wir beste Freunde. Manchmal schienen die Leute zu vergessen, dass wir nicht miteinander verwandt waren.

»Lee und Flynn – Noah – mein Gott, ich weiß gar nicht, wie ich ihn nennen soll, jetzt, wo er weg ist«, den letzten Halbsatz murmelte Cam ein bisschen zu sich selbst, »haben in den letzten Jahren ein paar epische Partys geschmissen. Es gab da eine, vor ein paar Monaten …« Er fing an zu kichern und konnte kaum zu Ende erzählen. »Da war Elle dermaßen betrunken … sie fing an, auf dem Billardtisch zu tanzen und versuchte dann, sich auszuziehen, um nackt baden zu gehen. So. Lustig.«

Levi sah mich mit hochgezogenen Augenbrauen an. »Und da dachte ich, du wärst ein mustergültiges, typisch amerikanisches Mädchen von nebenan.«

»Es war die demütigendste Erfahrung meines Lebens«, stöhnte ich und wurde rot. Die Jungs lachten alle über mich. Ich hatte nur vage Erinnerungen an den Abend und seither auf Partys nie mehr als ein paar Schlucke Bier getrunken. Allerdings endete der Abend damals damit, dass Noah mich rettete ... insofern war es kein absolutes Desaster gewesen. Ich hatte ihn bei der Gelegenheit in Unterwäsche gesehen – und zwar in Superman-Boxershorts. Damit zog ich ihn seither ständig auf.

»Ach, komm schon, Shelly«, sagte Lee mit einem fiesen Glitzern in seinen blauen Augen, was mich von dem Gedanken an Noah in Boxershorts ablenkte. »Mir fallen noch viel peinlichere Aktionen ein, die du gebracht hast.«

»Shelly?«, fragte Levi.

»Abkürzung für Rochelle«, erklärte ich.

»Du solltest sie Shelly nennen«, riet Warren ihm. »Das liebt sie total.«

»Nenn mich *nicht* Shelly.«

»Aber –« Hilfesuchend sah Levi Lee an.

Lee und Noah ließ ich es durchgehen, wenn sie mich Shelly nannten, aber es war nicht gerade mein Lieblings-Spitzname. Aus schmalen Augen sah ich Lee an, der stumm in sich hinein lachte.

Ich zeigte mit meiner Gabel, an der noch eine Pommes frites hing, auf ihn. »Wenn du es wagst, noch irgendwas anderes auszuplaudern, dann suche ich höchstpersönlich in den Fotoalben auf eurem Dachboden, damit ich Rachel die Fotos zeigen kann, als du dich als Elvis verkleidet hast. Oder von Halloween, als wir als Sonny und Cher gegangen sind.«

Lee hörte schlagartig auf zu lachen und tat so, als würde er seinen Mund wie einen Reißverschluss zumachen. Dann klaute er sich noch das Pommes von meiner Gabel und aß es auf. Meinen gespielt bösen Blick ignorierte er einfach.

»Apropos Partys …« Dixon übernahm wie immer die Rolle des Friedensstifters und stellte die Frage, wer wohl am wahrscheinlichsten die erste Party des Schuljahrs veranstalten würde. Dann versuchte er, Lee oder Warren dazu zu überreden, aber beide schienen skeptisch zu sein.

Ich sah zu Lee hin, der mit Rachel auf dem Tisch Händchen hielt und sich leise mit ihr unterhielt. Dabei schaute er sie an, als würde sie seine ganze Welt erleuchten.

Noah sah mich auch manchmal so an.

Der Gedanke gab mir einen Stich. Nicht nur weil ich Noah vermisste, sondern auch weil ich mir mal wieder Sorgen machte, Lee vielleicht zu verlieren, wenn ich ihn so versunken mit seiner Freundin sah. Ich meine, natürlich wollte ich, dass mein bester Freund glücklich war, und es freute mich, dass er Rachel so liebte. Aber jetzt, wo Noah weg war, fing ich an zu merken, wie wenig Zeit Lee und ich nur noch miteinander verbrachten, seit er Rachel hatte. Ich war nicht eifersüchtig.

Na gut, vielleicht ein bisschen eifersüchtig. Ein winzig kleines bisschen.

Dann schaute ich wieder zu Levi. Der wollte dazugehören und Freundschaften schließen. Klar. Die anderen Jungs schienen ihn ganz gern zu mögen und würden bestimmt mit ihm abhängen. Nachdem Lee und ich keine quasi siamesischen Zwillinge mehr waren, würde ich vielleicht während dieses Schuljahrs viel Zeit mit dem Neuen verbringen.

Seltsamerweise kam mir diese Idee gar nicht so schlecht vor.

3

»Mein Gott, Lee«, murmelte ich, »ein paar von diesen Typen sind riesig.«

Lee war mit Polstern und Helm ausgerüstet und auch nicht gerade klein, zwar kleiner und schmaler als Noah, aber immer noch relativ stattlich und kräftig. Trotzdem sahen einige der Typen draußen auf dem Feld dreimal so groß aus wie er, der sich gerade seelisch auf die Tryouts einstimmte. Ein paar der anderen hatten schon vergangenes Jahr zum Team gehört.

Und bis vorhin hatte ich geglaubt, Lee würde es bestimmt auch ins Team schaffen.

»Klar«, antwortete er und hüpfte auf Zehenspitzen, »aber ich bin schnell und kann, wie du weißt, den Ball fangen. Auf dem Trikot des Wide Receiver steht praktisch schon mein Name.«

»Ehrlich gesagt dachte ich, auf dem des Quarterback.«

Er verzog das Gesicht. Lee war immer schon verrückt nach Football gewesen – und ziemlich gut darin –, doch bisher hatte er nie ins Team gewollt.

Nicht solange Noah als Quarterback dessen strahlender Star war. Irgendwie konnte ich ihm das nicht verübeln.

Lee fing an zu pfeifen, und ich brauchte eine Minute, um den Song zu erkennen.

»Ist das *I Hope I Get It* oder wie das heißt?«

»Mhm. Aus *A Chorus Line*.«

»Wie bist du denn auf einmal drauf?«

»Hey, Ich hab mit Rachel diesen Sommer viele Musicals angeschaut, als Vorbereitung auf den Theaterclub. Sie will sich dies Jahr für eine Hauptrolle bewerben. Und ich bin ein guter, sie unterstützender Partner, weißt du. Soll ich vielleicht mal Fiyeros Part aus *As Long as You're Mine* singen? Den beherrsche ich perfekt.«

Erst suchte er sich einen Platz neben Rachel aus und nicht neben mir, und jetzt musste ich auch noch erfahren, dass er den Sommer über Musicals mit ihr gesungen hatte? Was verheimlichte er noch alles vor mir?

Aber ich verdrehte gutmütig die Augen. »Wie auch immer, Kumpel.«

Der Trainer pfiff schrill übers ganze Spielfeld. »Aufstellen, Jungs! Wir fangen mit dem Lauftraining an!«

»Schätze, du solltest besser los.«

»Halt mir die Daumen.«

»Hey.« Ich legte eine Hand auf Lees Schulter, sodass er mir in die Augen blickte. Ich nickte ihm zu. »Du schaffst das.«

»Und du hast einen Pickel am Kinn.«

»Hab dich auch lieb!«, rief ich ihm nach, während er schon auf das Feld zu den anderen Hoffnungsvollen lief. Dann suchte ich mir einen Platz auf den Tribünen, um zuzuschauen, und konnte nicht anders, als ihn mit Noahs Stil zu vergleichen. Lee war zwar nicht *so* gut, aber immer noch ein starker Spieler.

Als sie fertig waren, kam Lee zu mir auf die Tribüne, anstatt den anderen Jungs in die Umkleide zu folgen. Ich sprang ein paar Reihen hinunter und strahlte ihn an, aber Coach Pearson erwischte ihn vor mir und klopfte ihm auf die Schulter.

»Das hast du gut gemacht, Little Flynn. Vielleicht wirst du jetzt mal deinem Namen gerecht.«

»Dann bin ich im Team?«

»Ich gebe die Liste morgen raus, aber es sieht gut aus. Hat dein Bruder die Pässe mit dir trainiert?«

»Ja, Sir.«

»Da hat er einen verdammt guten Job gemacht. Und jetzt los, ab unter die Dusche. Mit deiner Freundin kannst du danach feiern.«

»O nein, sie ist nicht –«

Da war Coach Pearson aber schon wieder weg.

Als ich unten auf dem Feld angelangt war, legte ich einen kleinen Freudentanz hin. »Du hast's geschafft! Du hast's geschafft, du bist im Team!«

Lee starrte mich eine Sekunde lang ausdruckslos an, bevor er grinste und mich dann stürmisch umarmte, bevor ich mich wehren konnte. Ich würgte theatralisch. »Hast du überhaupt Deo benutzt?«

»Wieso? Hast du etwa was gegen Männergestank?«

Er packte mich und drückte meinen Kopf unter seine Achsel, bevor ich mich befreien und ihn von mir wegstoßen konnte.

»Ich bin so stolz auf dich, Lee. Das ist fantastisch.«

»Schätze mal, ich muss jetzt einfach so gut wie Noah sein«, murmelte er. »Um den Ruf der Flynns zu verteidigen.«

»Ach, mach dir darüber mal keine Sorgen. Pearson ist manchmal ein Blödmann. Es war bescheuert von ihm, das zu sagen. Aber geh dich jetzt echt mal duschen, bevor ich von deinem Männergestank noch kotzen muss.«

Lee salutierte, bevor er Richtung Garderobe davonhüpfte. Ich jubelte ihm hinterher und musste loslachen, als er plötzlich hochsprang, die Fersen zusammenschlug und die Arme in die Luft warf.

Nachdem ich mich wieder gesetzt hatte, um auf Lee zu warten, holte ich mein Handy für einen Videoanruf bei Noah raus.

Erst nachdem er rangegangen war, fiel mir ein, dass Lee seinem Bruder wahrscheinlich lieber selbst davon erzählte.

»Hey, eine Sekunde«, rief Noah ins Telefon und presste es im Gehen gegen seine Brust. Im Hintergrund war jede Menge Lärm. Es klang nach einer Party. Ich sah verschwommene Gestalten, während er sich weiter weg bewegte und manchmal »Entschuldigung« sagte. Dann endlich: »Okay, hi, da bin ich wieder.« Er grinste mich an, sodass das Grübchen in seiner linken Wange sichtbar wurde. Sein Gesicht war gerötet und das lange dunkle Haar klebte an seiner Stirn.

Mein Herz geriet ins Stocken, als ich ihn sah, und automatisch grinste ich zurück.

»Wo bist du gerade?«

»In der Bibliothek, merkt man das nicht?« Er lachte. »Ich bin auf einer Party. Also, jetzt draußen, natürlich. Wir haben früh angefangen. Okay, was gibt's? Oder rufst du nur an, weil du mich vermisst?« Er zwinkerte mir zu und kam dann näher ans Display. »Bist du auf dem Football-Feld? O shit! Das Probetraining! Wie hat Lee sich geschlagen?«

Als ich stotterte, »Er, äh, ich will aber lieber nicht …«, fing Noah schon an zu jubeln, die Faust in die Luft zu recken und mit der Kamera herumzuwackeln. Ich seufzte, als er wieder ins Bild kam. »Das hast du aber nicht von mir erfahren.«

»Was habe ich nicht von dir erfahren, Shelly?«

»Richtige Antwort.« Ich strich eine Strähne, die aus meinem Pferdeschwanz gerutscht war, hinter mein Ohr. »Puh, der heutige Schultag schien überhaupt nicht zu Ende zu gehen. Weißt du, wie viel Hausaufgaben ich schon nach einem einzigen Tag habe? Das ist verrückt. Und die ganzen Bewerbungen, die ich in den letzten Wochen für Nebenjobs verschickt und abgegeben habe – keine einzige Rückmeldung. Bitte, bitte, sag mir, dass nicht die ganze Zwölfte so läuft.«

Noah zog eine Augenbraue hoch. »Du willst nicht wissen, wie viele Kapitel mir meine Professoren diese

Woche als Lektüre empfohlen haben. Deshalb habe ich gerade kein Mitleid mit dir.«

»Apropos. Ich war mir gar nicht sicher, ob du ans Telefon gehst. Ich dachte, du würdest lernen.«

Noah zuckte mit den Achseln, kratzte sich hinterm Ohr und ließ den Blick in die Ferne schweifen. »Habe ich auch gemacht, aber jetzt bin ich im Haus einer Fraternity. Steve hat uns Einladungen besorgt. Ich schwör dir, er kennt hier jeden, und ich weiß gar nicht, wie er das macht.«

»Ist doch cool. Also wie ist das College so? Die Vorlesungen, meine ich. Die Partys sind ja anscheinend toll.«

Das waren sie offensichtlich, denn seit Semesterbeginn war er schon auf einigen gewesen.

Ich wünschte mir nur, er würde mir weniger von Partys und neuen Freunden berichten und mehr über alles andere am College.

»Ach, weißt du, es ist wie Unterricht. Schon okay. Aber stell mir mal vor, dieser Typ hat vorhin einen Handstand auf dem Bierfass gemacht und dann …«

»Noah …« Ich konnte nicht anders, als ein enttäuschtes Gesicht zu machen, aber Noah schaffte es, weiter fröhlich dreinzublicken und das Thema zu wechseln.

»Was ist denn los?«

»Was war mit der Hausarbeit, die du schon abgeben musstest?«

»Ich, äh, das dauert noch eine Weile, bis ich die zurückbekomme. Aber jedenfalls –«

Er brach ab, als ihm jemand im Hintergrund etwas zurief. Ich konnte es nicht genau verstehen. »Eine Sekunde«, schrie Noah zurück und drehte sich dabei kurz vom Handy weg. Er biss sich auf die Lippe – das sah so süß aus – und auch ein bisschen so, als ob er genervt sei. Mir wurde das Herz schwer.

»Hör mal, Elle, ist es okay, wenn ich dich später zurückrufe? Tut mir leid, ich will gerne mit dir reden, aber jetzt gerade …«

Willst du das wirklich?, dachte ich, denn mir kam es eher so vor, als würde er grad lieber nicht mit mir sprechen.

Aber es war ja keine große Sache. Die ganzen Partys und so, das war schließlich … Teil des Collegelebens, oder? Als er dort anfing, klang er so, als würde er sich total auf seine Lehrveranstaltungen freuen. Aber in den letzten paar Tagen … hat er sie kaum erwähnt.

Also lächelte ich nur und meinte: »Mach dir keine Gedanken. Wir können morgen reden. Hab einen schönen Abend.«

»Ich liebe dich«, versicherte er mir und schickte einen lauten Kuss übers Telefon, um mich zum Lachen zu bringen.

»Ich dich auch.«

Ich konnte nicht lange darüber grübeln, ob Noah nicht mit mir reden wollte oder ich mir unnötig Sorgen machte, weil Lee so rasch wieder aus der Garderobe auftauchte. Er winkte mir mit seinem Handy und strahlte übers ganze Gesicht, als er mir erzählte, der Theaterclub würde dieses Jahr *Les Misérables* ein-studieren und Rachel habe vor, sich für die Rolle der Fantine zu bewerben.

Zurück auf dem Parkplatz fasste ich ihn am Arm, bevor wir in seinen Mustang stiegen. »Hey, hör mal. Ich bin echt stolz auf dich, weil du es ins Team geschafft hast, weißt du.«

»Das ist unser Jahr, Elle. *Unser* Jahr.«

4

»Wie meinst du das, *dass du mich versetzt*? Du wusstest doch, dass ich heute Abend auf Brad aufpassen muss, weil Dad auf dieser Konferenz im Norden ist. Du hast versprochen, dass du hier übernachtest!«

Lee seufzte ins Telefon, und ich wusste, dass er sich gerade durch die Haare fuhr. »Ich weiß, Shelly. Tut mir auch leid. Ich bin ein erbärmlicher bester Freund.«

»Ach, komm schon, Lee, bitte. Rachel wird auch einen Abend ohne dich überleben.«

Ich wusste, dass ich weinerlich und fies klang, aber es kam mir wirklich wie eine Ewigkeit vor, seit Lee und ich so richtig Zeit miteinander verbracht hatten, also nur wir beide. Wir hatten erst eine Woche Schule hinter uns, aber da Rachel und sein neuer Platz im Footballteam zusätzlich zu den ganzen schulischen Verpflichtungen seine Zeit beanspruchten, kam es mir vor, als würde er langsam von mir wegdriften.

Ich gab mir wirklich Mühe, deshalb nicht sauer auf ihn zu sein. Er war wahnsinnig verliebt in Rachel. Er hatte eine Menge zu tun. Das verstand ich und es freute mich auch für ihn.

Aber – *was war mit mir?*

Lee hatte noch nicht geantwortet. Er fühlte sich schlecht und ich wusste, dass er wahrscheinlich überlegte, wie er mir sagen sollte, ›ich verbringe lieber einen Abend mit meiner Freundin als mit dir‹, ohne wie ein Scheißkerl zu klingen.

»Ich vermisse dich einfach«, sagte ich und meine Stimme klang kläglich. Ich erschauerte, weil das so erbärmlich war. Ganz ehrlich, wie verrückt klang das? *Ich vermisse dich.* Wo ich ihn doch praktisch täglich sah. »Wir hängen einfach nicht mehr so viel zusammen ab.«

»Ich weiß, Shelly. Tut mir leid.«

»Kannst du dann nicht wenigstens für ein Weilchen vorbeikommen?«

»Kann ich nicht.«

Ich seufzte.

»Ich mach es wieder gut, versprochen. Morgen gehen wir zusammen shoppen. Schuhe kaufen. Ich lad dich zum Mittagessen ein.«

»Hmm …«

Das machte nicht alles wieder gut, aber ich wusste, dass er sich wirklich bemühte. Ich merkte, wie ich nachgab. So erging es mir mit Lee immer.

»Und ich suche dir einen Ersatz-Co-Babysitter, okay?«, schlug er vor.

»Ist bei dem Mittagessen auch ein Dessert dabei?«

»Dessert *oder* Vorspeise. Nicht beides.«

»Gekauft.«

Er lachte, fügte aber noch leise hinzu: »Es tut mir echt leid. Nur ... Verstehst du?«

»Ich versteh's. Ist okay.« War es nicht, musste es aber sein. »Viel Spaß. Und grüß Rachel von mir.«

»Dann seh ich dich morgen. Danke, Elle! Du bist die Beste.«

Nachdem ich aufgelegt hatte, ließ ich mich rücklings auf mein Bett fallen. Brad würde in ungefähr zwanzig Minuten vom Fußballtraining kommen, also beschloss ich, die Ruhe und den Frieden bis dahin noch zu genießen.

Schon bald hörte ich, wie Brad sich von den anderen Jungs, mit denen er sich in einen Minivan gequetscht hatte und von dem er jetzt abgesetzt wurde, verabschiedete. Dann seine Schritte, als er aufs Haus zulief. Ich ging runter, um ihn in Empfang zu nehmen.

»Ich hab ein Tor geschossen!«

Ich strubbelte ihm durchs Haar. »Super!« Dann schob ich ihn auf Armeslänge von mir weg, bevor er reinkommen konnte. »Okay, junger Mann. Stollenschuhe aus und gleich unter die Dusche. Versuch, den Dreck nicht überall zu verteilen.«

»Aber −«

»Schuhe aus. Duschen. Los, los!«

Ich klopfte die Erde aus seinen Schuhen, bevor ich der Spur aus dreckiger Wäsche bis zur Badezimmertür folgte. Auf deren anderer Seite grölte Brad irgendeinen Rapsong, den ich vage aus dem Radio kannte. Aber der Text war größtenteils falsch. (Wie auch immer er lautete, Käsetoast kam bestimmt nicht darin vor.)

Ich war gerade wieder unten an der Treppe und hatte das Bündel Schmutzwäsche unter dem Arm, als es an der Haustür klingelte.

Wahrscheinlich Cam oder Dixon, den Lee mir geschickt hatte, um mir den Abend als Babysitter zu versüßen. Für Cookies verkaufende Pfadfindermädchen war es definitiv schon zu spät. Ich schob den Riegel mit der Schulter zurück, drückte die Klinke mit dem Ellbogen und schob die Tür schließlich mit der Fußspitze auf.

»Was machst *du* denn hier?«

Levi zog die Augenbrauen hoch. »Freut mich auch, dich zu sehen.«

Ich wurde rot. »Sorry. Ich … ich hab nur nicht mit dir gerechnet.«

»Lee hat mich angerufen und meinte, du hättest gern ein bisschen Gesellschaft, während du auf deinen kleinen Bruder aufpasst. Also, hier bin ich. Ich hab dir auch eine Nachricht geschickt und geschrieben, dass ich vorbeikomme.«

»Oh, sorry, ich hab mein Handy nicht gehört.«

Ein paar Sekunden vergingen schweigend. Levi musterte die Klamotten in meinen Armen, dann sah er mich erwartungsvoll an. Er trug eine dünne wasserabweisende Jacke, deren Kragen er gegen den Nieselregen, der gerade fiel, hochgeschlagen hatte. Sein Haar war feucht, die Locken ein bisschen wild. Das sah ziemlich süß aus.

Noah schaffte es auch, heiß auszusehen, wenn er in den Regen geraten war. Ich dagegen war in so einem Fall nur ein krisseliges Etwas.

»Kann ich reinkommen?«

»Oh, stimmt! Ja, na-natürlich. Klar.« Ich machte einen Schritt beiseite, um ihn vorbeizulassen. Er putzte sich seine Schuhe an der Fußmatte ab, bevor er reinkam. Ich zeigte mit dem Kopf auf Brads Fußballsachen. »Bin gleich wieder da – muss das nur wegbringen. Das Wohnzimmer ist da lang. Fühl dich wie zu Hause.«

»Danke.«

Erstaunlich, wie gut Levi sich schon in unsere Gruppe integriert hatte. Es gab eine Menge gemeinsamer Interessen, außerdem hatte er den gleichen Sinn für Humor wie wir anderen. Es kam einem wirklich nicht mehr so vor, als würden wir ihn erst seit einer Woche kennen.

Levi war charismatisch. Und er entwickelte sogar schon eine gewisse Beliebtheit. Dabei wussten wir noch gar nicht so viel über ihn. In den sozialen Medien gab er nicht viel von sich preis, also schien das meiste, was man über ihn hörte, eher auf Gerüchten zu beruhen. – Und das machte ihn bei den Leuten erst recht zum Thema. Er erzählte auch selbst nicht viel von sich. Also war er nicht nur der Neue an der Schule, sondern auch irgendwie mysteriös. (Und noch dazu sah er – ganz objektiv – gut aus.)

Aber man konnte easy mit ihm abhängen, und er erwies sich auch als ein angenehmer Lernpartner, nachdem Lee mich gegen Rachel eingetauscht hatte.

Als ich aus der Waschküche zurückkam, hatte Levi sich schon auf der Couch ausgestreckt und zappte durch die Fernsehsender.

»Zum Abendessen gibt's Ravioli«, erklärte ich.

»Klingt gut! Danke, Elle. Hier, willst du?« Er hielt mir die Fernbedienung hin, aber ich schüttelte den Kopf und meinte, er solle ruhig was aussuchen.

Ich kümmerte mich inzwischen ums Essen und holte uns beiden etwas zu trinken. Levi hatte sich für *The Lego Movie* entschieden. Ich stellte unsere Getränke auf den Couchtisch und setzte mich ans andere Ende des Sofas.

Bald danach kam Brad die Treppe herunter und wunderte sich sichtlich über den fremden Jungen. Verunsichert sah er mich an, und ich verzog das Gesicht, um ihn zu ermahnen, bloß nett zu sein.

»Äh, hallo.«

Levi drehte sich um und entdeckte meinen kleinen Bruder, der zögernd im Türrahmen stand, und lächelte unbefangen. »Hey. Du musst Brad sein.«

»Ja, aber du bist nicht Lee.«

»Brad! Das ist unhöflich.«

Aber Levi lachte nur. »Ich bin Levi.«

»Der Neue?«

»Ich hab dich wohl schon ein paarmal erwähnt«, erklärte ich Levi. »Lee konnte heute Abend nicht, Brad. Sorry, ich weiß, du hast dich schon drauf gefreut, ihn zu sehen.«

»Und was war mit den anderen Jungs? Also Cam oder Warren. Warren ist auch lustig. Er hat mir beigebracht, auf Französisch zu fluchen. *Merde*. Hört ihr?«

»*Brad!*«

»Was denn? Ich frage ja nur.« Brad ließ sich in einen Sessel plumpsen und merkte dann, dass wir einen Film schauten. Grimmig sah er mich an. »Du hast mir heute Morgen versprochen, dass ich Videospiele spielen darf.«

»Ich weiß, aber jetzt schauen wir gerade einen Film. Komm, den magst du doch auch, mit Batman und so. *It's really awesome*«, sang ich.

»So geht der Text nicht, Elle.«

»Du weißt schon, was ich meine.«

»Das ist echt unfair. Du hast es mir *versprochen*.«

Er klang genau wie ich vorhin mit Lee am Telefon. Aber ich hatte ein leicht schlechtes Gewissen. Ich meine, Levi wollte bestimmt nicht hier rumsitzen und meinem Bruder beim Videospielen zusehen. Da war ein Film die bessere Unterhaltung. Das dachte ich zumindest.

»Was für Videospiele denn?«, fragte Levi meinen Bruder.

Brads Miene hellte sich auf. Ich sah ihm an, wie er überlegte, ob er Levi wohl auf seine Seite ziehen könne. »Mein Dad sagt, für irgendwelche Spiele mit Waffen und so wäre ich ›noch nicht reif genug‹. *Grand Theft Auto* und so was. Aber ich hab ein paar richtig coole Rennspiele.« Er zählte die Namen seiner Favoriten auf, in denen er natürlich auch am besten war. »Und *Zelda*. Ich hab auch *Zelda*.«

»Mir macht es nichts aus, mit dir zu spielen. Solange deine Schwester es okay findet?« Levi drehte sich zu mir und wartete mit gerunzelter Stirn auf meine Erlaubnis. »Ich meine, falls du noch irgendwelche Hausaufgaben zu erledigen hast …«

»Das musst du echt nicht machen«, murmelte ich so leise, dass Brad es nicht hörte.

»Immer noch besser als Maniküre spielen«, sagte er. »Meine Schwester liebt es, mir die Fingernägel zu lackieren.«

»Elle, können wir spielen? *Bitte*!«

Ich zog die Augenbrauen hoch und konnte gar nicht anders. Wenn Brad zu mir, seiner großen Schwester, schon mal »bitte« sagte, dann musste er Levi sympathisch finden. Ich notierte mir im Geiste, dass er in Zukunft immer mein Babysitter-Kumpel sein sollte, wenn Lee mal wieder keine Zeit hatte.

»Äh, na ja … ich wüsste nicht, was dagegen spricht. Ich wünsche euch viel Glück bei dem Versuch, meinen High Score zu knacken. Das hat bisher nicht mal Lee geschafft.«

Während Brad also die Konsole aufbaute und ein Spiel lud, ließ ich die beiden allein und beschloss, meinen Aufsatz über den kalten Krieg fertig zu schreiben, den ich Montag abgeben musste. Danach öffnete ich noch mein Worddokument mit dem Titel: *College-Bewerbungs-Aufsatz*. Doch nachdem ich ein paar Minuten lang auf die leere erste Seite gestarrt hatte, ohne dass mir irgendetwas eingefallen wäre, klappte ich den Laptop wieder zu. College war das ständige Gesprächsthema in der Schule. Obwohl ich schon wusste, dass ich eines besuchen wollte, hatte ich noch keine Ahnung, für welches Fach ich mich entscheiden oder was ich danach eigentlich tun sollte. Immerhin hatten Lee und ich schon vor langer Zeit beschlossen, dass wir gemeinsam auf die University of California, Berkeley wollten. Damit war immer das *Wohin* schon geklärt.

Alle anderen schienen schon zu wissen, was sie studieren wollten, was meinen Stress darüber, dass ich es noch nicht wusste, nicht kleiner machte. Doch ich war mir sicher, sobald ich den Bewerbungsaufsatz geschrieben hätte, würde sich der Rest schon ergeben. Dann wüsste ich es. Alles wäre gut. So musste es sein.

Brad ging sogar mehr oder weniger pünktlich ins Bett – nachdem er zehn Minuten mit mir diskutiert hatte, ob er nicht doch weiter aufbleiben könne, weil Dad noch nicht da sei und am nächsten Tag auch keine Schule war.

»Ich hab dich sowieso schon eine halbe Stunde länger gelassen, als Dad normalerweise!«, rief ich zum eine-millionsten Mal.

»Dad kommt doch erst in einer Stunde! Mann, Elle, sei nicht so verklemmt!«

»Das Wort hat Lee dir beigebracht, oder?«

»Das ist so unfair. Sag du es ihr, Levi. Sag ihr, sie soll nicht so verklemmt sein«, rief er und versuchte, seinen neuen besten Freund für sich einzuspannen.

»Sorry, aber da bin ich jetzt mit deiner Schwester einer Meinung.«

Brad verzog das Gesicht und brummte resigniert: »Na gut. Danke, dass du mit mir gespielt hast.« Dann nuschelte er noch ein Gutenacht und stampfte die Treppe hinauf.

»Vergiss die Zahnseide nicht«, rief ich ihm nach, obwohl ich wusste, dass er sie ganz bestimmt nicht benutzen würde. Dann ließ ich mich neben Levi auf die Couch sinken. »Danke auch von mir. Für alles heute Abend. Ich weiß deine Hilfe echt zu schätzen.«

»Ich meine mich zu erinnern, du hättest ihn in der Schule als den reinsten Albtraum beschrieben. Aber ich kann dir sagen – du hast wahrscheinlich noch nie Albtraumkinder auch nur gesehen. Du solltest mal meine Schwester erleben, wenn sie hungrig und müde ist. Dann kreischt sie rum und ist absolut unerträglich, das kann ich dir versichern. Also ich würde jederzeit mit dir tauschen.«

»Wart's ab, bis noch PMS dazukommt. Aber bis dahin bist du schon auf dem College, oder?«

»Genau«, murmelte er.

»Aber danke. Wirklich. Die einzigen Leute, auf die Brad wirklich hört, sind Lee und Noah. Aber auch nur, weil er sie total vergöttert. Wir sind ja quasi zusammen aufgewachsen.«

Levi nickte und meinte nach einer Pause: »Also … du und Noah. Ihr wart nur befreundet, bevor ihr zusammen wart? Dass Lee und du eng miteinander seid, weiß ich ja schon.«

Ich verzog das Gesicht. »Nein … nicht wirklich. Ich meine, irgendwie schon. Als wir alle noch kleiner waren, aber dann hatten wir wenig miteinander zu tun, als er auf die Middle School kam.«

»Und wie seid ihr dann doch zusammengekommen? Aber sag, wenn ich zu neugierig bin. Ich versuche, es höflich anzustellen.« Er grinste. »Irgendwie scheint keiner so richtig darüber reden zu wollen, was mit euch beiden passiert ist. Als wäre das ein Tabu oder so.«

»Kein Tabu«, sagte ich. »Es ist nur so, dass nicht jeder die ganze Story kennt. Die ist ein bisschen kompliziert.«

Er zuckte mit den Achseln. »Ich habe den ganzen Abend Zeit. Oder mindestens bis dein Dad heimkommt und ihr mich rausschmeißt.«

Ich lächelte und zog meine Füße auf die Couch. »Also, angefangen hat alles mit einer Kissing Booth …«

Als ich zu Ende erzählt hatte, meinte Levi nur: »Es ist schön, dass Lee dir verziehen hat und ihr beiden immer noch so gut befreundet seid. Ich hatte nie so einen besten Freund. Ich meine, ich hatte schon beste Freunde, klar, aber nicht so, wie du Lee hast.«

Ich nickte, weil ich nicht genau wusste, was ich sagen sollte. In Momenten wie heute Abend kam es mir nicht so vor, als »hätte« ich Lee überhaupt noch. Wir wandten uns beide dem Fernseher zu – irgendeine Doku auf dem History Channel. Ein paar Minuten später klingelte mein Handy.

Noah.

Ich ging ran und sagte stumm in Levis Richtung: »Eine Sekunde.«

»Hey!«

»Ich komme gerade von einer Party und wünschte, du wärst hier. Ich hab dieses Bett hier ganz für mich alleine und fühle mich unglaublich einsam. Ich vermisse dich.« Er lallte die Wörter ein bisschen und gähnte lang und laut. Ich merkte, dass ich rot wurde.

»So gern, wie ich jetzt bei dir wäre und, äh … mit dir kuscheln würde. Kann ich dich in einer Minute zurückrufen?«

»Alles okay?«

»Ja, ja, ich … bin nur gerade nicht allein.«

Da stand Levi auch schon auf. »Schon gut. Ich muss sowieso gehen. Hab meiner Mom versprochen, dass ich nicht zu spät nach Hause komme.«

Ich nickte und bat Noah, kurz zu warten, während ich Levi zur Tür begleitete. Er zog sich seine Jacke an und griff nach den Autoschlüsseln. »Dann sehe ich dich am Montag in der Schule?«

»Genau. Und danke noch mal für heute Abend. Ich werde mich bei Gelegenheit revanchieren.«

Er lächelte strahlend. »Ich nehme dich beim Wort.«

Zurück im Wohnzimmer ließ ich mich der Länge nach auf die Couch fallen und die Füße über die Armlehne baumeln. Dann machte ich aus dem normalen Anruf ein Videotelefonat. Noah erschien auf meinem Display. Sein halbes hübsches Gesicht war in einem Kissen verschwunden. Ich lächelte. Ihn so zu sehen, ließ mein Herz höher schlagen.

»Hey. Sorry.«

»Wer war das?« Noah klang jetzt wacher, aber trotzdem nicht nüchtern.

»Levi.«

»Dieser neue Levi?«

»Nein, der alte Levi.« Ich verdrehte die Augen. »Erinnerst du dich, dass ich heute Abend auf Brad aufpassen musste, weil Dad erst spät nach Hause kommt? Und dass Lee den Abend mit mir verbringen wollte?«

Noah stützte sich auf einen Ellbogen, sodass ich ihn besser sehen konnte. Er trug kein Shirt. Ich wünschte, er wäre hier oder ich bei ihm. Er verzog den Mund. »Lass mich raten – er hat dich wegen Rachel versetzt.«

»Yup. Aber morgen geht er als Wiedergutmachung mit mir Shoppen und lädt mich zum Mittagessen ein. Aber wie auch immer, er hat Levi als Ersatz geschickt, damit er mir beim Babysitten Gesellschaft leistet. Was echt okay war. Er ist ein richtig netter Typ. Witzig. Und man kann gut mit ihm reden, weißt du. Alle mögen ihn.« Ich grinste. »Die Mädchen definitiv. Was ich so höre, hat er schon eine Menge weiblicher Fans.«

»Soll ich mir Sorgen wegen der Konkurrenz machen, Shelly?« Obwohl er schleppend sprach, meinte er das eindeutig nur als Scherz. Seine blauen Augen blitzten auf meinem Display.

»Absolut.«

Er lachte.

»Wie war die Party?«

»Ganz okay, würde ich sagen. Aber ich vermisse dich.«

»Ich vermisse dich mehr.«

»Kann nicht sein.«

»Was willst du jetzt tun? Aus Massachusetts kannst du mich ja jetzt nicht kitzeln, bis ich nachgebe.«

»Ach, glaub mir, wenn ich dich das nächste Mal sehe, hast du wochenlanges Durchgekitzelt-Werden bei mir gut.«

Ich grinste und lachte leise. Dann redeten wir noch ein bisschen übers College, die Schule, unsere Freunde – allerdings stellte Noah mehr Fragen, als er beantwortete. Ich bekam den Eindruck, dass er mir irgendetwas nicht erzählen wollte. Doch das war ein so beiläufiger, dummer, nerviger Gedanke, dass ich ihn ignorierte. Weil ich einfach zu froh war, ihn zu sehen und mit ihm zu reden. Ich überlegte, ihm anzuvertrauen, dass es mir vorkam, als würden Lee und ich uns voneinander entfernen, aber ich wollte nicht riskieren, dass das dann Lee zu Ohren kam und ihn ärgerte. Also behielt ich auch das für mich.

Während wir uns leise unterhielten, spürte ich einen Schmerz in meinem Inneren. Nicht unbedingt in meiner Brust oder im Bauch, sondern eher so einen tief verwurzelten, allumfassenden Schmerz. Ich vermisste ihn so sehr. Mehr als alles andere wünschte ich mir, ich könnte mich jetzt an ihn kuscheln, während er die Arme um mich legte. Dann würde ich spüren, wie seine Brust sich unter meinem Kopf hob und senkte, und er mit den Fingern in meinem Haar spielte. Während er redete, schaute ich auf seine Lippen und wollte ihn so gern küssen. Noahs Stimme wurde schleppender und schwerer und er sank zurück auf sein Kissen.

Draußen hielt ein Wagen – Dad war zu Hause.

»Ich mache dann mal besser Schluss«, sagte ich, nachdem Noah zum wiederholten Mal gegähnt hatte. »Mein Dad ist wieder da. Wir sprechen uns morgen wieder. Hab dich lieb.«

»Hab dich auch lieb«, nuschelte er, schon halb schlafend. »Träum was Schönes.«

Dann legte er auf. Ich blieb lächelnd und mit einem seltsamen Gefühl zurück, während ich in den Flur trat, wo Dad gerade seine Jacke aufhängte.

»He Kumpel, du hättest nicht auf mich warten müssen.«

»Du weißt doch, dass ich das immer mache. Wie war die Konferenz?«

Er verzog nur das Gesicht.

»Klingt, als hättet ihr es krachen lassen.«

Er lächelte müde. »Wie immer. Wie hat Brad sich benommen?«

»Wie ein Engel«, sagte ich, ganz ohne Ironie, und erzählte ihm rasch, dass Levi vorbeigekommen war, um mir Gesellschaft zu leisten. »Brad hat ihn gleich ins Herz geschlossen.«

»Dann wird dieser Levi wohl mein neuer Lieblings-Babysitter. Komm, es ist schon spät. Du solltest auch schon längst im Bett sein.«

5

Ich zog die Essiggurke heraus und ließ sie mit angewidertem Gesicht auf Lees Teller fallen. Nachdem ich die losgeworden war, biss ich begeistert in meinen Cheeseburger mit extra Speck und stöhnte vor Begeisterung, während mir das Fett von den Fingern tropfte.

»Das will ich auch hoffen, dass es dir schmeckt. Für fünfzehn Dollar«, murmelte Lee, aber als ich hochschaute, grinste er. Wir befanden uns im Gastro-Bereich der Mall und er hatte das Lokal ausgesucht. Es war teurer als unser Stammlokal. Er versuchte, mich freundlich zu stimmen und sich für gestern zu entschuldigen.

»Es ist jeden Cent wert«, versicherte ich ihm und wischte mir Mayonnaise aus dem Mundwinkel. Lee fragte, wie der Abend mit Levi gewesen war. Und er tat gespielt entsetzt, weil er jetzt vielleicht nicht mehr die Nummer eins bei Brad war.

»Ich hätte wissen müssen, dass Brad ihn mag«, sagte Lee. »Jeder scheint den Typen zu mögen.«

»Ich hab gehört, dass er an seiner alten Schule zum Prom King ernannt wurde. Ich warne dich, Lee. Wenn du mich weiter versetzt, hast du bald ernste Konkurrenz.«

Das war nur ein Scherz, aber er war so nett, wenigstens erschrocken dreinzuschauen.

Wir waren von unseren Burgern dermaßen satt, dass wir kein Dessert mehr bestellten. Stattdessen spazierten wir nur durch die Mall und sahen uns die Schaufenster an. Lee zeigte auf einige Schilder, auf denen stand »Aushilfe gesucht – Bewerbung im Laden«. Aber ich erklärte ihm, das sei sinnlos. Ich hatte mich schon bei jedem Geschäft, auf das er zeigte, beworben. Wenn ich überhaupt eine Antwort bekam, dann nur um zu erfahren, dass ich »nicht ins Team passe« oder man jemand mit mehr Erfahrung suche.

Das war blöd, überraschte mich aber nicht besonders. Dixon und Warren hatten ähnliche Erfahrungen gemacht. Ich nahm die Absagen nicht mehr persönlich, nachdem ich das gehört hatte.

Als wir uns ein bisschen die Beine vertreten hatten, spendierte Lee noch Eis in der Waffel an einem Stand.

»Weißt du«, meinte Lee, während wir unser Eis aßen, »wahrscheinlich müssen wir in ein paar Wochen wieder zum Einkaufen herkommen. Wegen dem Sadie Hawkins Dance. Ich brauche ein neues Sakko. Mein altes ist an den Schultern zu schmal.«

»Ach ja?«

Er spannte seine Muskeln an. »Seit ich der kommende Star der Footballmannschaft bin.«

»Ja, ja, du hast Muckies, versteh schon. Dann ist der Sadie Hawkins Dance nicht nur ein Gerücht?«, fragte ich und musterte Lee genauer. Er war die Sommerferien über mit Dixon ins Fitnessstudio gegangen und hatte mit Noah Football trainiert. Es war mir gar nicht aufgefallen, aber er war wirklich breiter geworden. Er hatte noch nicht Noahs Statur, aber es ging in diese Richtung. Seine Arme hatten eindeutig an Umfang zugelegt – sodass die Ärmel des T-Shirts darüber spannten.

»Ethan Jenkins hat es mir gestern erzählt«, antwortete Lee und merkte gar nicht, wie ich auf seine Schultern und Arme glotzte. Ethan war der neue Schülersprecher, da Tyrone ja jetzt auf dem College war. In diesem Schuljahr hatten wir noch gar keine Versammlung abgehalten. Kaum hatte ich das gedacht, meinte Lee: »Und bevor ich es vergesse, am Mittwoch in der Mittagspause findet eine Versammlung statt. Das hat Ethan mir auch gesagt.«

»Klar. Aber jetzt konzentrieren wir uns mal auf die wichtigste neue Entwicklung: den Sadie Hawkins Dance. Hat Ethan schon ein Datum genannt? Ein Motto? Hast du irgendwelche weiteren Informationen für mich? Du weißt doch, dass ich eine Schwäche für diese Tanzveranstaltungen an der Schule habe.«

»Oh, Mist, jetzt flippst du aus. Ich hätte dir gar nichts davon erzählen sollen.«

»Ich flippe nicht aus!«, protestierte ich vielleicht ein bisschen zu aufgebracht. Etwas ruhiger wiederholte ich: »Ich flippe nicht aus.«

»Ich glaube, er ist am ersten Wochenende im November oder so. Hab nicht genau zugehört. Aber ich erinnere mich noch, dass er meinte, die Sache würde in der Turnhalle stattfinden. Also keine schicke Location. Er meinte, sie hätten das Budget dieses Jahr massiv gekürzt. Deshalb gibt es den Sadie Hawkins statt des üblichen Winterballs. Weil sie den Großteil des Budgets und die Einnahmen aus den Spendensammlungen für den Summer Dance verwenden wollen.«

»Klingt vernünftig.«

Lee fing an, mir von irgendwelchen Spielzügen zu erzählen, die Coach Pearson ihnen beibrachte, aber mein Blick schweifte zu den Kleidern in den Schaufenstern. Ich war in Gedanken einerseits schon auf der Tanzveranstaltung und andererseits bei der Tatsache, dass ich echt einen Job neben der Schule brauchte, um mir ein neues Kleid leisten zu können.

»Shelly?«

»Hm?«

»Hörst du mir überhaupt zu?«

»Klar. Einer aus der Elften hat den Ball so oft verfehlt, dass der Coach ihm zur Strafe ein paar Laufrunden aufgebrummt hat.«

»Du hast an den Tanz gedacht, stimmt's?«

Ich ließ schuldbewusst den Kopf hängen. Von der Sache mit dem Job wollte ich nicht schon wieder anfangen. Lee wusste ja, dass ich versucht hatte, einen zu bekommen, aber ich hatte keine Lust auf noch ein mitleidiges Lächeln darüber. »Vielleicht.«

»Überlegst du, wen du fragen sollst?«, riet er weiter.

Und da merkte ich selbst, wie ich blass wurde. Das hatte ich total vergessen: Beim Sadie Hawkins Dance laden die Mädchen die Jungs ein.

Mist.

»Wollen wir zusammen zum Sadie Hawkins gehen?«

Ich wusste, wie seine Antwort lauten würde, aber die Hoffnung stirbt ja bekanntlich zuletzt. Lee war immerhin mein bester Freund. Wir waren zusammen schon auf unzähligen Tanzveranstaltungen gewesen, bevor – nun ja, bevor Rachel auf der Bildfläche erschienen war.

Wie vorherzusehen machte er erst ein ratloses Gesicht und fing dann gleich an, sich zu entschuldigen: »Tut mir leid, Shelly. Du weißt, ich würde Ja sagen, aber ...«

»Nein, nein, ist schon gut. Absolut. Ich hätte dich gar nicht fragen sollen. Natürlich gehst du mit Rachel.«

»Tut mir leid.«

Ich zuckte mit den Achseln. *Sie ist dir eben wichtiger.* Ich sagte das nicht laut, weil ich wusste, es hätte gehässig und neidisch geklungen. Dabei war mir irgendwie gehässig und neidisch zumute. Stattdessen sagte ich: »Du kannst deiner Freundin keinen Korb geben, um mit mir auf einen Ball zu gehen. Ich bin mir sicher, das wäre sozusagen eine Grenzüberschreitung. Rachel ist nett und alles, aber das würde sogar sie ablehnen.«

»Ich bin mir sicher, Dixon würde mit dir gehen. Als gute Freunde. Wenn du ihn fragst.«

Ich zuckte mit den Achseln. Dixon würde wahrscheinlich auch von anderen Mädchen gefragt werden. Er sah zwar nicht konventionell gut aus, aber er hatte Charakter, war witzig und lieb.

»Vielleicht ist Noah ja an dem Wochenende zu Hause?«, fragte Lee eifrig – ein bisschen zu eifrig. Keiner von uns rechnete tatsächlich damit, und ich wollte mir keine falschen Hoffnungen machen. Abgesehen davon mochte Noah solche Schulveranstaltungen gar nicht. Er war immer nur hingegangen, weil das ganze Footballteam das eben tat, aber er hatte keinen besonderen Spaß daran. Beim letzten Sommerball hatte er eine große Sache daraus gemacht, mich einzuladen und dann vor allen zu fragen, ob ich mit ihm zusammen sein wolle, aber …

»Er ist jetzt ein College-Boy«, sagte ich und bemühte mich zu scherzen. »Viel zu cool für einen dämlichen Highschool-Ball.«

Würde er mich auslachen, wenn ich ihn fragte? Oder würde er für ein Wochenende nach Hause kommen und mit mir hingehen? Wäre es überhaupt fair von mir, ihn zu bitten, den weiten Weg zu machen, nur wegen einer Tanzveranstaltung?

Lee streckte die Hand aus und schob seine Finger in meine. Er drückte meine Hand und ich drückte zurück, bevor ich losließ.

Wir streiften durch ein paar Läden, und während ich mich immer noch fragte, wie ich Noah die Tanzveranstaltung schmackhaft machen konnte, merkte ich, dass Lee sein Handy checkte und nervös wurde. Er schien nahe dran, etwas zu sagen.

Ich wartete noch ein wenig. Zwar war ich mir nicht sicher, was da los war, aber irgendwas musste es sein.

Schließlich packte ich ihn am Arm und zwang ihn in der Nähe des Brunnens stehenzubleiben.

»Was zum Teufel ist denn mit mir? Du benimmst dich so seltsam.«

»Ich muss mit dir reden.«

Diese Worte jagten mir einen regelrechten Schrecken ein. Ich zwang mich zu lachen und sagte: »Lee – willst du etwa mit mir Schluss machen?«

Er verdrehte die Augen, schaute aber weiter grimmig drein: die Augenbrauen zusammengezogen, der Blick gesenkt, die Lippen zusammengepresst und die Nasenflügel gebläht.

»Okay, jetzt machst du mir Angst. Was ist los? Was mit Noah? Oder ist gestern Abend was mit Rachel passiert? Lee?«

»Ich habe Rachel gestern Abend nicht gesehen.«

»Was?«

»Du hattest vermutet, das wäre der Grund für meine Absage, und ich hab nicht widersprochen, aber ... Ich hab dich in dem Glauben gelassen, ich würde Rachel treffen. Dabei hab ich dich gestern Abend nicht versetzt, um sie zu sehen.«

»Wo ... wo warst du denn dann?«

Das einzige Mal, dass ich etwas vor Lee verheimlicht hatte, war in der Anfangszeit, als ich mit Noah zusammen war. Das hatte ich getan, um Lee nicht zu verletzen oder unsere Freundschaft zu ruinieren. Aber ich hatte ja keine Schwester, mit der Lee heimlich etwas anfangen konnte, also was für ein Geheimnis hatte er vor mir?

»Beim Football.«

»Moment mal, du ... du hast mich angelogen, weil du beim Footballtraining warst? Das ergibt doch überhaupt keinen Sinn.«

»Das war kein Training.« Lee verschränkte die Hände hinter seinem Kopf und lehnte sich zurück. »Es war die Initiation, die Aufnahme ins Team. Ein paar Jungs, die letztes Jahr schon in der Mannschaft waren, haben das organisiert. Sie meinten, wir dürften keinem davon erzählen. Als ich dir dann absagen musste und du vermutet hast, es wäre wegen Rachel ...«

»Und warum durftest du es keinem erzählen?«

»Keine Ahnung, einfach nur so. Sie haben jetzt nicht damit gedroht, einen unserer Liebsten zu entführen, wenn wir es tun«, fügte er hinzu, klang jetzt schon wieder etwas fröhlicher und lächelte flüchtig, »aber ich ... ich wollte einfach Teil des Teams sein, schätze ich. Verstehst du das?«

»Und wieso hast du mir nicht früher davon erzählt?«

»Weiß ich nicht. Aber gerade hat jemand ein Foto bei Instagram gepostet und ich wollte, dass du es weißt, bevor du mich für einen Lügner hältst. Und nur fürs Protokoll: Ich habe ja nicht gelogen.«

Er sah mich eindringlich an.

»Ach, jetzt komm! Das ist ja wohl was völlig anderes.«

»Ich sag ja nur, dass ich nicht gelogen habe. Ich hab dich nur in dem Glauben gelassen.«

Ich biss mir auf die Lippe. »Nein ... ist schon okay, Lee. Keine große Sache. Eine Initiation. Ich verstehe schon.«

»Es klingt so blöd, wenn ich es jetzt erzähle, aber gestern Abend kam es mir echt wichtig vor. Teil der Mannschaft zu sein, verstehst du? Und die haben uns schon ziemlich eingeschüchtert, denn sie nehmen diesen Scheiß richtig ernst.«

»Ja, verstanden. Hey, hör auf, so ein besorgtes Gesicht zu machen.« Ich tätschelte ihm lächelnd die Wange. Und das, obwohl Geheimnisse vor mir zu haben – und noch dazu wegen Football – ein für Lee sehr untypisches Verhalten war. »Und kannst du mir jetzt erzählen, worin dieses Aufnahmeritual bestand, oder müsstest du mich danach gleich umbringen?«

Jetzt lachte Lee entspannt. Nachdem ich Verschwiegenheit geschworen hatte, berichtete er mir, dass sie sich alle in die Schule geschlichen hatten. Dort mussten dann die Neuen im Team eine Art Hindernislauf zur Umkleide absolvieren. Wer als Erster dort ankam, hatte gewonnen.

»Tja, sie haben nicht gesagt, worin der Preis besteht, aber ich glaube, es ging nur darum, den Respekt der Mannschaft zu gewinnen.«

»Ein Hindernislauf?«, fragte ich nach.

»Genau. Aber nicht mit Hürden und solchem Zeug. Der Rest des Teams lauerte uns auf dem Weg zur Umkleide mit Torten und Spielzeugpistolen und solchem Zeug auf. Die hatten Stolperfallen installiert und auf einem Flur Schmierseife ausgekippt, sodass

wir alle ausrutschten und auf unseren Hintern lande-
ten … Da wurde auch das Foto gemacht.« Er lachte.

»O mein Gott.« Prustend griff ich nach meinem
Handy. »Ich kann's gar nicht erwarten, dich zu sehen.
Du bist da drauf, oder?«

»Nur am Rand und nicht auf dem Hintern sitzend.«

»Hast du gewonnen?«

»Na klar. Also bitte, Shelly, du kennst mich doch!
Klar habe ich gewonnen.«

Ich entdeckte das Foto bei Jon Fletchers Profil und
musste so laut kichern, dass ein paar Leute schon
schauten. »O mein Gott. Ich hoffe, das kommt ins
Jahrbuch. Der Hausmeister wird am Montag aus-
rasten, wenn er das sieht.«

»O nein, die restlichen Neuzugänge im Team mussten alles saubermachen, weil sie nicht gewonnen
haben.« Er schwieg kurz. »Tut mir leid, dass ich dir
das nicht schon gestern Abend gesagt habe.«

»Nein, Lee, lass mal – du kannst aufhören, dich zu
entschuldigen. Ich verstehe das total. Ich meine, es
muss mir nicht unbedingt gefallen, aber ich bin auch
nicht sauer auf dich oder so. Ich schwör's dir.«

»*Pinky Promise*?« Er hielt mir einen kleinen Finger
hin und ich verhakte ihn mit meinem.

»Immer.«

Bevor wir die Mall verließen, bestand Lee noch
darauf, ein Videospiel zu kaufen. »Ich muss deinen
Bruder doch irgendwie zurückgewinnen. Ich kann
schließlich nicht riskieren, euch beide an Levi aus
Detroit zu verlieren.«

6

Es war Dienstagnachmittag und Lee hatte wieder einmal keine Zeit für mich.

So sehr ich es auch versuchte, es fiel mehr schwer, nicht verbittert darüber zu sein. Wieder und wieder sagte ich mir, dass ich mich doch für ihn freute und Rachel durchaus mochte. Aber es tat jedes Mal weh, wenn Lee mit diesem Blick eines getretenen Welpen ankam und tief Luft holte. Dann wusste ich, noch bevor er einen Ton sagte, dass er gleich die Pläne, die wir bis dahin gehabt hatten, canceln würde. Ein paarmal hatte ich vorgeschlagen, zu dritt abzuhängen, aber sogar ich wusste, dass die beiden ihren Freiraum brauchten und ich zurückstehen musste.

Also bat ich (wieder mal) Dixon, mich nach Hause zu fahren. Jetzt saß ich auf der Couch und wartete, dass Brad von den Pfadfindern und Dad von der Arbeit nach Hause kamen. Inzwischen scrollte ich durch meinen Twitter Feed, auf der Suche nach irgendwas Spannendem, was gerade passierte. Aber da gab es nichts.

Ich versuchte, Noah anzurufen, doch er ging nicht ran. Vielleicht lernt er, dachte ich. Und wenn, dann wollte er wahrscheinlich nicht gestört werden.

Wenig später klingelte mein Handy. Ich stürzte mich darauf und nahm mir nicht mal die Zeit, nachzusehen, wer da anrief. »Hey.«

»Hey, Elle.«

Ich war enttäuscht. Es war nicht Noah. Mein Bauch fühlte sich schwer und elend an, so, als hätte ich mir gerade einen traurigen Film angesehen. Vielleicht würde er ja nachher noch anrufen. »Hi, Levi.«

»Du klingst enttäuscht. Ich schätze mal, du hast gehofft, es wäre jemand anders.«

»Irgendwie schon, aber nimm's nicht persönlich.«

»Mach ich nicht. Noah?«

»Genau.«

»Tja, falls du nicht zu beschäftigt damit bist, rumzusitzen und auf den Anruf deines Freunds zu warten, möchtest du vielleicht zum Abendessen zu mir nach Hause kommen?«

Ich war ein bisschen überrumpelt, bis es bei mir Klick machte. »Ist das die Revanche, weil du mir letztens geholfen hast, auf Brad aufzupassen?«

»Du hast es erraten.«

Ich seufzte schwer, als wäre es ein echter Angang, mit Nichtstun aufzuhören und den Abend mit einem Freund zu verbringen. (Es würde mich von Noah und ein bisschen auch von Lee ablenken.) »Bin schon unterwegs.«

Zwanzig Minuten später ging ich die Einfahrt

hinauf und klingelte an der Haustür. Levis Haus war klein, sah aber süß aus. Der Rasen im Vorgarten war sehr gepflegt, nur um die Fenster herum blätterte die Farbe ab. Eine schiefe 209 aus Messing war an die grasgrüne Haustür genagelt. Levi öffnete sofort, und zwar in einer Schürze mit Blumenmuster und mit Mehl im Haar. Das Hemd hatte er schon in der Schule angehabt, aber die Ärmel waren jetzt bis zu den Ellbogen hochgekrempelt. Statt der Hose seiner Schuluniform trug er Skinny Jeans.

»Hey!«

»Ich mag deine Schürze. Sie ist der Inbegriff von maskulin und machomäßig.«

Er lachte. »Genau das habe ich beabsichtigt. Komm rein. Wir backen gerade Brownies.«

»Klingt lecker.«

»Da bin ich mir nicht so sicher«, gestand er und trat einen Schritt zurück. Ich zog meine Schuhe aus, stellte sie ordentlich in ein Regal neben der Tür und hängte meine Tasche an einen Haken. »Ich bin schon froh, wenn sie nicht giftig sind.«

Jetzt musste ich lachen. »Bitte mich nur nicht zu helfen. Ich habe seit meinem Desaster beim Backen in Hauswirtschaft in der Achten damit aufgehört.«

»Ooh, eine peinliche Geschichte? Ich will alles wissen.«

»Vielleicht habe ich die Mengenangabe beim Backpulver falsch gelesen, denn meine Cupcakes sind … im Ofen explodiert. Das war vielleicht eine Sauerei. Immerhin brauchten wir keinen Feuerlöscher.«

»Verdammt«, murmelte Levi. »Dabei kommt in den besten Storys immer ein Feuerlöscher vor. Aber wenn das so ist – dann fass am besten in der Küche einfach gar nichts an.«

Ich hob eine Hand. »Pfadfinder-Ehrenwort.«

Während wir in die Küche gingen, schaute ich mich unwillkürlich ein bisschen um. Das Haus hatte große Ähnlichkeit mit Cams, nur dass es ein kleines bisschen verwohnter war. Anscheinend hatten die Vorbesitzer sich nicht viel Mühe mit der Renovierung gegeben, bevor sie es verkauften. Die dunkeln Hartholzdielen im Flur waren verschrammt und zerkratzt, vielleicht vom Rein- und Raustragen der Möbel.

In der Küche hing über einer Arbeitsplatte ein Gitter mit Spateln, Vorlegebesteck und Schöpflöffeln. Krakelige Bleistiftzeichnungen, Schulzeugnisse und Teilnahmebestätigungen waren mit bunten Magnetbuchstaben am Kühlschrank befestigt. Auf der Frühstückstheke lagen Schulbücher und Arbeitsblätter verstreut.

Das mit Abstand Chaotischste in der Küche war allerdings eine Achtjährige, die auf einem kleinen, kompakten Plastikhocker stand, um an die Arbeitsplatte heranzureichen. Ihr krauses braunes Haar war aus den Zöpfen gerutscht, und sie trug eine dieser leicht zu reinigenden Schürzen – auch mit Blumenmuster, wie die von Levi, aber pink. Als wir reinkamen, drehte sie sich um. Ihre ganze untere Gesichtshälfte war mit Schokolade verschmiert.

»Becca!«, rief Levi empört. »Ich hab dir doch gesagt,

du sollst nicht mehr naschen. Dir wird sonst schlecht davon.«

»Wer bist du?«, fragte sie mich und ignorierte ihren Bruder so komplett, wie Brad das mit mir machte, sobald Lee dabei war. Ihre großen, haselnussbraunen Augen waren auf mich fixiert.

»Ich bin Elle. Eine von Levis Freunden an der Schule. Er hat mich gefragt, ob ich ihm beim Babysitten helfen will.«

»Bist du seine Freundin?« Jetzt richtete sie ihre Aufmerksamkeit auf ihren großen Bruder. »Deine alte Freundin hat mir besser gefallen. Die hatte Sommersprossen.«

»Becca«, schimpfte er.

Aber ich lächelte. »Nein. Ich bin nicht seine Freundin. Ich komme nur wegen den Brownies.«

Ich ließ mir von ihnen den Auftrag erteilen, eine Backform einzufetten, während sie den Teig fertig zubereiteten. Becca erzählte uns beiden irgendetwas, das sie heute in der Trickfilm-Serie *Disneys Große Pause* gesehen hatte. Ich wollte Levi gerade die Form hinhalten und fragen: Hey, ist das so okay?

Aber ich kam nur bis zum »Hey«, denn da flog mir auch schon eine ordentliche Prise Mehl ins Gesicht.

Ich keuchte, hustete und spuckte. Mehl war in meinem Mund und meiner Nase gelandet, außerdem vernebelte es mir den Blick. Ich blinzelte und sah sie dann beide lachen.

»Hast du mir gerade ... Mehl ... ins Gesicht geworfen?«

»Das war Becca.«

»Nein, war ich nicht! Ich war's nicht, Elle. Levi war das. Du hast es doch auch gesehen.«

»Ich dreh dir den Hals um«, versicherte ich ihm wütend.

»Tut mir leid. Ich weiß auch nicht, warum ich das gemacht habe«, sagte er und grinste dabei wie irr.

Ich stellte die Backform ab, wischte mir mit den Händen übers Gesicht und schüttelte das Mehl von meinen Kleidern auf den Boden. Während Levi Becca den Rücken zudrehte, sah ich, wie sie ihren Finger erst in den Teig und dann schnell in ihren Mund steckte, bevor ihr Bruder sich wieder umdrehen konnte.

»Wenn du das noch mal machst, sind wir keine Freunde mehr. Offiziell. Dann folge ich dir nicht mehr auf Insta und alles.«

Levi legte sich eine Hand auf sein Herz und zog einen Schmollmund. »In dem Fall entschuldige ich mich in aller Form.«

Dann griff ich meinerseits ins Mehl und warf es ihm ins Gesicht.

Die Brownies wurden fantastisch. Levi halbierte einen, den wir uns, noch vor dem Abendessen und ohne dass Becca es mitbekam, teilten. Nach dem Essen lehnte er meine Hilfe beim Kücheaufräumen ab. Also setzte ich mich mit Becca, die noch Hausaufgaben machen musste, ins Wohnzimmer.

Irgendwann hörte sie auf zu schreiben, schaute

vom Teppich zu mir hoch und hatte die Zungen-
spitze in die Lücke zwischen ihren Schneidezähnen
geschoben.

»Levis alte Freundin mochte ich sehr, aber dich mag
ich auch.«

»Das ist okay. Man kann ja mehrere Leute mögen.«

»Seine alte Freundin hieß Julie. Hat er dir von ihr
erzählt?«

»Nein, das hat er nicht.«

»Also, ich werde dir alles über sie erzählen«, verkündete sie, senkte dabei aber die Stimme zu einem
verschwörerischen Flüstern. Dann ließ sie ihr Arbeits-
heft liegen und setzten sich neben mich auf die Couch.
Mit ernster Stimme erklärte sie mir: »Sie waren verliebt.«

Ich beugte mich zu ihr und sprach ebenfalls leise:
»Wirklich?«

»*Wirklich*. Aber sie hat mit Levi Schluss gemacht,
kurz bevor wir umgezogen sind. Er hat viel geweint,
aber immer wenn ich gesagt habe, ich weiß, dass du
geweint hast, dann hat er gesagt, stimmt gar nicht. Sie
hatte Sommersprossen und orange Haare. Und sie hat
Geige und Klavier gespielt. Und zu meinem Geburtstag hat sie mir Nagellack geschenkt.«

»Das klingt sehr nett.«

»Jetzt vermisse ich sie.«

»Ich bin mir sicher, dass Levi sie auch vermisst.«

Becca verzog den Mund. »Ich glaube, manchmal
weint er immer noch wegen ihr.«

Selbst wenn ich dazu noch etwas hätte sagen

wollen, wäre es nicht möglich gewesen, denn die Haustür ging auf. Ich hatte nicht mal ein Auto gehört. Jetzt klimperten Schlüssel, Tüten raschelten und eine Stimme rief: »Bin zu Hause! Wem gehört der Wagen draußen, Levi? Hast du einen Freund zu Besuch?«

Eine Frau, die eigentlich nur ihre Mutter sein konnte, kam ins Wohnzimmer und ließ ein paar Einkaufstüten mit Lebensmitteln auf den Boden sinken. Sie trug einen Hosenanzug und war perfekt frisiert. Aber trotz ihres strengen Äußeren hatte sie ein freundliches Gesicht, das ihre ganze Erscheinung sanfter wirken ließ.

»Hallo.«

»Hallo, Sie müssen Mrs Monroe sein.« Schnell stand ich auf und setzte mein elternfreundlichstes Lächeln auf. »Ich bin Elle, eine Freundin von Levi aus der Schule. Freut mich, Sie kennenzulernen.«

Sie lächelte zurück. »Ich bin Nicole und du kannst mich ruhig duzen. Freut mich auch, dich endlich kennenzulernen. Levi hat mir schon viel von dir erzählt.«

»*Mom*.« Er war in dem Moment im Türrahmen hinter ihr erschienen. Er fing meinen Blick auf und lächelte mich entschuldigend an.

»Oh, Levi, kannst du bitte die Lebensmittel wegräumen? Hast du schon gebadet, Becca?«

»Nein, aber wir haben Brownies gebacken.«

»Ich hoffe, ihr habt mir welche aufgehoben.«

Bevor Becca sich von ihrer Mutter nach oben scheuchen ließ, tippte sie mir auf den Arm und sagte sehr höflich: »Danke, dass du meine Babysitterin warst.«

Ich unterdrückte ein Kichern und lächelte. »Sehr gerne, Becca.«

Sie plauderte mit ihrer Mom, während sie nach oben gingen. Da schnappte ich mir die beiden noch übrigen Tüten und trug sie in die Küche.

»Oh, danke«, Levi nahm sie mir gleich ab. »Ich wollte sie gerade holen kommen.«

»Deine Schwester ist ja nicht halb so schlimm, wie du sie geschildert hast, weißt du.«

»Das Gleiche könnte ich über deinen Bruder sagen. Vielleicht sollten wir tauschen.«

»Das wäre eventuell keine schlechte Idee.« Ich schaute an ihr vorbei zur Uhr an der Wand. »Ich schätze, ich geh dann besser mal nach Hause …«

»Du musst jetzt nicht gehen«, sagte Levi rasch und wurde rot. »Ich meine, du kannst gern noch ein bisschen bleiben, wenn du möchtest, aber du musst natürlich nicht.«

»Ich kann auch noch ein bisschen bleiben.« Und dann hörte ich mich tatsächlich sagen: »Äh, deine Schwester hat mir von Julie erzählt.«

Levis ganzer Körper schien zu seufzen.

»Du hast sie in der Schule noch nie erwähnt. Niemand gegenüber.«

Und in seinen Accounts in den sozialen Medien hatte ich auch nirgends etwas über sie gesehen. Rachel und ich hatten nämlich einmal in der Mittagspause ein bisschen recherchiert.

»Sie hat mit mir Schluss gemacht, nachdem feststand, dass wir hierher umziehen. Wir waren seit der Neunten zusammen. Es war …«

»Wow.«

Und ich hatte gedacht, ein paar Monate zusammen zu sein, würde sich schon lang anfühlen.

»Als ich ihr von dem Umzug erzählte, machte sie sofort Schluss. Sie meinte, die Zwölfte sei echt wichtig – und das ist sie ja auch – und eine Beziehung noch dazu, das sei schon schwer genug. Aber mit einer Fernbeziehung käme sie nicht klar. Sie hat gesagt … hat gesagt, dass sei so besser für uns beide. Ein sauberer Schnitt. Und das war's dann.«

»Hast du nicht um sie gekämpft?«

»Das wollte sie nicht. Ich hab's versucht, allerdings nicht sehr. Es machte sie fertig, das konnte ich sehen. Sie wollte ja nicht Schluss machen, aber sie wollte keinen Freund, den sie wahrscheinlich nie sehen würde, außer wenn wir aufs selbe College gehen. Und ganz ehrlich?« Er zuckte mit den Achseln und lächelte. »Ich habe nicht vor, aufs College zu gehen. Also wird das nicht passieren.«

Ich blinzelte überrascht. Wir haben in letzter Zeit alle viel übers College geredet, und wenn ich jetzt so darüber nachdachte, hatte Levi nie viel Interesse daran gezeigt, und tatsächlich auch nicht erzählt, wo er sich bewerben und was er studieren wolle.

»Ich bin direkt ein bisschen neidisch auf dich, weißt du. Denn du und Noah – ihr versucht es wenigstens. Ich wünschte, sie hätte uns wenigstens eine Chance gegeben, selbst wenn es dann nicht funktioniert hätte.«

»Aber vielleicht war es auch besser so.«

»Schon, aber …«

»Aber du hast sie geliebt«, beendete ich seinen Satz mit sanfter Stimme.

Levi seufzte noch mal und machte sich wieder daran, die Lebensmittel wegzuräumen.

Ich wusste nicht, was ich ihm sagen sollte. Es war ja nicht so, dass ich irgendwelche Erfahrungen hatte, und ich war mir auch nicht sicher, ob das Zeug, das ich in Liebesromanen gelesen hatte, wirklich zählte. Ich beschloss, ihn lieber zu fragen: »Hast du noch Kontakt mit ihr?«

»Nein.«

»Oh.«

»Ich versuche einfach, darüber wegzukommen, verstehst du? Deshalb hab ich keinen Kontakt mehr zu ihr. Und ich schätze, deshalb kriege ich auch keine Nachrichten von ihr. Ich hab sogar all unsere gemeinsamen Fotos auf Instagram und so gelöscht. Es kam mir seltsam vor, sie jedes Mal zu sehen, wenn ich online ging. Jetzt warte ich einfach darauf, das Mädchen zu finden, das ich ansehe und das mich Julie komplett vergessen lässt. Oder vielleicht wird es auch immer nur Julie geben.«

»Ich könnte jetzt nicht sagen, ob du ein Romantiker bist.«

Er lachte nur. Dann sagte er: »Sorry, wahrscheinlich willst du mich nicht über ein Mädchen lamentieren hören, das mehrere Staaten weit weg ist und mit dem ich nicht mal mehr zusammen bin.«

»Das macht mir nichts aus. Ich meine, ich war bisher nur mit Noah zusammen. Deshalb bin ich mir nicht sicher, ob ich mich wirklich dafür eigne, dir gute Ratschläge zu geben. Aber es macht mir nichts aus, dir zuzuhören, wenn du darüber reden möchtest. Ich weiß schon, dass die Jungs nicht das beste Publikum sind, um sich auszusprechen. Sie albern viel rum, aber hinter der Fassade sind sie empfindliche, sensible Pflänzchen. Weißt du, Cam hat mal geheult, weil er dachte, Lisa würde seine Nachrichten ignorieren. Aber das hast du nicht von mir gehört.«

Er lächelte zaghaft, sah aber irgendwie gerührt aus. »Danke, Elle. Das weiß ich zu schätzen.«

»Jederzeit.«

Nachdem alle Lebensmittel verräumt waren, stellte Levi den Teller mit den Brownies auf die Frühstückstheke. Ich setzte mich neben ihn und nahm mir einen.

»Also«, sagte er und schüttelte sich die Locken aus dem Gesicht, »nachdem du jetzt alles über meine Ex und außerdem weißt, dass ich nicht aufs College gehen werde … was soll ich dir noch über mich erzählen? Ich habe schon das Gefühl, dass wir heute Abend das Rätsel um Levi Monroe lösen.«

Ich lachte. »Ach, komm schon. Als ob es dir nicht gefallen würde, total mysteriös zu wirken.«

»Ein Mädchen hat mich letzte Woche echt gefragt, ob ich einen Gastauftritt in *Riverdale* hatte. Das war natürlich schon cool.«

Ich lächelte, und dann fiel mir eine Frage ein, die ich ihm gern stellen wollte, wenn er es schon anbot. »Wo ist eigentlich dein Dad heute Abend?«

Levi rutschte ein wenig unbehaglich herum. »Er ist, äh, er …«

»Tut mir leid, du musst nicht darauf antworten.«

Levi redete auch in der Schule nicht viel über ihn, aber soweit ich wusste, waren seine Eltern noch zusammen. Es gab sogar ein Hochzeitsfoto von ihnen, das prominent im Wohnzimmer stand. Ich hatte es vorhin dort gesehen. Aber Levis Unbehagen gab mir das Gefühl, in etwas herumgestochert zu haben, das mich nichts anging.

»Nein, ist schon okay.« Levi nippte an seinem glühend heißen Kaffee und sagte dann entschieden: »Er ist bei einer Selbsthilfegruppe. Dort geht er nach der Arbeit ihn. Seit er Prostatakrebs überwunden hat. Das hat ihm schwer zu schaffen gemacht. Dann verlor er seinen Job und … irgendwie ging es danach bergab. Deshalb sind wir auch umgezogen. Ein Neuanfang, verstehst du? Es geht ihm schon viel besser, seit er den neuen Job hat. Auch wenn es nur Teilzeit ist.«

»O mein Gott.«

Etwas anderes fiel mir, ehrlich gesagt, nicht ein.

»Schon, oder? Ein ganz schöner Knaller. Sorry, ich hätte gar nichts sagen sollen. Vergiss es einfach, okay?« Er wollte aufstehen. Seine Wangen waren fleckig und er konnte mich nicht ansehen.

»Nein, ich … Also, ich kenne nur niemand, der Krebs hat, deshalb weiß ich nicht, was ich dazu sagen soll. Ich hoffe, bei deinem Dad ist jetzt alles in Ordnung?«

»Auf dem besten Weg.«

Levi klang so entschieden, dass ich nicht wagte, in Frage zu stellen, dass es vielleicht anders kommen konnte, und dass ich in dem Fall für ihn da sein würde.

»Aber erzähl es nicht den anderen, ja? Ich will nicht, dass sie mich deshalb komisch behandeln. An meiner alten Schule haben das alle gemacht. Alle außer Julie. Sie war der einzige Mensch, der mich nicht behandelt hat, als wäre ich ein irgendein trauriger, streunender Welpe, nachdem mein Dad die Diagnose bekommen hatte.«

»Du hast gesagt, er hat den Krebs überwunden«, meinte ich. »dann ist er inzwischen wieder gesund?«

»Na ja, er hat seine Eier verloren, also wird es keine weiteren überraschungsmäßigen Geschwister mehr geben. – O shit, das hast du jetzt auch nicht gehört. Becca war total geplant.« Er lächelte schief. Witze zu reißen, das war seine Art, mit Dingen umzugehen. Bei harten Themen wollte er nicht zu viel von sich preisgeben. Das verstand ich. Das verstand ich wirklich.

In dem Moment hatte ich Mitleid mit Levi. Der arme Kerl hatte seine Freundin verloren, war von seinen Freunden weggezogen, seine Eltern hatten ihre Jobs verloren, sein Dad war richtig schlimm krank gewesen … Kein Wunder, dass er da eher verschlossen war. Ich hatte das Bedürfnis, ihn fest in die Arme zu nehmen.

»Aber klar, ansonsten ist es okay«, redete er weiter,

bevor ich etwas erwidern konnte. »Es wurde gleich im Anfangsstadium entdeckt und schnell behandelt.«

»Und ich vermute, es tut ihm gut, zu so einer Selbsthilfegruppe zu gehen.«

Levi nickte nur.

»Weißt du, meine Mom starb vor vielen Jahren, als ich noch klein war. Sie war mit dem Auto unterwegs, und es war eisglatt. Sie hat es nicht bis nach Hause geschafft.«

Jetzt war er an der Reihe: »O mein Gott.«

»Aber es ist seltsam, weil ich mich inzwischen daran gewöhnt habe. Also, ich habe ja schon knapp mein halbes Leben ohne Mom verbracht. Manchmal, da vermisse ich sie so richtig. Und dann wieder habe ich ein schlechtes Gewissen, weil ich sie nicht andauernd vermisse. Das macht es nur noch schlimmer.«

»Hat dein Dad noch mal geheiratet?«

»Nein. Manchmal denke ich, er ist immer noch nicht über ihren Tod hinweg. Oder vielleicht hat man als alleinerziehender Vater mit Fulltime-Job einfach nicht viel Zeit für Dates.«

»Aber du bist … darüber weg? Ist es okay für dich?«

Ich lächelte schwach. »Ich glaube nicht, dass das etwas ist, über das man ganz wegkommt. Du machst einfach trotzdem weiter. Aber ich verstehe das, weißt du? Wenn dich Leute wegen so was seltsam anschauen. Ich glaube, die Jungs könnten alle damit umgehen, aber … keine Ahnung. Wenn du eine Schulter zum Ausheulen oder jemand zum Reden brauchst …«

Levi schluckte und seine Augen schimmerten feucht. »Danke, Elle.«

»Aber wie auch immer«, sagte ich fröhlich, »vorhin hab ich total vergessen, dich zu fragen – kommst du auch zu Jon Fletchers Party in ein paar Wochen?«

Nachdem Levi und ich uns gegenseitig das Herz ausgeschüttet hatten und ich später wieder zu Hause war, holte ich mir eins der alten Fotoalben der Familie aus dem kleinen Schrank in Dads Büro. Er ging auf dem Weg in die Küche an der offenen Tür vorbei und blieb stehen, als er mich im Schneidersitz auf dem Boden entdeckte. Ich blätterte in einem Album aus der Zeit, als Brad noch nicht einmal geboren war.

»Was machst du da, Elle?«

Ich zuckte nur mit den Achseln, weil ich mir meiner Stimme nicht sicher war.

Zuletzt hatte ich mir im Februar die Bilder angesehen. Damals verlor ich total die Nerven, weil ich Moms Geburtstag vergessen hatte, bis Dad erwähnte, er würde ein paar Blumen für den Friedhof besorgen gehen. Ich hatte dann den ganzen Nachmittag und Abend lang Fotos meiner Mom angesehen und mich gefragt, wie sie jetzt aussehen würde. Das machte ich, wenn ich sie sehr vermisste. Ich gab mir solche Mühe, herauszufinden, ob ich mich daran erinnerte, wie sie aussah, weil ich es wirklich noch wusste oder nur weil ich ihre Fotos überall im Haus so oft gesehen hatte.

»Du vermisst Mom, was?« Dads Knie knackten, als er sich neben mir auf dem Boden niederließ.

»Ein bisschen.«

Ich wollte nicht, dass er blieb. Ich wollte nicht, dass er mit mir darüber oder über sie sprach oder mir Geschichten erzählte, denn das hätte mich nur zum Weinen gebracht. Und ich wollte jetzt nicht weinen. Das Weinen würde sie nicht zurückbringen, sagte ich mir. So wie ich es mir schon Hunderte Male gesagt hatte.

Ich klappe das Album zu, stellte es aber noch nicht wieder zurück.

»Sie wäre stolz auf dich, weißt du.«

Ich zuckte nur noch mal mit den Schultern. Worauf denn? Darauf, dass ich meinen Bewerbungsaufsatz fürs College immer noch nicht geschrieben hatte? Darauf, dass ich vor ein paar Monaten beinah meinen besten Freund verloren hätte, weil ich beschlossen hatte, hinter seinem Rücken seinen Bruder zu daten? Oder darauf, dass ich trotz unzähliger Bewerbungen keinen Job gefunden hatte?

»Du willst nicht über sie reden, oder?«

Ich schüttelte den Kopf. Da nahm Dad mir das Album vom Schoß und stellte es in das Schränkchen zurück.

»Wie war's bei Levi?«

Das war eine Unterhaltung, die ich führen konnte.

»Gut. Seine Schwester ist süß. Wir haben Brownies gebacken.«

»Ich hoffe, wenn du sagst ›wir‹, meinst du ›sie‹,

denn wir wissen doch alle, dass du nicht backen kannst, Süße.«

»Ich meine ›sie‹.« Ich musste grinsen. »Aber, ja. Es war total nett. Becca – das ist Levis kleine Schwester – hat mir alles über seine Exfreundin erzählt. Und dann hat Levi mir noch gesagt, dass sein Dad Prostatakrebs hatte.«

»O Gott. Geht es ihm jetzt wieder gut?«

»Levi sagt, es wird, aber er hatte seinen Job verloren und alles Mögliche.«

»Das muss schlimm für sie gewesen sein.«

»Ja.«

»Dann schätze ich mal, dass du deshalb an deine Mom denken musstest.«

Ich nickte und Dad meinte: »Das klingt, als würdet ihr beiden gute Freunde werden. Das freut mich zu hören. Obwohl – Lee hat sich in letzter Zeit wenig sehen lassen.«

Der leichte Tadel in seiner Stimme war nicht zu überhören.

»Der hat jetzt Rachel. Und Football.«

»Und Noah ist auch nicht da.«

Ich war mir nie ganz sicher gewesen, ob mein Dad Noah als meinen Freund richtig gut fand. Aber er sagte nie viel dazu, außer, dass er glücklich sei, wenn ich es sei.

Allerdings war ich mir auch nicht sicher, ob »glücklich« meiner gegenwärtigen Gefühlslage entsprach. Den ganzen Tag über hatte ich kaum etwas von Noah gehört. Bewusst wollte ich nicht an meinen vergeblichen Anruf und die unbeantworteten Nachrichten denken. Ich redete mir ein, er habe geschlafen. Schließlich war es an der Ostküste drei Stunden später.

Dad seufzte tief und sah mich durch seine Brillengläser besorgt an. »Ist alles okay, Kumpel?«

Nicht wirklich.

Aber ich konnte darüber jetzt nicht nachdenken. Die Angelegenheit mit Lee war – nun ja, sie würde wieder normal oder der Ist-Zustand würde mir irgendwann normal vorkommen. Noah würde bald zu Thanksgiving nach Hause fahren. Und vielleicht sogar zum Sadie Hawkins Dance, wenn ich den Mut aufbrachte, ihn dazu einzuladen. Das mit dem College würde sich finden, und auch ein Job. Alles würde absolut in Ordnung kommen.

»Klar. Ich bin nur müde. Wahrscheinlich geh ich besser mal ins Bett. Nacht, Dad.«

»Gute Nacht, Elle.«

Anstatt zu hören, wie er auch das Arbeitszimmer verließ, hörte ich die Tür des Schränkchens aufgehen. Dann raschelte das Papier eines Fotoalbums, das er wohl herausgenommen hatte. Ich war mir ziemlich sicher, ihn schniefen zu hören.

7

Am liebsten hätte ich die Feiertage um Thanksgiving mit Hilfe purer Willenskraft schon beginnen lassen. Die Tage schienen sich nur so hinzuschleppen. Nicht nur vermisste ich Noah geradezu verzweifelt. Ich hatte auch das Gefühl, wieder eine Pause von der Schule zu brauchen, wo mein Klassenlehrer mich täglich fragte, ob ich bereits an meiner College-Bewerbung arbeite. (*Ob* ich einen ersten Entwurf hätte, den er sich einmal ansehen solle? Nicht wirklich …) Dazu noch die Berge von Hausaufgaben, die nie kleiner zu werden schienen.

Lee hatte eine Menge Zeit beim Footballtraining verbracht oder mit den Jungs aus der Mannschaft abgehangen. Und wenn er das nicht tat, verbrachte er seine Zeit üblicherweise mit Rachel. Und wenn Rachel nichts mit Lee machte, dann stürzte sie sich ins Lernen, weil sie unbedingt auf die Brown wollte, oder übte für den Theaterkurs. (Die Rolle der Fantine hatte sie tatsächlich bekommen.)

So verbrachte ich viel Zeit mit Levi. Nachdem wir

über seine Vergangenheit, seinen Dad und meine Mom gesprochen hatten, veränderte sich etwas zwischen uns. Uns verband etwas, das die anderen nicht wirklich verstehen würden.

Und ehrlich gesagt war er der Einzige, der meinen Stress wegen des Colleges wenigstens ein bisschen dämpfte. Er strengte sich in der Schule durchaus an, war aber ziemlich zugeknöpft, wenn die Rede aufs College kam. Er hatte keine Lust drauf. Das sei nichts für ihn, sagte er. So einfach. Aber er versuchte trotzdem, mir bei meinem Bewerbungsaufsatz zu helfen.

Je seltener ich Lee sah, desto mehr vermisste ich Noah. Einmal, in einer Freistunde, in der wir eigenständig lernen sollten, bewarfen Levi und Dixon mich mit einem Skittle, jedes Mal wenn ich Noah erwähnte. Nach zehn Minuten gingen ihnen die kleinen Bonbons aus.

»Na und?«, fauchte ich sie an. »Ich vermisse meinen Freund eben.«

Manchmal verursachte das nur ein leeres, kaltes Gefühl. Als sollte er eigentlich bei mir sein und die Arme um mich legen. Manchmal war der Schmerz aber auch so groß, dass es richtig wehtat. Alle Anrufe der Welt konnten mich darüber nicht wegtrösten. Als er mir eines Abends mein Lieblings-Take-away-Essen bringen ließ, weil er wusste, ich würde versuchen, an meiner Bewerbung schreiben, brach ich in Tränen aus.

»Du bist so ein Weichei, Elle Evans«, lachte er mich aus, als ich mich auf FaceTime mit Tränen in den Augen und belegter Stimme bei ihm bedankte.

»Das sagt der Richtige. Du hast deiner gestressten Freundin doch Pommes mit Käse geschickt.«

Er grinste mich an, seine blauen Augen funkelten und an der linken Wange war wieder das Grübchen zu sehen. Verdammt, in dem Moment vermisste ich ihn so sehr. Er war einfach absolut süß.

»Ich lasse dich besser in Ruhe, damit du an deinem Aufsatz arbeiten kannst«, sagte er. Dabei sah er aber so unentschlossen aus, wie er klang. Es endete damit, dass ich den Aufsatz noch eine Stunde aufschob, in der wir redeten.

Es gab auch einige Treffen in der Schule wegen des Sadie Hawkins Dance. Das war eigentlich eine willkommene Abwechslung, aber dann auch wieder nicht.

Ich hatte nämlich noch nicht den Mut aufgebracht, Noah einzuladen, weil ich mir nicht zutraute, eine Absage zu verkraften. Wo ich ihn doch sowieso schon so vermisste. Andererseits lenkte es mich ab, weil eine Schulveranstaltung Planung brauchte, die mich natürlich ablenkte. Selbst wenn das Ganze nur in der Turnhalle stattfand. (Das machte eine Dekoration mit kleinem Budget nur noch kniffliger.)

Lee war wegen all dem genauso kribbelig wie ich. Rachel hatte ihre College-Bewerbung für die Brown schon fertig, und es sah so aus, als wären die meisten unserer Freunde entweder kurz vor der Fertigstellung oder hätten zumindest den Aufsatz schon. Nur Lee und ich waren die Nachzügler.

Nicht dass wir viel darüber redeten.

Tatsächlich redeten wir überhaupt nicht mehr viel miteinander.

Es kam mir vor, als würde Lee mich genauso meiden wie Noah es vermied, mir von Harvard zu erzählen. Je mehr Zeit verging, desto seltener sprach er von seinen Kursen und den Freunden, die er dort hatte. Ich redete mir ein, das sei keine große Sache, weil es ja anscheinend nicht viel darüber zu erzählen gab. Trotzdem konnte ich nicht anders als mich manchmal zu fragen, ob er irgendetwas vor mir verbarg.

Zum Glück gab es durch Jon Fletchers Party eine kurze Ablenkung von allem, was mich stresste. Es war die erste Party des Schuljahrs, abgesehen von ein paar, die die Neunten veranstaltet hatten, wo aber keiner von uns gewesen war.

Mir wurde klar, dass all die Seniors letztes Jahr, als wir Partys veranstaltet hatten, nicht etwa deswegen nicht gekommen waren, weil sie sich zu cool vorkamen, sondern weil sie einfach zu viel zu tun gehabt hatten.

Levi bot an, mich im Auto mitzunehmen.

»Willst du denn nichts trinken?«, fragte ich, als wir uns in der Mittagspause am Freitag auf ein Stück Rasen im Schatten neben dem Footballfeld setzten. Unsere letzte Stunde war ein bisschen früher zu Ende gegangen, deshalb warteten wir noch auf die anderen.

Er zuckte mit den Achseln und kramte konzentriert sein Lunchpaket aus dem Rucksack. »Ich mach mir nicht viel daraus. Als letztes Jahr alle anfingen, auf Partys zu gehen und dort Bier zu trinken, passierten all die Dinge mit meinem Vater. Da war mir nicht wirklich nach feiern zumute. Julies Ding war das auch nicht.«

»Dann warst du also noch nie auf einer richtigen Party?«

»Doch, zu Silvester und am Ende der Sommerferien, aber ich bin nie lang geblieben. Spät gekommen, früh gegangen.«

»Oh. Ich bin mir sicher, diese wird dir gefallen. Du kannst deine Haare jetzt offen tragen, oder?«

Levi zupfte an seinen Haarspitzen. Er hatte sie erst vor ein paar Tagen schneiden lassen, und jetzt sah man seine Locken kaum noch. »Tja, weißt du, dieser Zopf, den ich die letzten zehn Monate hatte, der hat mich echt schon genervt.«

Ich verdrehte die Augen und zupfte die Rinde von meinem Sandwich. »Wie geht's deinem Dad?«

»Gut. Er hat endlich einen Therapeuten gefunden, den er mag.«

»Klingt gut.«

Da tauchten Cam und Lisa Hand in Hand auf. Dixon folgte ihnen, total in sein Handy vertieft. Wir wechselten das Thema und unterhielten uns stattdessen über die Party.

Jetzt stand ich vor meinem Kleiderschrank, Klamotten um mich herum verstreut, während ich zum millionsten Mal seufzte. Ich hatte einfach *nichts* anzuziehen.

»Himmel noch mal, Shelly«, schnaubte Lee. »Nimm einfach irgendwas. Levi wird gleich da sein.«

Rachel hatte abgelehnt mitzukommen. Sie blieb zu Hause, um noch für die SATs nächste Woche zu lernen. Sie hoffte inständig, im Zuge der Vorab-Zulassung an die Brown zu kommen. Wir wussten alle, dass sie es schaffen würde, auch wenn vielleicht nur über die reguläre Zulassung. Ihr GPA, ihr Notenschnitt, war gut und in den SATs, den Standardtests, mit denen die Studierfähigkeit bewertet wurde, würde sie super abschneiden.

Ich seufzte wieder, griff nach dem schwarzen, knielangen Skaterrock und zog ihn an. Das war ja schon mal ein halbes Outfit und, wie ich fand, ein Fortschritt.

Da klingelte mein Handy und Lee ging ran, bevor ich es tun konnte. »Hey, Levi …« Nachdem er ein paarmal »Mhmm« gesagt hatte, legte er wieder auf. »Levi ist in einer Viertelstunde da.«

Ich nahm ein hellblaues Seidentop und ein süßes gelbes Wickel-Oberteil, das ich in einem Sommer-Sale erstanden hatte. »Welches?«

»Äh … Das gelbe.«

»Sicher?«

Lee richtete sich gerade auf und starrte mich ausdruckslos an. Nicht dass mich das sehr beeindruckte, aber ich wunderte mich, wie angepisst er aussah. Klar wusste ich, dass er sich nicht freute, weil Rachel zu Hause blieb. Aber das hatte er ihr nicht gesagt – er wusste ja, dass sie zu Hause lernen wollte. Nur ließ er seine knatschige Laune jetzt an mir aus. Dabei war ich selbst, schon ohne sein Getue, knatschig genug.

»Weißt du was? Ich zieh das hier an.« Damit angelte

ich mir ein bauchfreies schlichtes weißes T-Shirt und verdrehte, von ihm abgewandt, die Augen. »Ich weiß, es ist blöd, dass Rachel heute Abend nicht mitgeht, aber es wird trotzdem lustig! Wir und die Jungs werden wie früher zusammen abhängen. Und für sie wird es sich absolut gelohnt haben, wenn sie es an die Brown schafft.«

Lee schwieg, was mich irritierte. Als ich mich zu ihm umdrehte, hatte er die Hände im Schoß verkrampft und den Blick gesenkt.

»Was? Was ist denn los?«

»Ich habe überlegt«, meinte er zögernd, ohne mich anzusehen, »Ob ich mich an der Brown bewerben soll. Mit Rachel.«

An der Brown?

Er wollte sich *an der Brown* bewerben?

Das war wie ein Schlag in die Magengrube und raubte mir kurz den Atem.

»Und hast du? Aber was ist mit Berkeley? Wir … wir hatten das doch immer so besprochen.«

»Ja, und jetzt spreche ich mit Rachel über die Brown. Ich könnte das vielleicht. Meine Noten sind gut. Und wie du immer sagst, Engagement in der Schülermitverwaltung ist in der Bewerbung immer von Vorteil.«

Ich starrte ihn lange an und wusste nicht genau, was ich sagen sollte.

Lee und ich hatten immer alles zusammen gemacht. Wann immer wir übers College geredet hatten, war klar gewesen, dass wir das zusammen machen würden, an der University of California, Berkeley.

»Vielleicht werde ich auch gar nicht genommen«, sagte er schließlich. »Aber … weißt du, es wäre vielleicht nett. Hat Noah nicht auch mit dir darüber gesprochen, dass du dich irgendwo in Boston bewirbst, damit ihr näher beieinander seid?«

Das hatte er nicht. Und mir war der Gedanke bisher nie gekommen.

Und auch jetzt dachte ich darüber nicht nach. Ich konnte nur denken: *Lee zieht sie mir vor. Wieder einmal.*

»Levi wird bald da sein«, sagte er, meinem Blick ausweichend und mit hochgezogenen Schultern. »Ich warte dann mal unten.«

Ich sah ihm nach und fragte mich, ob Lee mir jemals fremd vorgekommen war.

Als Lee und ich hinten in Levis grünen Toyota einstiegen, war er immer noch still, in sich gekehrt und überhaupt nicht so fröhlich wie sonst. Cam saß vorne und ich zwischen Dixon und Lee eingekeilt.

»Freut ihr euch?«, rief Dixon, während ich noch mit dem Sicherheitsgurt herumnestelte.

»Klar«, murmelte Lee.

»Wow, hört mal, wer heute Abend eine Saulaune hat. Was ist denn mit dir los, Alter?«

»Nichts, okay?«

Ich drehte mich zu Dixon, der das Gesicht verzog und mit den Schultern zuckte. Ging es nur ums College? Um Rachel? Oder war da irgendwas ganz anderes im Busch?

Lees Stimmung besserte sich, als wir bei der Party waren und er ein paar Bier getrunken hatte. Ich sah, wie er sich zum dritten Mal aus dem Fass nachschenkte, beschloss aber, ihn nicht zu kritisieren. Er trank eigentlich in vernünftigen Mengen. War zwar gelegentlich ein bisschen beschwipst, gab sich aber selten total die Kante. Ich neigte da schon eher zur Unvernunft.

Als Rachel erklärt hatte, heute Abend nicht mitzukommen, hatte mich das viel mehr gefreut, als ich mir anmerken ließ. Aber jetzt, wo wir hier waren, fing ich an mir zu wünschen, Rachel wäre doch aufgekreuzt. Ich konnte nicht anders als zu denken, dass Lees schlechte Laune mit mir zu tun hatte, und sie hätte gegensteuern können.

Lee schien sich mehr für seine Kumpel aus dem Footballteam zu interessieren als für einen von uns. Einige von denen gingen vorbei und meinten: »Hey, hey, Little Flynn! Was geht, Mann?«

»Das bilde ich mir jetzt nicht ein, oder?«, sagte ich, griff nach Cams Arm und sah die anderen Jungs an. »Er benimmt sich seltsam.«

»Er benimmt sich übel«, stimmte Warren mir zu und ging weg.

Als Lee sich zum dreizehnten Mal Bier holte, tat er schon so, als wäre ich gar nicht da. Er holte sich Nachschub aus dem Fass, schwankte ein bisschen und lachte über irgendwas, das Jon Fletcher gerade gesagt hatte.

»Lee«, meinte ich, »denkst du nicht, dass du schon genug hattest? Es ist noch nicht mal elf …« Ich bekam Schluckauf. Nach den paar Bier, die ich getrunken hatte, fühlte ich mich auch nicht mehr nüchtern.

»Halt die Klappe, Shelly.«

Wenn Lee mir sagte, ich soll die Klappe halten, lächelte er normalerweise. Jetzt verdrehte er allerdings nur die Augen und grinste Jon an, als hätte er einen super Witz gemacht. Jon schaute nicht, als ob er das lustig fände, sondern sah mich verlegen an, während ich, hilflos, verletzt und verwirrt, Lee anstarrte.

»Lee –«

»Hör auf, mir nachzulaufen wie ein ausgesetzter Welpe. Es ist echt traurig. Nur weil Noah nicht mehr da ist, musst du ihn nicht dauernd bei mir anhimmeln.«

Dann stürmte er an mir vorbei und ließ mich stehen. Meine Kinnlade hing knapp über dem Küchenfußboden. Seine Worte waren ein Schlag ins Gesicht gewesen, aber Lee war nie grundlos wütend auf mich. Ich kapierte es nur einfach nicht. Als ich spürte, wie mir Tränen in die Augen stiegen, biss ich mir auf die Lippe.

»Er ist bloß betrunken«, sagte Jon entschuldigend. »Er ist …«

Ich schluckte und brauchte eine Sekunde, um meine Fassung wiederzufinden und die Tränen wegzublinzeln. Dann flüsterte ich: »Klar.«

»Ich werde dann mal …« Er klopfte mir auf die Schulter, bevor er aus der Küche ging und nach irgendwem rief. Ich war froh, dass er nicht versucht hatte, mit mir darüber zu reden. Vermutlich hätte ich nicht mal sprechen können.

Ich stand immer noch an derselben Stelle, als ein paar Jungs aus dem Basketballteam reindrängten und eine Flasche Tequila hochhielten. Dazu riefen sie: »Shots! Shots! Shots!« Und aus irgendeinem Grund folgte ich ihnen.

Draußen auf dem Flur von Jon Fletchers Haus war die Party in vollem Gang. Die Musik war lauter, verschiedene Songs dröhnten aus unterschiedlichen offenen Türen. Leute lehnten an den Wänden, neben großen Blumentöpfen und am Treppengeländer.

Es war hier auch viel heißer und man kam kaum durch.

Ich stieß sofort mit jemand zusammen, stolperte unsicher und versuchte, wieder Halt zu finden. Der, mit dem ich zusammengestoßen war, fasste mich am Ellbogen.

»Hey«, rief ich, als ich feststellte, es war Levi. »Die schenken Shots aus. Bist du dabei?«

»Ich muss fahren.«

»Ach ja, natürlich. Na, dann kannst du uns anderen ja dabei zusehen.«

»Lee hat mir gesagt, ich soll ein Auge auf dich haben, wenn du betrunken bist.«

»Ich bin nicht betrunken!«, protestierte ich. »Irgendwie gekränkt, ein bisschen angeheitert, aber nicht betrunken.«

»Und er meinte, ich soll dich davon abhalten, Shots zu trinken. Die Jungs haben gesagt, du hast das mit dem Alkohol nicht so gut im Griff. Auch wenn es mir nichts ausmacht, ein bisschen auf dich aufzupassen, werde ich dir nicht die Haare halten, während du in eine Kloschüssel kotzt.«

Ich behauptete, ich würde sowieso nicht kotzen, war aber immer noch zu wütend über Lees Art heute Abend, als dass ich mich groß um Levis Worte gekümmert hätte. Den Arm, der die Tequilaflasche hochgehalten hatte wie ein Reiseleiter eine orangefarbene Fahne, hatte ich aus den Augen verloren. Wenn Lee sich solche Sorgen um mich machte, warum stieß er mich dann derart von sich weg? Warum passte er nicht selbst auf mich auf, wenn er mein Verhalten für so problematisch hielt?

Warum hatte er mir nicht gesagt, dass er nicht mehr mit mir aufs College wollte?

Und dann fing ich an zu weinen.

»O Gott«, sagte Levi.

Ich schniefte, aber nachdem ich einmal angefangen hatte, konnte ich nicht mehr aufhören. Ein paar Leute sahen Levi finster an, als habe er irgendetwas getan, das mich kränkte. Fast rechnete ich damit, dass er weggehen und mich der Fürsorge von irgendwem anderen überlassen würde.

Aber stattdessen nahm er meine verschwitzte Hand und meinte sanft, dass ein bisschen frische Luft mir vielleicht guttun würde. So schob er sich durch die Menge zur Haustür und zog mich hinter sich her. Draußen setzten wir uns auf den Bordstein vor dem Haus. Nach ein paar Minuten beruhigte ich mich. Der Abend war mild, aber nach der Hitze drinnen unter den vielen Leuten erschauerte ich jetzt und rieb mir die Arme.

»Fühlst du dich besser?«, fragte Levi.

Ich wischte mir mit den Fingerspitzen Tränen und eventuelle Spuren von Mascara unter den Augen weg. Dann fuhr ich mir mit dem Handrücken über die Nase. Meine Tasche war irgendwo drinnen. Darin hatte ich Papiertaschentücher, doch das nützte mir jetzt nichts.

»Willst du drüber reden?«

»Lee war gerade so gemein zu mir«, jammerte ich, was sogar in meinen eigenen Ohren erbärmlich klang. »Wir haben sowieso kaum noch Zeit miteinander, nur wir beide. Und heute Abend sollte eine Gelegenheit sein, ohne Rachel und so mal wieder zusammen abzuhängen. Aber stattdessen ignoriert er mich, und ich weiß gar nicht, was ich ihm getan habe, dass er mich so hasst.«

»Lee hasst dich nicht.«

»Warum ist er dann so gemein?«

»Wahrscheinlich stresst er sich einfach nur wegen dem College, so wie alle anderen auch.«

»Und warum redet er dann nicht mit mir darüber? Weißt du, er hat mir heute Abend gesagt, dass er sich an der Brown bewerben wird. Mit Rachel. Aus heiterem Himmel. Wir haben früher unsere ganze Zeit zusammen verbracht. Und wenn wir jetzt was ausmachen, sagt er fast immer ab, um was mit Rachel zu unternehmen. Wenn er nicht zum Football muss. Er hat sogar unsere gemeinsamen Collegepläne ihr zuliebe über den Haufen geworfen.«

»Vielleicht steckt Rachel dahinter, dass er nicht mehr viel Zeit für dich hat, wenn er nicht zum Football muss. Versteh mich nicht falsch, aber es muss doch seltsam für sie sein, wenn der engste Vertraute ihres Freunds ein Mädchen ist. Noch dazu ein sehr hübsches Mädchen. Ganz objektiv betrachtet natürlich. Und wollen nicht ganz viele Leute mit ihrer besseren Hälfte aufs College?«

»Aber ich bin doch seine bessere Hälfte.«

»Du weißt, wie ich das meine.« Levi seufzte. »Keine Ahnung. Ich will damit nur sagen, dass es vielleicht einen guten Grund dafür gibt. Ich kann nämlich nicht sehen, dass er sich blöd benimmt, weil er ein blöder Kerl ist. Denn das ist er nicht. Er ist ein guter Typ.«

»Ja, ist er.«

Irgendwie fühlte ich mich dadurch nur noch schlimmer.

»Ich glaube, ich möchte nach Hause«, sagte ich und verschränkte die Hände über den Knien. »Ich bin nicht mehr wirklich in Partystimmung.«

Ich stand auf.

»Warte mal, du willst doch nicht zu Fuß nach Hause gehen, oder? Erstens bist du nicht mehr nüchtern. Zweitens wohnst du nicht gerade in der Nähe. Und drittens ist das um diese Uhrzeit sowieso keine gute Idee.«

»Danke, dass du dir Sorgen machst, aber ich wollte eigentlich nur meine Tasche holen. Dann rufe ich meinen Dad an, damit er mich abholt.«

»Oh«, sagte Levi und stand auch auf. »Mir würde es nichts ausmachen, dich nach Hause zu bringen, wenn du willst. Dann komme ich noch mal für eine Stunde her, oder so lange, bis die anderen auch soweit sind.«

»Bezahlen wir dich eigentlich als unseren Privat-chauffeur?«

»Nope, das mach ich nur für ein bisschen gutes Karma.«

»Ich bin mir nicht sicher, ob das mit dem Karma klappt, wenn du dich dermaßen bemühst.«

»Einen Versuch ist es wert, oder?«

»Wahrscheinlich. Aber schade, dass wir keinen Versuch mit dem Tequila gemacht haben.«

Bei mir zu Hause brannte im Wohnzimmer Licht, aber die Vorhänge waren zugezogen. Levi schaltete die Automatik auf Parken und zog die Handbremse an.

»Danke. Bist du dir sicher, dass ich dir nicht doch ein bisschen Benzingeld geben soll?«

»Ist schon okay, Elle, wirklich.« Er lächelte. »Aber vielleicht bitte ich dich als Gegenleistung mal wieder um ein Babysitten.«

»Ah, wusste ich doch, dass die Sache einen Haken hat.« Ich öffnete meinen Gurt und stieg aus. »Also, danke noch mal. Ich weiß das echt zu schätzen.«

Ich schloss die Tür und nahm den Weg zu unserer Haustür. Kurz bevor ich die Veranda erreicht hatte, rief er meinen Namen. Ich drehte mich um.

»Ja?«

»Ich bin mir sicher, dass Lee sich wieder einkriegen wird. Ihr werdet für diese College-Sache bestimmt eine Lösung finden. Wenn ihr beste Freunde seid, kriegt ihr das hin.«

»Das hoffe ich.«

Lächelnd winkte er mir noch mal und fuhr dann weg. Ich suchte noch in der Handtasche nach dem Schlüssel, als Dad mir schon die Tür aufmachte.

»So früh hätte ich nicht mit dir gerechnet.«

Ich zuckte nur mit den Achseln. »Hab mich gelangweilt. War keine tolle Party.«

»Das bedeutet jetzt aber nicht, du warst so betrunken, dass du dich übergeben musstest, oder?« Er sah mich stirnrunzelnd an, als überlegte er schon, wie viel Hausarrest er mir dafür aufbrummen sollte.

»Nein, es bedeutet, dass es ein blöder Abend war. Mir war einfach nicht nach Feiern zumute. Levi hat mich heimgefahren.«

»Ist sonst noch jemand so früh gegangen? Was ist mit Lee?«

»Nein, nur ich. Ich will jetzt einfach ins Bett.«

»Sicher? Brad und ich schauen uns gerade den neuen Tom-Cruise-Film an. Er geht nicht mehr lange, aber du kannst trotzdem mitschauen. Die Handlung ist nicht gerade kompliziert ...«

Brad blieb normalerweise nicht so lange auf, aber ich vermutete, das war eine Ausnahme. Und tatsächlich überlegte ich, ob ich mich nicht etwas besser fühlen würde, wenn ich ein bisschen Zeit mit meiner Familie verbrächte.

Aber dann war die Versuchung doch zu groß, mich unter meiner Bettdecke zu verkriechen und nie mehr rauszukommen.

»Nein danke. Ich gehe einfach ins Bett.«

»Okay.« Dad hatte mich noch nie vorzeitig von einer

Party nach Hause kommen sehen. Eher schimpfte er mit mir am nächsten Tag, weil ich zu spät dran gewesen war. Deshalb wunderte es mich jetzt auch nicht, dass er mich mit gerunzelten Brauen durch seine Brillengläser ansah.

Ich war schon halb die Treppe hinauf, als er mir nachrief: »Bist du dir sicher, dass alles okay ist? Ist irgendwas passiert?«

Ich lächelte ihn an und sah, wie seine Sorge sich in Panik verwandelte. »Nein, Dad, wirklich. Ist okay. Es war nur eine echt bescheuerte Party, und ich bin k. o.«

»Du weißt, dass du mir alles erzählen kannst, Kumpel?«

»Ich weiß, Dad.«

»Und es gibt nichts, was du mir erzählen willst?«

»Nein. Mein Gott, es ist alles in Ordnung!«, schnaubte ich und ging ganz nach oben. Damit war die Sache für mich erledigt.

Nachdem ich mich wie in einen Kokon in meine Bettdecke gekuschelt hatte, ein T-Shirt von Noah trug und mir das ganze Make-up abgewaschen hatte, schaute ich aufs Display meines Handys und öffnete meine Kontaktliste.

June Flynn. Lee Flynn. Matthew Flynn. Noah Flynn.

Mein Daumen schwebte in der Luft. Ich wusste, dass ich mit einem der Flynn-Brüder reden musste – ich konnte mich nur nicht entscheiden, mit welchem.

Ruf Lee an. Red mit ihm. Klär das. Vielleicht ist er auch schon zu Hause.

Nein, ruf Noah an. Du hast seit Montag nicht mehr richtig mit ihm geredet, und da auch nur kurz. Ruf ihn an. Erzähl ihm von Lee und hör, was er dazu zu sagen hat. Es ist Freitagabend und wahrscheinlich ist er auch gerade von einer Party nach Hause gekommen.

Ich rief Noah an, obwohl er wahrscheinlich schon tief und fest schlief.

Es klingelte und klingelte und … klingelte und …

»Hey, hier ist Noah. Hinterlass mir eine Nachricht, dann rufe ich dich zurück.«

Anstatt aufzulegen, als das Signal ertönte, hielt ich das Handy nur weiter an mein Ohr. Wann hatte er denn die Ansage seiner Mailbox geändert? Früher war sie kürzer: *»Hey, hier ist Flynn. Du weißt, was du zu tun hast.«*

Mir wurde bewusst, dass er mich jetzt schon sekundenlang nur atmen hören würde und ich wahrscheinlich irgendetwas sagen sollte. »Hey. Ich bin's. Elle. Ich wollte mit dir reden, aber ich schätze, du schläfst. Ich ruf dich morgen wieder an. Ähm … *Love you*.«

Heute Abend wünschte ich mir mehr denn je, Noah wäre hier bei mir. Nach seiner Mailbox-Ansage und Lees seltsamem Verhalten auf der Party fühlte ich mich so einsam wie nie.

8

Am nächsten Tag rechnete ich damit, dass Lee anrief und sich bei mir entschuldigte.

Das tat er nicht.

Am späten Vormittag hatte ich keine Lust mehr, darauf zu warten, dass er sich meldete. Ich schrieb ihm und fragte, ob er gerade was mit Rachel unternehmen würde. Nein, er war zu Hause. Also ging ich direkt rüber. Unterwegs stellte ich mich mental darauf ein, wenn nötig mit meinem besten Freund zu streiten und eine Erklärung dafür von ihm zu verlangen, warum er auf der Party gestern Abend so gemein gewesen war. Außerdem mussten wir dringend über diese ganze College-Sache reden.

Bis ich vor seiner Haustür stand, hatte ich den Glauben an mich schon ziemlich verloren.

Eigentlich mochte ich mich mit niemand streiten (außer im Spaß mit Noah über irgendwelche Kleinigkeiten, aber das war etwas anderes). Die Vorstellung, mit meinem besten Freund zu streiten, war mir total zuwider.

Vielleicht sollte ich lieber die ganze Sache vergessen und so tun, als wäre sie gar nicht passiert.

Da ging die Tür auf.

»Warum stehst du denn hier draußen?«

Ich schaute hoch und Lee lächelte mich an. Er sah aber auch ein bisschen verwirrt aus, weil ich einen Meter von der Tür entfernt mit geballten Fäusten dastand. Anscheinend tat ich das schon seit ein paar Minuten.

Lee hatte dunkle Ringe unter den blutunterlaufenen Augen, so als hätte er nicht geschlafen und gestern Abend deutlich zu viel getrunken. Sein dunkles Haar war feucht – noch vom Duschen, vermutete ich.

Ich presste die Lippen zusammen. Ich musste mit ihm reden, und zwar jetzt, bevor ich mich nicht mehr trauen würde.

Mir drehte sich der Magen um.

Dann machte ich den Mund auf und stieß hervor: »Warum warst du gestern Abend so gemein zu mir? Machst du das mit Absicht? Mich so von dir wegstoßen? Warum willst du nicht mehr mit mir aufs College? Ist es wegen Rachel? Oder hab ich dir was getan? Hat es mit Noah zu tun?«

»He, mach mal langsam«, sagte Lee, während ich Luft holte. »Jetzt komm erst mal rein, und dann reden wir, okay?«

Ich nickte und trat durch die Tür. Drinnen konnte ich riechen, dass June kochte – irgendwas Würziges, das mir das Wasser im Mund zusammenlaufen ließ. Im Wohnzimmer lief der Fernseher, vor dem ich Lees Dad Matthew vermutete. June rief mir eine Begrüßung zu. Ich rief zurück und bemühte mich, nicht so unsicher zu klingen, wie mir zumute war.

Wir gingen nach oben in Lees Zimmer. Das hatte einen kleinen Balkon und die Türen nach draußen standen weit offen. Die dünnen Vorhänge bauschten sich im leichten Wind. Von Lees MacBook spielte leise Musik, die er ausmachte. Ich setzte mich ans Fußende seines Betts.

Normalerweise benahm ich mich in diesem Zimmer, als wäre es mein eigenes, aber jetzt war ich nervös. Es war einfach nicht der richtige Zeitpunkt, um mich auf seine federnde Matratze plumpsen zu lassen.

Ich war schon eine Weile nicht mehr hier gewesen. Das Zimmer war ordentlicher, als ich es je gesehen hatte. »Du hast dein Schlagzeug gar nicht mehr«, sagte ich mit Blick auf die leere Stelle im Raum.

Er zuckte mit den Achseln. »Ich habe ja nicht mehr drauf gespielt. Deshalb hab ich's verkauft.« Er setzte sich verkehrt herum auf den Drehstuhl an seinem Schreibtisch. Mit den Zehen schubste er sich selbst gemächlich von einer Seite zur anderen. Ich wartete, dass er etwas sagte. Irgendetwas. Aber er schwieg. Und da riss mir der Geduldsfaden.

»Weißt du«, sagte ich, und es klang barsch, geradezu wütend. Scharf und irgendwie falsch, aber ich konnte nicht anders. »Es ist ja schon schlimm genug, dass ich in letzter Zeit kaum mal mit Noah reden kann, aber ich finde es unerträglich, dass du mich jetzt auch noch von dir wegstößt. Und ich meine nicht nur diese College-Sache. Wir reden überhaupt nicht mehr so wie früher, und wir unternehmen kaum noch was zusammen und ich ... ich – es fühlt sich an, ja, als würdest du mich von dir wegstoßen.« Ich verstummte zaghaft. Als ich merkte, dass ich die Hände wrang, setzte ich mich schnell auf sie. Dann konnten sie wenigstens nicht zittern.

»Ich stoße dich nicht weg.« Lee seufzte.

»Doch. Tust du.«

Er verdrehte die Augen.

»Tust du«, beharrte ich und wurde mit wachsender Überzeugung lauter. Ich würde nicht zulassen, dass Lee die Sache einfach so abtat, wo wir jetzt endlich mal darüber sprachen. Oder ich zumindest. »Es kommt mir vor, als würdest du dir nicht mal ein wenig Zeit für mich nehmen wollen. Gestern Abend hast du zu mir gesagt, ich soll die Klappe halten.«

Lee ließ die Schultern hängen, und er schaute auf seine Hände, die er hinter der Stuhllehne verschränkt hatte. Er wusste, dass ich recht hatte.

Eine Weile schwieg er, was mich noch nervöser machte. Ich zog die Hände wieder unter mir hervor und trommelte mit den Fingern auf meinem Bein herum. Mein Herz klopfte heftig und ich spürte einen gallebitteren Kloß im Hals.

»Ich weiß. Ich bin ein schlechter bester Freund«, sagte er schließlich.

»Danke, dass du es zugibst, aber ich hätte gerne eine Erklärung dafür.«

Lee fuhr sich mit den Fingern durch Haar. Das hatte er schon eine Weile nicht schneiden lassen, sodass es inzwischen beinah so lang war wie Noahs.

»Ich wollte nicht so gemein sein. Tut mir leid.«

»Mir geht's nicht darum, dass du dich entschuldigst, Lee! Ich will, dass du mir sagst, warum. Ich will wissen, was los ist.«

»Nichts ist los. Ich hab einfach zu viel getrunken und war ein bisschen fies zu dir. Na und? Ich weiß nicht, was du von mir hören willst, Elle, es tut mir leid. Ich hätte das nicht sagen sollen. Ich verstehe, wenn du jetzt sauer auf mich bist.«

Ich presste mir die Fingerknöchel gegen die Stirn und strich mir dann seufzend die Haare zurück. »Mein Gott, Lee, ich …« Ich stand auf, schüttelte den Kopf und fühlte mich elend. Ich konnte nicht bleiben, wenn er mich dermaßen abfertigte. »Schön. Weißt du was? Mach so weiter. Dann geht das mit uns vielleicht komplett den Bach runter. Die Jungs meinten alle, du hättest dich gestern seltsam aufgeführt. Aber ich muss hier nicht rumstehen und mir solchen Scheiß von jemand anhören, der eigentlich mein bester Freund sein sollte. Wenn du nicht mit mir reden willst –«

Da sprang Lee auf, stieß dabei den Stuhl um und verstellte mir den Weg.

»Sie nennen mich Little Flynn.«

»Hä?«

»Die Jungs im Footballteam. Sie nennen mich Little Flynn. Und der Coach redet dauernd von Noah. Dass er schneller war oder besser wirft oder was auch immer. Die erwarten alle, dass ich so bin wie er. Ich bin der neue Flynn, verstehst du?«

»Na und? Bedeutet das, du musst so tun, als gäb's mich nicht?«

»Es bedeutet, dass ich versuche ... cool zu sein.«

Ich schnaubte. »Und dafür benimmst du dich so? Bist fies zu uns allen und sagst mir, ich soll die Klappe halten? Ist das etwa cool?«

Darauf wusste er nichts zu sagen. Er schaute nur auf seine Füße.

»Ich dachte, du wärst schon cool, weil du diese Initiations-Sache gewonnen hast.«

»Sie sagen, Noah hätte den Initiations-Test auch gewonnen, aber er war damals erst in der Zehnten. Jetzt erwarten sie von mir, dass ich genauso gut bin wie Noah war.«

Ich setzte mich wieder hin. Lee atmete tief aus und sein Stirnrunzeln verschwand. Er stellte seinen Stuhl wieder hin, dann lehnte er sich an den Schreibtisch und stützte sich mit den Händen auf. Ich hatte schon gehört, wie manche Jungs ihn »Little Flynn« nannten, aber mir war nicht klar gewesen, wie sich das für ihn anfühlte. Ich merkte, wie ich mich für ihn aufregte. Aber gleichzeitig machte es mich in Bezug auf unseren Streit nur noch trauriger. Er hätte doch mit mir reden können. Warum hatte er das nicht getan?

»Das macht mich gerade echt fertig, verstehst du? Wie sie mich behandeln. Als wäre ich, obwohl ich sie beeindruckt habe und zur Mannschaft gehöre, immer noch nicht gut genug. Ich gehöre gern zum Team, Elle, und ich bin ...«

»Noah hat mir auf einer Party nie gesagt, ich soll die Klappe halten.«

»Siehst du? Er kann echt alles besser als ich.«

»Nein, Lee, ich bin nicht ... Du bist ...« Was zum Teufel sollte ich darauf antworten?

»Ich versteh schon, wie blöd das klingt«, erklärte er mir mit großen, feuchten Augen. »Ich versteh, wie erbärmlich und jämmerlich ich klinge, okay? Das weiß ich. Wenn es dir was nützt – ich hab nicht mal Rachel davon erzählt. Weil ich es alleine hinkriegen wollte, verstehst du? Einfach ... damit klarkommen.«

»Du musst doch auch nicht Noah sein, Lee. Und es ist nicht erbärmlich. Du bist toll, genau wie du bist. Abgesehen davon spielst du doch nicht mal auf der gleichen Position, oder?«

Lächelnd sah er mir in die Augen. »Nein.«

»Na also. Dann können die euch doch überhaupt nicht vergleichen, wenn ihr nicht auf der gleichen Position spielt.«

»Ja, ich schätze nicht.«

»Außerdem bist du gar nicht so klein. Es gibt kleinere als dich im Team.«

»Schon ...«

»Und ich werde dich hundertprozentig nicht mehr verteidigen und dein Ego boosten, wenn du mir noch ein einziges Mal sagst, ich soll die Klappe halten.«

»Wenn ich das noch mal sage, darfst du ein ganzes Bierfass über mir ausleeren.«

»Kann ich das schriftlich haben?«

Lee lachte, kam durch Zimmer und blieb direkt vor mir stehen. »Alles wieder gut zwischen uns? Kann ich dich jetzt in den Arm nehmen? Mir kommt es so vor, als wären wir nicht wieder versöhnt, bis wir uns ordentlich gedrückt haben.«

Ich reckte einen Zeigefinger in die Höhe. »Schwör bei Gott, Lee, dass das nicht noch mal vorkommt. Du kannst mit mir über alles reden, und das weißt du, aber behandle mich nicht noch mal wie gestern Abend.«

»Ehrenwort.«

Ich wollte aufstehen, aber Lee umarmte mich schon so fest, dass es fast wie Ringen war. Die Anspannung, die sich in all den Wochen, in denen wir uns kaum gesehen hatten, aufgebaut hatte, löste sich in Luft auf. Er klammerte sich so fest an mich wie ich mich an ihn. Dann schniefte er.

»Riechst du an meinen Haaren?«

»Nein, ich versuche, nicht loszuheulen.«

Da musste ich lachen und schmiegte meinen Kopf an seine Schulter. Ich war zwar noch irgendwie sauer, aber immerhin hatte er mit mir geredet. Und sich entschuldigt. Das war schon etwas.

Außerdem, wenn du deinem besten Freund nicht verzeihen kannst, der fast weinen muss, kann man sich dann überhaupt noch beste Freunde nennen?

»Hattest du auf der Party wenigstens deinen Spaß?«, fragte ich, als wir uns endlich wieder losließen. »Nachdem du uns alle vor den Kopf gestoßen hast.«

»Es war nicht gerade ein rühmlicher Abend. Ich hab eine Vase zerbrochen, bin zu spät nach Hause gekommen und hätte beinah unsere Freundschaft ruiniert. Außerdem habe ich auf ein fremdes Auto gekotzt.«

»Wow.«

»Ja … Und es tut mir leid, dass ich dir den Abend versaut habe. Ich weiß schon, dass du wegen mir früher gegangen bist.«

»Hat Levi dir das erzählt?«

Lee nickte, wechselte dann aber das Thema. Offensichtlich hatte er jetzt genug über sich geredet. »Ihr beiden scheint ziemlich gut miteinander auszukommen. Finde ich gut. Also, solange er nicht versucht, mir meine Position als bester Freund streitig zu machen«, fügte er mit einem schelmischen Grinsen hinzu, das ihn wieder mehr wie der Lee aussehen ließ, den ich so gut kannte. »Ich meine nur, weil ich nicht mehr so viel Zeit mit dir verbringe und weil Noah nicht hier ist. Da ist es schon gut, dass du jemand hast. Manchmal mache ich mir echt Sorgen um dich, Shelly. Also, Rachel hat ihren Theaterclub, aber du bist …«

»Nicht talentiert genug für einen Wahlkurs wie Theater?«

»So habe ich das nicht gemeint.«

»Aber es stimmt.«

»Vielleicht könntest du irgendeinen Sport machen? Vielleicht nicht gerade Volleyball, aber in Leichtathletik wärst du bestimmt nicht schlecht.«

»Klar. Vielleicht. Könnte auch nicht schaden, wenn ich noch was hätte, das ich in meine College-Bewerbung schreiben kann.«

Lee verdrehte die Augen. »Du und diese verdammten College-Bewerbungen. Apropos … Hör mal, das mit der Brown ist nicht nur wegen Rachel. Mein Dad war auch dort. Und du könntest dich da auch bewerben. Deine Noten sind doch sogar besser als meine. Dann könnten wir alle auf die Brown.«

»Vielleicht.«

»Und ich … ich entscheide mich nicht für sie und gegen dich, weißt du? Jedenfalls will ich das nicht. Aber alle Jungs meinen, wie abartig das für sie sein muss, dass wir beide so eng miteinander sind. Sie sagen, ich soll mich mehr auf Rachel konzentrieren und …«

»Hat Warren dir das geraten?«

Lee verzog das Gesicht.

»Warren ist Single und ein Idiot. Aber … ich versteh schon.« Es war mir zuwider, das zuzugeben, aber ich verstand tatsächlich, was seine Befürchtung war. »Und wenn du das nicht auf die Reihe kriegst, Lee, dann übernehme ich das. Und wenn ich einen verdammten Plan für dich schreiben muss. Dann teilen wir uns an den Wochenenden das Sorgerecht für dich. Ich sehe dich dann jeden Dienstagabend.«

Er lachte. »Ich werde es auf die Reihe kriegen.«

Jemand rief die Treppe herauf: »Kinder! Das Mittagessen steht auf dem Tisch!« Damit war unser ernstes Gespräch beendet. Wir begannen, uns wie früher über andere Sachen zu unterhalten, scherzten herum und zogen uns gegenseitig auf. Als wir nebeneinander die Treppe runterliefen, stießen unsere Arme die ganze Zeit zusammen.

Es tat gut, Lee wiederzuhaben.

9

Als ich nach dem Mittagessen bei den Flynns wieder zu Hause war, versuchte ich, Noah anzurufen. Im Tagesverlauf hatten wir uns schon ein paarmal kurz geschrieben. Das übliche *Hey/Wie geht's dir/Was hast du heute vor/Du fehlst mir* – aber jetzt wollte ich richtig mit ihm reden. Denn, verdammt, ich schrieb mir mit Levi schon mehr als mit Noah.

Es war übel, dass Noah am anderen Ende des Landes aufs College ging. Warum musste Harvard bloß so schrecklich weit weg sein?

Ich hasste es, dass ich nicht einfach zu ihm rüberspazieren konnte, um ihn zu sehen.

Ich hasste es, dass ich nicht in seinen Armen ein Nickerchen auf der Couch machen konnte.

Ich hasste es, dass ich nicht mit ihm übers Fernsehprogramm zanken konnte, auch wenn wir ihm am Ende sowieso nicht viel Aufmerksamkeit schenkten.

Ich hasste es, dass er nicht hier war, um mich zum Lachen zu bringen, mir einen Kuss auf die Nasenspitze zu geben und mich anzusehen, als sei ich das Einzige, was in diesem Moment zählte.

Ich hasste es, dass ich ihn so schrecklich vermisste und rein gar nichts dagegen tun konnte.

Klar, es gab jede Menge Sachen, um mich davon abzulenken, wie sehr ich Noah vermisste, aber in Momenten wie diesen kam es mir vor, als würde ein Stück von mir fehlen. Ein Stück genau in der Form und Größe von Noah. Das war ein Schmerz in meiner Brust, wie etwas Schweres, das auf meine Lunge drückte. Eine Traurigkeit, die nicht mal niedliche Kätzchenfotos oder lustige Memes lindern konnten. (Lindern, *to alleviate*, war eines der Wörter für den SAT, die ich diese Woche lernen sollte.)

Je länger ich darauf wartete, dass Noah ranging, desto näher kam ich zu meinem Bett. Gleichzeitig begann ich, an meinem Daumennagel zu knabbern.

Warum ging er nicht ran? Das tat er in letzter Zeit kaum einmal, wenn ich anrief.

Lernte er gerade? Wahrscheinlich lernte er und hatte sein Handy stumm geschaltet oder sogar ganz ausgemacht, um nicht gestört zu werden.

Oder war er mit Freunden unterwegs?

Warum ging er nicht ran?

Ignorierte er mich?

Schließlich meldete Noah sich doch. Das Video seines Gesichts füllte das Display. Sein strahlendes Lächeln, die leicht schiefe Nase, das Grübchen in seiner Wange und die strahlend blauen Augen. Sein Haar war kürzer als sonst und – war das etwa ein Bart? Ließ er sich tatsächlich einen Bart wachsen? Wir hatten seit ein paar Tagen nicht mehr per Video-chat telefoniert, und plötzlich hatte er sich die Haare schneiden lassen und einen Bart?

Beides stand ihm aber verdammt gut. Er sah so viel älter aus. Im Hintergrund waren Bäume zu sehen und eine tiefstehende Sonne am blauen Himmel. Er saß irgendwo mit seinen Kopfhörern in den Ohren und der Wind zerzauste seine Haare.

»Hey.«

Er klang so erfreut, mit mir zu reden, dass ich sofort aufhörte, an meinem Nagel zu kauen, und mich bäuchlings aufs Bett fallen ließ. Auf die Ellbo-gen gestützt lächelte ich zurück. »Hey. Wie geht's dir?«

»Mir geht's gut. Alles bestens. Und was ist mit dir? Du siehst gestresst aus. Hast du gestern Abend zu viel getrunken und jetzt Hausarrest?« Er kicherte und sah mich gespielt tadelnd an.

»Nein, ich bin brav. Die Party war okay. Gerade komme ich vom Mittagessen mit Lee und deinen Eltern.«

Noah wusste, dass Lee mich in letzter Zeit oft wegen Rachel vernachlässigt hatte. Vor ein paar Wochen hatten wir geschlagene zwanzig Minuten darüber diskutiert, bis er mir schließlich versprach, Lee deshalb nicht ins Gewissen zu reden. Jetzt hatte ich das Gefühl, es würde nur Ärger zwischen den bei-den verursachen, wenn ich Noah alles über die Party gestern Abend berichtete.

»Elle, komm schon. Was ist los?«

Ich seufzte und biss mir auf die Innenseite meiner Wange. Ich hätte keinen Video-Anruf machen sollen. »Lee war gestern Abend auf der Party ein bisschen gemein. Zu allen, nicht nur zu mir. Deshalb war ich auch bei euch zu Hause, um mit ihm zu reden.«

»Und?«

»Wir haben uns vertragen. Er wird versuchen, mich nicht mehr so oft wegen Rachel zu versetzen.« Und dann platzte es aus mir heraus: »Wusstest du, dass er auf die Brown will?«

»Was? So wie Dad?«

»Eher wie Rachel«, stellte ich klar.

Ich sah, wie es Noah dämmerte. Sein Blick wandte sich vom Display ab, und ich konnte sehen, wie er die Stirn runzelte und die Lippen zusammenpresste. Eigentlich rechnete ich mit einer Schimpfkanonade darüber, was Lee einfiel, wie abwegig das sei und was mit mir und Berkeley würde.

Aber als er endlich den Mund aufmachte, meinte er: »Weißt du, in Boston gibt es auch eine Menge guter Unis.«

Kurz verschlug es mir den Atem und wir starrten uns übers Telefon an. Ich holte geräuschvoll durch die Nase Luft. Lee hatte gestern so was erwähnt, aber dass Noah es jetzt vorschlug …

Wollte er mich wirklich dort bei sich haben?

Ich hatte wohl ein bisschen zu lange geschwiegen, denn Noah rutschte unbehaglich herum und seine Wangen waren leicht gerötet. Er vermied es, auf sein

Handy zu schauen, und fuhr sich mehrmals mit der Hand durch die Haare.

»Ich kann ja mal gucken«, sagte ich. »Oder so.«

»Dann hat Lee also die Brown im Auge«, sagte er. »Das muss komisch für dich gewesen sein. Benimmt er sich deshalb in letzter Zeit so gemein dir gegenüber?«

Ich gab mir große Mühe, nicht zu erleichtert darüber zu wirken, dass er das Thema gewechselt hatte und es jetzt nicht mehr darum ging, ob ich bei ihm in Boston aufs College gehen würde. Klar fühlte ich mich geschmeichelt, weil er mich in seiner Nähe wollte, aber … ich konnte mir doch die Uni nicht nur danach aussuchen, ob mein Freund in der Nähe war, oder? Was war dann mit Lee? Und an Dad und Brad musste ich auch denken. Berkeley war nah. Das hatte auch immer eine Rolle gespielt. Ich konnte sie doch nicht einfach so zurücklassen.

Für mich war das kein Gespräch, dass ich spontan am Telefon führen wollte.

»Eigentlich …«, sagte ich und erklärte ihm dann, dass Lees Einstellung weniger mit Rachel zu tun hatte, wie ich auch geglaubt hatte, sondern eher damit, dass er sich gezwungen sah, Noahs Ruf gerecht zu werden. Ich sah, wie Noahs Miene sich verfinsterte, hin und her gerissen zwischen schlechtem Gewissen und Verärgerung.

»Vielleicht sollte ich mal mit ihm reden. Ihm raten, cool zu bleiben oder so. Keine Ahnung.«

»Bloß nicht. Er war ziemlich aufgebracht deshalb.

Wahrscheinlich würde er sich erst recht schlecht fühlen, wenn du jetzt auch noch davon anfängst.«

»Ja, wahrscheinlich hast du recht.«

»Na klar hab ich recht. Wie immer.«

»Klar, Shelly. Immer im Recht.« Er schenkte mir sein Markenzeichen-Grinsen, was mich innerlich schmelzen ließ. Wie ich ihn vermisste. *So. Verdammt. Sehr.* Am liebsten hätte ich durchs Display gegriffen, ihn an mich gezogen und geküsst.

»Ich fasse es nicht, dass du dir einen Bart wachsen lässt«, meinte ich zu ihm.

Er legte den Kopf in den Nacken und strich sich mit einer Hand übers Kinn, damit ich es besser sehen konnte. »Gefällt's dir nicht?«

»Doch, es ist hot.«

»Da hast du schon wieder recht, Shelly.« Er zwinkerte mir zu, was mich zum Lachen brachte. »Ganz ehrlich, mein Rasierer ist kaputtgegangen und ich habe mir noch keinen neuen besorgt.«

»Weil du mit Lehrveranstaltungen dermaßen beschäftigt bist?«

»So ungefähr«, meinte er, wobei seine Miene schlagartig wieder ernst wurde.

Es zog mir den Magen zusammen. Hatte ich was Falsches gesagt? Er hatte praktisch komplett aufgehört, mir von seinen Kursen zu erzählen. Ehrlich gesagt machte mir das langsam Sorgen. *Immer* wenn ich nach seinen Lehrveranstaltungen oder der letzten Hausarbeit fragte, schien er das Thema zu wechseln. Klar, vielleicht gab es nicht viel zu erzählen oder er dachte, ich würde es langweilig finden oder nicht verstehen. Aber ich merkte doch, dass er mir irgendwas vorenthielt.

Jetzt fragte ich: »Also ... wie findest du das College so? Hast du alles im Griff?«

Er schenkte mir ein hochmütiges halbes Lächeln und zuckte mit einer Schulter. »Klar hab ich das. Ich bin sicher nicht bei den Besten, aber ich komme zurecht, weißt du?«

Ich antwortete ziemlich leise: »Nein, nicht wirklich. Du erzählst mir ja nicht viel vom College.«

Offensichtlich war bei mir heute der Tag der brutalen Ehrlichkeit gegenüber den Flynn-Brüdern.

»Aber sicher tue ich das ...«

»Nicht wirklich. Du erzählst mir von Leuten und was rundherum so abgeht. Oder vom Football. Aber du berichtest mir nie von deinen Kursen.«

»Mir geht's prima, Elle.« Sein Ton war irgendwie schärfer. Außerdem zuckte ein Muskel an seinem Kiefer, der meinen Verdacht, dass irgendwas im Busch war, nur verstärkte.

»Es ist ja okay, wenn du es schwer findest. Weißt du, ich habe letztens ein paar Artikel in diesem Lifestyle-Blog von einem Collegestudenten im zweiten Jahr gelesen. Darin stand, dass viele Studierende ganz schön kämpfen müssen, um sich am College einzugewöhnen. Mit dem Arbeitspensum und –«

»Elle!« Noah schrie nicht, hatte die Stimme aber deutlich erhoben. Er wirkte nicht wütend, eher ... erschöpft. Dann ließ er das Handy auf seinen Schoß sinken und fuhr sich mit einer Hand übers Gesicht. »Würdest du *bitte* aufhören, mir in den Ohren zu liegen? Mir geht's *gut*. Verstanden?«

Vielleicht sollte ich es auf sich beruhen lassen.

Er würde mit mir darüber reden, wenn er soweit war, oder?

(Fragte sich allerdings, wann das sein würde.)

Ich hätte ihn bedrängen können, aber ich wollte ihm vertrauen können. Und ich wollte, dass er mir vertraute. Ich wollte ihn nicht nerven, und es war mir völlig zuwider, jetzt richtig mit ihm zu streiten. Wo wir uns nicht küssen und wieder vertragen konnten. Er wollte offensichtlich nicht darüber reden. Ich wusste, es wäre das Einfachste, die Sache vorläufig auf sich beruhen zu lassen.

Also tat ich genau das.

»Verstanden.«

»Also«, sagte er mit einem angestrengten Lächeln, »hast du später noch irgendwas vor?« Ich konnte hören, welche Mühe es ihn kostete, beiläufig zu klingen.

»Nicht so richtig. Ich mache mal wieder einen Versuch mit meinem College-Aufsatz. Und vielleicht sehe ich mir später einen Film an. Lee wollte zu Hause bleiben und irgendwas für Englisch lesen. Er braucht weiter gute Noten für Football – und jetzt auch für die Brown, schätze ich. Deshalb lasse ich ihn wahrscheinlich in Ruhe.«

»Klingt fair.«

»Und was ist mit dir?«

»In einem der Fraternity-Häuser gibt es eine Party. Steve hat es geschafft, uns eine Einladung zu besorgen. Seine Freundin kennt einen Typen dort oder so.«

»Oh, aha, cool.«

Dann herrschte Stille, von der ich nicht wusste, wie wir sie füllen sollten.

Im Sommer waren wir auch manchmal in Schweigen verfallen. Aber damals hatte das keine Rolle gespielt – wir mussten die Stille nicht füllen, weil sie überhaupt nicht störte. Ich redete mir ein, jetzt wäre es nur unangenehm, weil wir telefonierten und sich das einfach anders anfühlte als von Angesicht zu Angesicht.

Ich überlegte, ob ich den Sadie Hawkins Dance ansprechen und ihn fragen sollte, ob er an dem Wochenende da wäre und mit mir hingehen wolle. Aber ich hatte so eine Ahnung, dass er ablehnen würde, und das wollte ich jetzt gerade nicht hören. Vor allem nicht nachdem wir gerade an einem Streit vorbeigeschrammt waren.

Als die Stille schlimmer und unbehaglicher wurde, sodass Noah sich räusperte, aber trotzdem nichts sagte, meinte ich: »Dann lasse ich dich mal lieber. Damit du dich fertig machen kannst oder was auch immer.«

Er war sichtlich erleichtert.

Ich bemühte mich, nicht deutlich enttäuscht zu wirken.

»Ja, ja, ich hab Am– ... Steve versprochen, dass ich

ein bisschen früher mit ihm hingehe. Die Fraternity meinte, dass sie dieses Jahr keine neuen Mitglieder mehr nehmen, aber er versucht trotzdem, noch reinzukommen.«

»Okay.« Ich holte tief Luft, aber es fiel mir schwer. Und es fiel mir noch schwerer, ehrlich zu klingen, als ich sagte: »Na dann viel Spaß.«

Wir legten auf und ich stützte mich auf meine Ellbogen, während ich versuchte, tief durchzuatmen. Vorbei an dem Kloß in meinem Hals. Ich blinzelte heftig. Nichts war passiert und es gab keinen Grund zu heulen. Es war nichts passiert und es war einfach nur … *mühsam* … weil wir so weit auseinander waren und uns seit über einem Monat nicht gesehen hatte. Das war alles. Ja. Ja, mehr nicht. Alles war in Ordnung.

Hoffte ich.

Das verlegene Schweigen, der Beinah-Streit und meine halbherzige Reaktion auf seinen Vorschlag, ich solle mich bei den Unis in Boston bewerben, all das machte mir zu schaffen. Noch eine Weile lag ich auf meinem Bett, fühlte mich elend und starrte grimmig auf das dunkle Display meines Handys. Da wurde es wieder hell – mal wieder eine Nachricht von Levi, der vorschlug, dass ich mir einen Vlog ansah.

Wann hatte es aufgehört, mit Noah so lässig zu sein?

10

Als der Montagmorgen anbrach, war ich dieses eine
Mal tatsächlich froh darüber. Noah und ich hatten am
Sonntag noch mal miteinander telefoniert, aber das
war nur noch schlimmer gewesen: gestelzt und voller Pausen und überhaupt nicht normal. Ich kam einfach nicht dahinter, was genau eigentlich so schief-
gelaufen war und wie wir es wieder in Ordnung
bringen könnten.

Ich war bescheuert, oder? Es war doch gar nichts
passiert, und ich wurde grundlos paranoid, obwohl
alles in Ordnung war. Wir waren einfach schon eine
Weile voneinander getrennt und deshalb war alles ein
bisschen seltsam. *Ich benahm mich bescheuert.*

Lee war spät dran, um mich für die Schule abzuholen – diese Woche war er mit Fahren dran. So
kamen wir erst in dem Moment an, als alle vom Parkplatz in ihre Klassenzimmer ins Gebäude strömten.

»Bilde ich mir das ein, oder starren die Leute mich
an?«, fragte ich ihn halblaut und blickte mich verstohlen um. Vielleicht war das die vom Grübeln über

Noah übriggebliebene Paranoia, aber ich war mir *sicher*, dass Leute mich anschauten. Und zwar nicht nur flüchtig und lächelnd, wie sonst vielleicht mal, sondern sie starrten mich an und flüsterten dann mit ihren Freunden.

Ich schaute an mir herab. Hatte ich mir Erdnussbutter vorne an die Schuluniform geschmiert? War einer meiner Knöpfe abgeplatzt? Stand mein Reißverschluss offen? Oder klebte Klopapier an meinem Schuh?

Nichts davon.

»Habe ich irgendwas im Gesicht?«

Lee musterte mich schnell von oben bis unten. »Nein, da ist nichts.«

»Aber die Leute starren mich an, oder?«

»Vielleicht geht's um mich. Ich meine, jetzt, wo Noah weg ist, merken sie vielleicht, dass ich auch ganz schön hot bin.« Er schüttelte sich mit einer Kopfbewegung die Haare aus der Stirn. Die hatte er wachsen lassen – wie mir erst jetzt auffiel, wahrscheinlich um Noah ähnlicher zu sehen (oder zumindest so, wie Noah bis vor Kurzem ausgesehen hatte). »Noah kommt in seinem guten Aussehen ja ganz nach mir.«

»Ha-ha.« Ich verdrehte die Augen. Normalerweise hätte ich wirklich darüber gelacht, aber jetzt hatte ich Herzklopfen und meine Handflächen wurden feucht. Ich hasste dieses Gefühl. Entweder stand ich einfach so im Mittelpunkt der Aufmerksamkeit oder ich bekam irgendwas Wichtiges nicht mit. Wie auch immer, ich hasste so was.

»Im Ernst, bitte sag mir, dass ich mir das nur einbilde.«

»Nein, ich glaube, die glotzen dich an. Ja, siehst du? Der Typ da hat sogar mit dem Finger auf dich gezeigt.«

»Warum? Was habe ich gemacht?«

Ich zerbrach mir den Kopf und überlegte, ob ich auf der Party am Freitagabend irgendwas gemacht hatte, über das die Leute jetzt tuschelten. Klar, ich hatte geweint, na und? Ein heulendes, angetrunkenes Mädchen war für eine Highschool-Party nichts Ungewöhnliches. Ich erinnerte mich deutlich an den gesamten Abend und wusste, dass ich nichts wirklich Blödes getan hatte.

Wir tauchten in den Strom ein und machten uns nicht mehr die Mühe, die anderen zu finden. Das lohnte sich nicht, weil die Stunde gleich anfing. Dann würden wir sie eben später treffen. Lee fing an, von dem Kapitel eines Buchs zu erzählen, über das er für Englisch einen Aufsatz schrieb. Er schwärmte von einer besonders brillanten Metapher, aber ich hörte nicht wirklich zu.

Denn ich war zu beschäftigt damit, zu lauschen, was alle anderen redeten.

»Sie tut mir so leid.«

»Hast du sie auch bei Jon Fletcher gesehen? Da ist sie mit diesem Neuen, Levi Monroe, gegangen. Ich wette, sie sind zusammen nach Hause. Die Schlampe.«

»Du hast sie mit diesem Levi gehen gesehen?«

»Ich hab gehört, sie haben sich getrennt.«

»Sie sieht noch nicht mal traurig aus. Ich an ihrer Stelle wäre am Boden zerstört.«

»Ich kann nicht glauben, dass er ihr so was antut.«

»Er ist echt ein Dreckskerl. Ich meine, sie ist so eine Liebe. Wie konnte er nur?«

»Ich hab gehört, sie hat was mit Levi Monroe angefangen. Der könnte echt auch was Besseres haben … Glaubst du, sie haben Schluss gemacht?«

Erst als Lee mich vor sich her in unser Klassenzimmer schob, merkte ich, dass seine Hand auf meinem Rücken lag und er mich die ganze Zeit gelenkt hatte, weil ich wie weggetreten war. Jetzt blieb ich wie angewurzelt stehen, sodass er mich wieder sanft anschob. Ich stolperte und fühlte mich wie Bambi auf dem Eis.

Als wir unsere Plätze einnahmen, beugte Rachel sich sofort vor. »Was zum Teufel soll's, oder?«

»Hä?«

»Na, diese ganzen Gerüchte, die kursieren. Total verrückt.«

»Was für Gerüchte?« Ich konnte nicht richtig denken. Vielleicht handelten die Gerüchte gar nicht von mir. Vielleicht hatte irgendwer anderer übers Wochenende was Verrücktes angestellt. Vielleicht war jemand anders mit Levi nach Hause gefahren, nachdem er auf die Party zurückgekehrt war. Ich blinzelte ein paarmal, aber das machte meinen Kopf auch nicht klarer.

»*Alle* reden darüber«, meldete Lisa sich zu Wort. Obwohl sie mich mitleidig, ja, mitfühlend ansah, klang aus ihrer Stimme die Aufregung über jede Art von Klatsch mit. »Dass du frühzeitig von der Party verschwunden bist. Mit Levi.« Sie warf einen vielsagenden Blick auf seinen leeren Platz.

»Aber wir wissen ja, dass du nicht wirklich, du weißt schon, mit Levi nach Hause gegangen bist«, fügte Rachel hinzu und warf Lisa einen Blick zu, der eindeutig »Halt die Klappe« bedeutete.

Erst da funktionierte ich wieder und starrte sie mit offenem Mund an.

Lee sagte, was ich dachte, bevor ich meine Sprache wiedergefunden hatte.

»Moment mal, die Leute glauben, *Elle* hätte mit *Levi* rumgemacht?«

Die Mädchen tauschten einen Blick. Dann sagte Lisa: »Ja, alle reden darüber.«

»Das ist doch lächerlich«, sagten Lee und ich im Chor. Auch wir tauschten einen Blick und Lee setzte sein bestes WTF?-Gesicht auf. Ich sagte: »Warum sollten sie das denken? Nur weil ich früher gegangen bin und er mich nach Hause gefahren hat? Als ob das andere Leute noch nie gemacht hätten.«

Die Mädchen sahen einander wieder an, diesmal besorgter. Mein Magen hatte sich sowieso schon zusammengezogen, aber es wurde noch schlimmer, und ich rutschte unbehaglich auf meinem Stuhl herum. Ich bohrte die Fingernägel in meine Handflächen.

»Was? Was verschweigt ihr mir?«

»Die Leute behaupten auch«, sagte Rachel zögernd und fuhr dabei eine Kugelschreiberlinie auf ihrer

Tischplatte mit der Fingerspitze nach, »dass … dass du und Noah euch getrennt hättet.«

Das traf mich sogar noch mehr als die Gerüchte, ich hätte mit Levi geschlafen. »Moment, was? Wo kommt das denn her?«

»Also … stimmt es?«, fragte Lisa, die sich offensichtlich nicht bremsen konnte.

Meine Augen wurden schmal.

»Nein, wir … wir sind noch zusammen.« Wenn auch ein bisschen angeschlagen … »Warum? Was genau sagen die Leute denn?«

Rachel hob plötzlich ihre riesige Mary-Poppins-Tasche auf den Tisch, wühlte zwischen Büchern und Heften nach ihrem Handy. »Es ist weniger, was die Leute sagen …« Sie tippte ein paarmal aufs Display, bevor sie es mir hinhielt. »… eher was sie sehen.«

Lee stand auf und setzte sich auf Levis leeren Stuhl, dann lehnte er sich rüber, sodass sein Kopf neben meinem war. Er holte scharf Luft, und ich war mir ziemlich sicher, vergessen zu haben, wie man atmet.

Auf Rachels Handy war gestochen scharf in HD ein Foto zu sehen, das jemand namens Amanda Johnson auf Instagram hochgeladen hatte.

Noah war darauf getaggt.

Die Bildunterschrift lautete: *Such a fab night! xxx –* @nflynn.

Das Bild hatte schon zweiundsechzig Likes und siebzehn Kommentare. Achtzehn – jemand kommentierte es, während ich draufschaute.

Das Foto zeigte Noah in einem weißen Hemd mit

blau unterfüttertem Kragen und blauen Nähten. Ich erinnerte mich, dass er es gekauft hatte, kurz bevor er aufs College ging. Es war ein Knopf mehr als sonst offen. Er grinste von einem Ohr zum anderen. Den Arm hatte er um ein Mädchen gelegt, das er an sich zog.

Das Mädchen war blond und hübsch und sein Kleid (zumindest vermutete ich, dass es ein Kleid war) hatte keine Träger, war extrem tief ausgeschnitten und lag eng an ihrem zierlichen Oberkörper.

Sie schmiegte sich an meinen Freund und sah aus, als würde sie kichern. Ihre Augen waren halb geschlossen.

Außerdem küsste sie ihn auf die Wange.

Und er grinste.

Mir wurde schlecht.

Lee nahm mir Rachels Foto aus der Hand – was gut war, denn ein, zwei Sekunden später hätte ich es fallengelassen. Ich zog die Schultern hoch, bevor es mich richtig traf. Mein Körper war eine einzige Verspannung. Ich krallte vor Wut sogar die Zehen ein.

»Das ist irgendein übler Scherz, oder?«

Rachel lehnte sich ein Stückchen von mir weg, nahm Lee langsam ihr Handy aus der Hand und ließ es wieder in den Tiefen ihrer Tasche verschwinden. »Ähm …«

»O mein Gott.« Ich rieb mir mit den Händen übers Gesicht und raufte mir die Haare, nur um meine flatternden Finger irgendwie zu beschäftigen. War es deshalb so seltsam, als wir telefonierten? Nicht wegen unserem Gespräch am Samstag, sondern weil irgendwas mit diesem Mädchen vorgefallen war? »Sagt mir, dass das nur ein Scherz ist.«

»Shelly …«

»Bitte.« Meine Stimme brach, aber irgendwie gelang es mir wundersamerweise, nicht loszuheulen.

Rachel und Lisa sahen sich wieder an, und erst da machte es bei mir Klick. Ich sprang von meinem Stuhl auf, der fast umfiel, und stürmte hinaus. Ich kümmerte mich nicht darum, dass Mr Shane mir nachrief, ich solle mich wieder hinsetzen. Lee rannte mir anscheinend nach.

Ich lief den Flur hinunter und ein paarmal um die Ecke, bis ich in ein Treppenhaus kam, wo es still war. Lee griff von hinten nach meiner Hand, sodass ich nicht weiterlaufen konnte.

Er zog mich zu sich herum und ich ließ mich von ihm in die Arme schließen.

Ein paarmal schnappte ich zittrig nach Luft, eher wütend als traurig.

Nein, ich war nicht wütend – ich war zornig. Außer mir vor Wut.

Und darüber hinaus war ich verwirrt. Wie konnte Noah mir das antun? Es musste doch irgendeine Erklärung für dieses Foto geben, aber … aber selbst wenn es vollkommen unschuldig war, warum küsste ihn dann irgendein Mädchen auf die Wange? Hätte er mir nicht davon erzählt, wenn nichts dahinterstecken würde? Und warum sah er so verdammt glücklich in der Situation aus? Es war in letzter Zeit so eine Distanz zwischen uns entstanden … Was, wenn …?

Ich holte noch mal tief Luft und trat dann einen Schritt von Lee weg.

»Ich bin mir sicher, es hat nichts zu bedeuten, Elle. Noah liebt dich. Das weißt du. Das weiß ich. Jeder weiß das, nachdem er es bei dem Summer Dance vor allen gesagt hat, um dich zurückzugewinnen. Wahrscheinlich war er betrunken, und selbst wenn ihn irgendein Mädchen auf die Wange geküsst hat, dann war das doch kein richtiger Kuss, verstehst du? Es hat nichts zu bedeuten. Cam hat dich auf Jons Party auch auf die Wange geküsst, und Lisa ist deshalb nicht ausgeflippt.«

»Schon ... aber alle schauen mich trotzdem an, als hätte es was zu bedeuten. Und wenn es so ist? Was, wenn sie recht haben, Lee?« Unbeabsichtigt war ich lauter geworden, sodass meine Stimme durch das ganze Treppenhaus hallte. Meine Brust hob und senkte sich, während ich flach und hektisch atmete. »Was, wenn es etwas zu bedeuten hat? Ich habe ihn seit Wochen nicht gesehen. Was, wenn er mich komplett vergessen und andere Mädchen kennengelernt hat – bessere, klügere, hübschere, witzigere Mädchen, die da sind, bei ihm, nicht auf der anderen Seite des Landes, in einer anderen Zeitzone? Es war so seltsam zwischen uns, als wir am Wochenende telefoniert haben. Was, wenn er jemand kennengelernt hat und nur bis Thanksgiving wartet, wo wir uns wiedersehen, um mit mir Schluss zu machen, weil er nicht so gemein sein will?«

Lee schüttelte den Kopf, aber so, wie er sich auf

die Lippe biss, fragte ich mich, ob ich mit meiner Vermutung nicht richtig lag.

»Hat er dir irgendwas gesagt?«, fragte ich, meine Stimme nur noch ein zögerndes Murmeln und absolut erbärmlich. »Lee? Bitte, sag's mir.«

»Er meinte nur, dass es ihn schwerfällt, so weit von dir weg zu sein.« Lee sah mich seufzend unter seinen dichten Wimpern hervor an. »Aber ich glaube nicht, dass er meinte, er hätte jemand anders kennengelernt und würde nicht mehr mit dir zusammen sein wollen.«

»Und was, wenn doch?«

»Dann … schätze ich, musst du ihn nachher anrufen, darüber reden und es herausfinden. Aber, Shelly, hör zu – Noah kann manchmal ein Arschloch sein, aber er würde dich nicht betrügen. So ist er nicht.«

Ich wusste, er hatte recht, aber mir wurde schon bei dem Gedanken an dieses Telefonat schlecht. Denn falls ich ihm Unrecht hat, um wie viel schlimmer würde dann alles, weil ich ihm so etwas zugetraut hatte. Klar, vielleicht war es eine absolut unschuldige Sache und alles würde sich aufklären, aber …

Aber es handelte sich hier um denselben Typen, der mir so etwas Einfaches wie die Tatsache, dass er sich am College schwertat, nicht sagen konnte.

Und was, wenn nicht alles gut war?

Für den Rest des Tages musste ich mir anhören, wie Leute über mich tratschten.

Die vorherrschende Meinung war, dass Noah und

ich uns getrennt hatten und ich mich daraufhin bei der Party mit Levi eingelassen hatte (ich hörte öfter Ausdrücke wie »Rache-Sex« und »Vergeltung«), während Noah in näheren Kontakt mit diesem hübschen College-Girl namens Amanda getreten war. Der (sogenannte) Beweis dafür war ja auf Instagram zu sehen.

Levi war verspätet in der Schule aufgetaucht – vorher war er bei einem Arzttermin gewesen – und wir berichteten ihm in der Mittagpause von den Gerüchten. Er lachte nur.

»Die Leute sollten sich verdammt noch mal lieber um ihre eigenen Angelegenheiten kümmern«, hatte Rachel gemurmelt und wütend in ihren Apfel gebissen. So wütend hatte ich sie noch nie gehört.

»Das ist eben die Highschool«, erwiderte Dixon nüchtern, »was kann man da anderes erwarten?«

Als ich endlich wieder zu Hause war, stürmte ich direkt in mein Zimmer und knallte die Tür hinter mir zu, damit Dad und meinem Bruder gleich klar war, dass sie nicht versuchen sollten, mit mir zu reden. Als Nächstes rief ich meinen Freund an.

Falls ich ihn überhaupt noch als solchen bezeichnen konnte.

Meine Hände zitterten so heftig, dass ich spürte, wie das Handy an meiner Wange vibrierte. Ich ging nicht mehr auf und ab, sondern setzte mich mit dem Rücken ans Bett gelehnt auf den Boden. Den freien Arm legte ich um meine angezogenen Knie.

Dann hoffte ich, er würde nicht rangehen.

Ich schloss die Augen und wünschte mir, er würde es doch tun.

Jede Sekunde musste die Mailbox anspringen.

Geh ran. Geh nicht ran. Geh ran. Geh nicht ran. Geh –

Die Mailbox meldete sich. Ich legte auf.

Und bevor ich entscheiden konnte, ob ich mein Handy einfach aufs Bett werfen oder es gleich noch mal probieren sollte, rief er auch schon zurück.

Ich zuckte zusammen, als mein Telefon zu brummen begann, und hatte Mühe, den Anruf anzunehmen.

»Hi«, krächzte ich mit seltsam rauer Stimme. Ich hüstelte und räusperte mich, aber das machte meinen Kopf nicht frei und ordnete mein Gedankenchaos nicht.

»Du hast angerufen?«

»Ja.«

Pause.

»Äh, gab's irgendwas Bestimmtes, über das du reden wolltest, Shelly? Oder rufst du nur an, weil du meine liebliche Stimme vermisst?«

Ich hätte gerne gelacht.

Aber ich brachte nicht mal ein Lächeln zustande.

»Elle? Was ist denn? Ist alles okay?«

»Ich hab es gesehen.«

»Was?«

»Ich hab das Foto gesehen.«

Wieder eine Pause. »Ich kann dir nicht ganz folgen. Wovon redest du da?«

»Von dem Foto auf Instagram!«, schrie ich und ließ

meinen Frust raus. »Das Foto von dir und diesem *Mädchen* –« Ich spuckte das Wort geradezu aus, als wäre es eine Beleidigung. »– von dieser Party, auf der du am Samstag warst. Wo ihr euch umarmt und sie dich auf die Wange küsst, und –«

»Ach, das.«

Mir sträubten sich die Nackenhaare. Wie konnte er es wagen, das so abzutun?

»Hast du gedacht, ich würde das nicht sehen? Ich würde es nicht erfahren?«

Ich hörte förmlich, wie er zusammenzuckte. Vielleicht war meine Stimme ein bisschen schrill, aber daran konnte ich jetzt auch nichts ändern. »Elle, bitte, hör auf, mich so anzugehen. Hol mal tief Luft und dann lass uns reden.«

»Reden? Du willst reden? Du hättest gestern den ganzen Tag Zeit gehabt, mit mir darüber zu reden, aber das hast du nicht getan. Hast du eine Ahnung, wie demütigend es für mich war, heute in die Schule zu kommen, wo alle anderen das Foto längst gesehen hatten und Bescheid wussten und hinter meinem Rücken getuschelt haben? Hast du eine Vorstellung davon, wie sich das angefühlt hat?«

»Elle, das tut mir leid. Ich dachte nicht, dass das eine große Sache wäre. Es ist doch nur ein Foto von einer Party.«

»Ach, wenn ich jetzt also auf dein Facebook-Profil gehe, finde ich dann vielleicht ein ganzes Album von irgendwelchen Mädchen, die du auf Partys knuddelst und die dich dabei küssen?«

Ich wusste, dass ich die Sache dramatisierte, kaum dass ich das ausgesprochen hatte, aber ich konnte einfach nicht anders. Ich war wie in einer Lawine. Die ganze Zeit musste ich denken, was er mir noch alles verheimlicht, wenn er mir nicht mal so was Normales erzählen kann wie, ob es am College wirklich gut läuft? Empfand er unsere Beziehung auch als belastend? War ihm die Entfernung zu viel – hatte er deshalb vorgeschlagen, dass ich mich bei Colleges in Boston bewerben sollte? Bedauerte er den Versuch einer Fernbeziehung schon und wartete nur auf den richtigen Moment, um mir das zu sagen.

Ja, auch das war eindeutig dramatisiert, aber …

Aber ich hatte solche Angst, ihn zu verlieren.

»Amanda ist nicht irgendein Mädchen.«

Das war das Letzte, was ich von ihm hören wollte. Ich holte scharf Luft und biss die Zähne zusammen. »Was willst du mir denn damit sagen – bedeutet sie dir etwas? Oder wie soll ich das verstehen?«

»Das habe ich nicht gemeint, und das weißt du. Ich habe gemeint, sie ist eine Freundin. Sie ist meine Lern-Partnerin. Wir hängen zusammen ab, lernen zusammen. Das ist alles, was ich damit gemeint habe. Echt jetzt, Elle, beruhig dich mal wieder.«

»Wenn sie so eine gute Freundin ist, warum höre ich dann jetzt zum ersten Mal von ihr?«

Noah seufzte gereizt. »Okay. Also, Elle, es gibt da ein Mädchen, mit dem ich viel Zeit verbringe. Wir haben gemeinsame Kurse und sie ist meine Lern-Partnerin und wir lernen viel zusammen. Wir haben zudem gemeinsame Freunde und hängen zusammen ab und gehen auf Partys. Denkst du, ich weiß nicht, wie das klingt?«

Ich biss mir kräftig auf die Zunge, bevor ich ihn anfiftete: »Willst du mir damit etwa klarmachen, dass ich eine durchgeknallte, eifersüchtige Person bin, die dich nicht mit anderen Mädchen Zeit verbringen lässt?«

Er schwieg kurz und sagte dann mit kalter, fester Stimme: »Du hast mich gerade angerufen und wegen eines Fotos angeschrien, Elle.«

Ich hätte ihn so gerne noch mal angeschnauzt, aber ich konnte mich bremsen und kochte nur innerlich. Ich hatte einen bitteren Geschmack im Mund und merkte, dass mein Gesicht glühte. Mein Herz hämmerte und kalter Schweiß brach mir aus.

Da hatte er zwar recht, aber mir kam es trotzdem so vor, als hätte er mich belogen.

Für einen Moment konnte ich mir vorstellen, wie Lee sich gefühlt haben musste, als er herausfand, dass ich hinter seinem Rücken mit Noah zusammen war. Diese Erkenntnis war wie ein Stacheldraht rund um meinen Körper.

Als Noah merkte, dass er die Gelegenheit hatte, etwas zu sagen, hörte ich ihn tief seufzen. »Hör mal, Elle. Ich weiß, wie mies das aussieht, und vielleicht hätte ich Amanda früher erwähnen sollen, aber ich schwör dir, dass nichts vorgefallen ist. Es war absolut unschuldig. Sie ist eine, die alle umarmt. Und sie küsst Leute auf die Wange. So ist sie einfach. Und das war *alles.* Nichts Romantisches, weil sie sich in der Hinsicht noch nicht mal für mich interessiert. Und ich mich genauso wenig für sie, okay?«

»Okay«, sagte ich leise. *Aber …*

»Ich möchte«, redete er schon weiter, »dass du mir vertrauen kannst.«

Ich antwortete nicht. Stattdessen presste ich die Lippen zusammen aus Angst davor, was ich sonst sagen könnte. Denn so gern ich gesagt hätte, ja, natürlich vertraue ich dir, ließ mich diese ganze Sache das aber doch in Frage stellen.

»Es tut mir leid, dass du deshalb in der Schule gedemütigt wurdest. Aber was wirklich passiert ist, das war keine große Sache. Verstehst du? Ich kann nachvollziehen, dass du jetzt sauer bist, aber das war nichts. Und du weißt doch, dass ich dich liebe und zwischen uns alles gut ist, oder? Das ist nur Klatsch und Tratsch. Du weißt selbst, wie viel immer über mich geredet wurde. Glaub mir – das bedeutet nie irgendwas.«

»Es fühlt sich aber an, als würde es was bedeuten«, murmelte ich. »Es ist auch nicht nett zu hören, dass Leute mich zwischen den Kursen auf dem Flur eine Schlampe nennen. Oder mir vorzustellen, dass du Geheimnisse hast.«

»Warum haben die das gemacht?«, fragte er scharf, weil wohl sein Beschützerinstinkt geweckt war.

»Weil ich die Party am Freitag früh mit Levi verlassen habe. Und dazu das Foto von dir und … Amanda …« Gott, wie ich es hasste, ihren Namen zu sagen. Ich hasste sie. Ich kannte sie nicht mal und hasste sie schon. So viel zum Thema irrationales Verhalten. »Da haben alle vorschnelle Schlüsse gezogen. Die dachten, wir hätten uns getrennt und wären jetzt beide auf Rache aus. Oder was auch immer.«

»Oh.«

»Du kannst ja sagen, dass der ganze Klatsch und Tratsch keine Rolle spielt, und vielleicht tut er das auf lange Sicht auch nicht, aber jetzt gerade tut er verdammt weh. Ganz zu schweigen von der Peinlichkeit.«

»Dieser Levi …«

»Ja?«

»Du und 7 For All Mankind scheint euch schon ganz schön nahezustehen.«

Sein Ton war neutral, klang aber irgendwie so, als müsse er sich dazu zwingen. Ich hätte nicht sagen können, ob er eifersüchtig war.

Und er hatte, verdammt noch mal, kein Recht dazu. Meine Wut flammte erneut auf.

»Tun wir. Und er heißt Levi. Sei jetzt nicht gemein.«

Es gab eine lange Pause. Seltsamerweise war ich froh, falls er tatsächlich eifersüchtig war – als eine Art Revanche für Amanda.

Gleichzeitig hasste ich mich dafür, so zu denken.

Diese ganze Fernbeziehungs-Kiste war so was von nervig.

»Shelly?« Noahs Stimme klang erstaunlich leise und sanft. Nicht gereizt oder eifersüchtig, wie ich erwartet hatte. »Es ist doch alles wieder okay mit uns, oder?«

»Na klar«, sagte ich, obwohl ich mir da ehrlich gesagt nicht mehr so sicher war.

Ich wollte, dass alles wieder gut war. Ich wollte, dass alles wieder normal war. Ich wollte nicht streiten – oder kleinlich sein. Deshalb holte ich jetzt tief Luft.

»Es – es tut mir leid, dass ich so wütend war.«

»Ist okay. Du hattest jedes Recht dazu.«

Ein Teil von mir wunderte sich, wo dieser ruhige, coole, gefasste Noah plötzlich herkam. Normalerweise hätte er genauso geschrien wie ich. Wir konnten uns nämlich beide ganz schön in Rage reden, wenn wir zankten. Aber er war bisher kaum je die Stimme der Vernunft gewesen.

Hatte das College ihn wirklich so verändert?

»Ich muss Schluss machen«, sagte er seufzend. »Es tut mir echt leid, aber ich habe ein paar Jungs vom Football versprochen, mit ihnen zu Abend zu essen und … Aber ich probiere es später noch mal bei dir, ja?«

Wir zögerten beide und lauschten dem Atem des jeweils anderen. Dann nahm ich das Handy von meinem Ohr und legte auf.

Meine Augen klappten zu und ich lehnte den Kopf nach hinten ans Bett. Ich atmete tief durch. Wenn mit mir und Noah alles so großartig war, warum hatte ich dann das Gefühl, es würde mir gerade das Herz brechen?

11

Die Gerüchte über mich und Noah sowie mich und Levi verstummten nach ein paar Tagen, als die Leute zu dem Schluss kamen, dass sie anscheinend nicht stimmten. Außerdem hatten alle genug mit SATs, Midterm-Prüfungen und Hausaufgaben zu tun. Es gab keine neuen Gerüchte, um die alten über mich zu ersetzen.

Noahs Geburtstag am 3. Oktober kam und ging vorüber. (Ich schickte ihm über iTunes eine Filmkollektion und eine Karte.) Keiner von uns sprach noch mal über das Foto. Er schien sich Mühe zu geben, viel mehr zu erzählen, Pläne für seinen Besuch über Thanksgiving zu schmieden ... Das freute mich, aber irgendwas fühlte sich immer noch ... schlecht an.

Die Gerüchteküche mochte Noah und Amanda schon vergessen haben, ich ganz sicher nicht. Und ich hatte sicher nicht wie besessen Amandas Twitter und Instagram gecheckt, um noch mehr süße Fotos von ihr und meinem Freund zu finden. Absolut nicht.

Ich habe nicht Stunden damit zugebracht, ihr nachzuschnüffeln. Sie hatte auf Twitter denselben Namen wie auf Instagram.

Lee meinte zu mir, es sei abartig, dass ich ihr auf Social Media folgte.

Rachel sagte, sie an meiner Stelle würde das Gleiche tun.

Levi äußerte sich nur zu den Tonnen von Bildern, die sie jeden Tag postete, und sagte, sie könne unmöglich so viel Kaffee mit ihren Freundinnen trinken.

Ich machte Instagram gerade wieder auf, als Ethan Jenkins, unser Schülersprecher, auf den Tisch klopfte wie ein Richter, der um Ruhe im Saal bittet. Ich sah Lee an, der die Augen verdrehte und eine Grimasse schnitt. Eigentlich war für diese Woche gar kein Treffen der Schülervertretung angesetzt, aber Ethan hatte so getan, als gäbe es einen Notfall.

»Alle mal herhören! Danke, dass ihr gekommen seid. Ich weiß, wir haben im Moment alle mit SATs und anderem Zeug genug zu tun, aber es ist an der Zeit, die Fortschritte bei den Vorbereitungen für den Sadie Hawkins Dance zu checken. Wo stehen wir beim Catering?«

»O Mann, muss er jetzt ausgerechnet vom Essen reden? Wo wir alle gerade unsere Mittagspause opfern«, murmelte Lee, wobei sein Magen zustimmend knurrte. Ich unterdrückte ein Kichern und hielt mir die Hand vor den Mund.

Obwohl der Ball, wie es aussah, ziemlich eindrucksvoll werden würde, konnte ich die Begeisterung der anderen nicht so richtig teilen. Ich hatte mich noch für kein Kleid entschieden und auch noch keinen der Jungs gefragt, ob er mit mir hingehen wollte. Insbesondere nicht Noah. In letzter Zeit fühlte sich die Situation zwischen uns so angespannt an. Deshalb dachte ich, wenn ich ihn bitten würde, nach Hause zu kommen, um mit mir hinzugehen, dann würde das nur zu einem weiteren Streit führen und alles schlimmer machen, als es ohnehin schon war. Ständig suchte ich nach Ausreden, um ihn nicht zu fragen. Während die Leute Updates in dem Bereich lieferten, für den sie zuständig waren, hörte man ständig ein aufgeregtes Flüstern.

»Und haben wir immer noch kein Motto?«, unterbrach Faith das Update zum Thema Dekoration.

»Es ist nur eine Tanzveranstaltung.« Ethan seufzte. »Dafür braucht man kein Motto.«

»Tyrone wusste, wie wichtig ein Motto ist«, murmelte Faith.

»Tyrone hat auch das ganze Budget verpulvert, sodass wir jetzt extra Fundraisings veranstalten mussten«, konterte Ethan. »Entschuldigung, wenn ich im Blick behalte, dass der Summer Dance eine Riesenveranstaltung werden soll.«

»Wir brauchen trotzdem ein Motto«, sagte Kaitlin halblaut und schmollend.

»Meine Güte! Na schön, ihr wollt ein Motto? Hier ist eins: *High School Dance.* Können wir dann vielleicht mit der Dekoration weitermachen? Wir stehen nämlich ein bisschen unter Zeitdruck, falls irgendwer heute noch was zu Mittag essen will.«

»Deko, bitte«, rief Lee.

Als die Musik zur Sprache kam, sah Lee mich verzweifelt an. Dafür waren wir verantwortlich, aber Lee hatte sich bisher noch um gar nichts gekümmert. Er war mit Football, seinen Noten und Rachel so ausgelastet, dass ich gesagt hatte, ich würde das übernehmen. Ich gehörte jetzt zwar zur Leichtathletikmannschaft, aber das kostete mich nicht solche Unmengen von Zeit. Ich würde nicht an Wettkämpfen teilnehmen – hauptsächlich war ich dabei, um es in meiner College-Bewerbung erwähnen zu können. Und auch weil ich aufgegeben hatte, weiter nach einem Job zu suchen.

Da Lee, um im Footballteam zu bleiben und um es auf die Brown zu schaffen, auf seine Noten achten musste, brauchte er einen Großteil seiner Freizeit zum Lernen. Ich wusste, dass ich ihm das nicht vorwerfen konnte. (Obwohl ich das irgendwie doch tat.)

»Wir haben uns überlegt«, fing ich an, »dass wir an der Schule herumfragen wollen, ob jemand eine Band hat, die vielleicht auf dem Ball spielen will. Gratis, versteht ihr? Erinnert ihr euch, dass beim Frühlingsfest letztes Jahr ein paar Bands aufgetreten sind? Und damit meine ich nicht die Blaskapelle oder den Typ, der gar nicht mehr aufhören konnte, *We Are Family* auf seiner Tuba zu spielen.«

»Das ist eine tolle Idee«, sagte Ethan. »Wie wollt ihr das angehen?«

»In der Schule Plakate aufhängen und die Leute auffordern, uns eine Video-Bewerbung zu schicken.

Dann können wir euch zeigen, wen wir ausgesucht haben, und wir müssen auch nicht nach der Schule irgendwohin und uns Stunden lang irgendwas anhören.«

»Perfekt. So macht ihr das. Jetzt zu den Aufpassern ... Mir hat man gesagt, wir brauchen welche, weil das Ganze in der Schulturnhalle stattfindet. Wie weit sind wir damit?« Während Ethan sprach, drehte er den handgeschriebenen Zettel vor sich um. Da erstreckte sich eine weitere Liste über die ganze Seite.

»Bevor die Pause zu Ende ist, kommen wir hier nicht weg, oder?«, murmelte Lee.

Ich steckte die Hand in meinen Rucksack und gab ihm unter dem Tisch eine Packung Beef Jerky.

»Du bist mein Held.«

»Nenn mich einfach Wonder Woman.«

Am Freitagnachmittag nach der Schule war Dad mit Brad zu einem Fußballturnier gefahren und würde erst am Abend zurück sein. Lee ging mit Rachel Essen und ins Kino – vorher hatte er mich gefragt, ob mir das nichts ausmachen würde. Die anderen Jungs planten einen »Männerabend« (mit Videospielen, zu viel Pizza und ein paar Dosen Bier, nachdem sie den Dad von irgendwem überredet hatten, es für sie zu kaufen). Ich genoss es, mal Zeit für mich zu haben.

Die Jungs hatten mich sogar eingeladen, auch zu kommen, aber das hatte ich dankend abgelehnt.

Meine »Zeit für mich« beinhaltete eine dicke Grüntee-Teebaumöl-Gesichtsmaske, Zehennägel lackieren und Beine wachsen, während ich auf der Couch lag und mir eine alte Staffel von *RuPaul's Drag Race* ansah, die irgendein Sender brachte.

Außerdem hatte ich meinen Laptop vor mir, wo auf YouTube ein Video von ein paar Typen aus der Schule lief, die einen Song von Mumford & Sons coverten. Eigentlich gar nicht schlecht. Eine der besten Bands, die ich bis jetzt gesehen hatte. Ich schickte den Link an Ethan, zusammen mit der Nachricht: »Auf einer Skala von eins bis zehn?«

Nachdem ich auch das erledigt hatte, klappte ich den Laptop zu. Ich war entschlossen, den Stress von Schule, College und sogar meine Zweifel hinsichtlich der Beziehung mit Noah auszublenden und mich zum ersten Mal seit Wochen so richtig zu entspannen.

Bis es an der Haustür klingelte.

Ich erstarrte. So konnte ich auf keinen Fall die Tür aufmachen! Meine Haare hatte ich straff nach hinten gebunden und mein ganzes Gesicht war von grünem Schleim bedeckt. Auf den Beinen hatte ich die Wachsstreifen (die in drei Minuten runter mussten). Zwischen meinen Zehen steckten Trenner, damit der Nagellack nicht verschmierte.

Außerdem trug ich meine Pu-der-Bär-Pyjamahose bis zu den Knien hochgekrempelt und ein T-Shirt von Noah, in dem ich sonst schlief.

Mist.

Ich überlegte mir, dass ich trotzdem nachsehen sollte, wer da klingelte. Vielleicht war es wichtig. Oder es war Lee. Der hatte mich schon zu oft so gesehen, um es noch witzig zu finden. Manchmal machte er aus Spaß sogar bei Gesichtsmasken und Pediküre mit. Und wenn es Levi war, dann würde er vielleicht ein Foto von mir machen und es an alle Jungs schicken.

Ich watschelte ans Fenster, zog den Vorhang ein Stück zurück und spähte hinaus. Niemand zu sehen. Aber eigentlich konnte es nur Lee sein. Vielleicht fiel sein Kinoabend aus? Vielleicht war Rachel krank geworden?

Die Vorstellung, dass irgendwas sein Abendprogramm mit Rachel ruiniert hatte und ich daher den Abend mit ihm verbringen konnte, machte mich eigentlich viel zu glücklich.

Jedenfalls watschelte ich weiter zur Haustür, vorsichtig darauf bedacht, den sorgsam aufgetragenen Nagellack nicht zu verwischen. Dann riss ich die Tür auf und sagte: »Hey, Alter, was ist denn mit –«

Sofort schlug ich sie wieder zu.

Aber eine Hand fing sie ab und Gelächter schallte durch den Spalt. Ich wich ein paar Schritte zurück, als die Tür wieder aufgedrückt wurde und Noah lachend hereinspazierte. Er trug die Lederjacke und seine schwarzen Stiefel, die ich so gut kannte, dazu ein eng anliegendes weißes T-Shirt.

»Was machst du denn hier?«, rief ich. Hätte ich nicht die Maske drauf gehabt, dann hätte ich mir die Augen gerieben. Denn das musste ich mir einbilden. Wahrscheinlich halluzinierte ich von den Nagellackdämpfen.

Noah konnte doch gar nicht hier sein. Bei mir zu

Hause. Er war schließlich am College am anderen Ende des Landes.

Trotzdem stand er vor mir und brach vor Lachen fast zusammen.

»Ich freue mich auch, dich zu sehen«, sagte er, als er sich wieder eingekriegt hatte.

»Was machst du hier?«, wiederholte ich, zu geschockt, um irgendwas anderes zu sagen.

Er grinste, und das Grübchen in seiner linken Wange wurde sichtbar. »Das ist deine Begrüßung, nachdem du mich wochenlang nicht gesehen hast? Ich meine, also bitte, Elle. Wo sind die *Fifty-Shades*-Dessous? Die Rosenblütenblätter auf dem Boden? Das Candlelight-Dinner?«

»Ich –«

Und dann schlang er die Arme um mich und seine Lippen lagen auf meinen. Ich schmolz. Die Anspannung, die Angst wegen *uns*, all das war weg. Instinktiv legte ich die Arme um seine Schultern, meine Finger spielten mit seinen Haaren, die für mich noch ungewohnt kurz waren. Er schmeckte nach Kaffee. Sein Körper an meinem fühlte sich genauso an, wie ich ihn in Erinnerung hatte. Und er küsste noch genauso.

Mein Gott, er küsste so gut.

»So«, sagte er atemlos, löste seine Lippen von meinen, wich aber sonst keine Spur zurück, »hättest du mich begrüßen sollen.«

Ich lehnte mich ein bisschen zurück, ließ die Hände aber auf seinen Schultern liegen. »Jetzt hast du das Zeug überall im Gesicht«, sagte ich und strich mit einer Fingerspitze über seine Wange, ein Stück unter der Stelle, wo meine Gesichtsmaske an ihm klebte. Er hatte etwas davon in seinen Bartstoppeln. Anscheinend hatte er sich ein paar Tage nicht rasiert. Das sah so süß aus – in echt noch viel mehr als über die Handykamera.

Er lächelte mich nur an. »Gott, wie hab ich dich vermisst.«

Statt einer Antwort zog ich ihn enger an mich und küsste ihn noch mal.

Nachdem ich ein bisschen vorzeigbarer war – immer noch im Pyjama, aber ohne die diversen Hautpflege- und Beautyprodukte auf mir –, legten wir uns zusammen auf die Couch im Wohnzimmer. Ich mit dem Rücken zum Fernseher und so, dass meine Nasenspitze seine berührte, während er mich in den Armen hielt. Genau so wollte ich das. Sein neuer Bart gefiel mir, auch wenn er mich an Wange und Hals ein bisschen kratzte. Seine Augen leuchteten geradezu unglaublich, das Blau war noch strahlender, als ich es in Erinnerung gehabt hatte. Er ließ damit meinen Blick keine Sekunde lang los, während im Hintergrund *Brooklyn Nine-Nine* lief.

Ich konnte immer noch nicht glauben, dass er hier war! Tatsächlich hier. Mir war ganz schwindelig, aber die ganze Nervosität, die ich in letzter Zeit wegen unserer Beziehung verspürt hatte, war komplett verschwunden.

Noah hatte sich vorhin schon durch die geschlossene Badtür mit mir unterhalten – seine Kurse am Montag fielen aus, also habe er beschlossen, übers Wochenende nach Hause zu kommen und mich zu überraschen. (Was ihm ja verdammt gut gelungen sei, prahlte er.)

Er meinte nach unserem (zugegeben etwas einseitigen) Streit wegen dem Vorfall rund um das Foto hätte er entschieden, zu Besuch zu kommen. Weil er mich vermisste und weil die Stimmung zwischen uns vermutlich ein wenig angespannt war, nachdem wir uns schon so lange nicht gesehen hatten.

»Du hättest dir ruhig einen etwas passenderen Moment aussuchen können, um hier aufzukreuzen. Fünf Minuten später wären zum Beispiel toll gewesen«, hatte ich durch die Tür gerufen, während ich mir die Wachsstreifen abriss. »Ich bin echt fast gestorben.«

»Weil ich dich gesehen habe, als du ein bisschen Ähnlichkeit mit Prinzessin Fiona aus *Shrek* hattest?«

»Nein, weil ich versuche, die Illusion aufrecht zu erhalten, dass ich absolut mühelos zu makelloser Schönheit komme«, scherzte ich und machte die Tür wieder auf. »Jetzt kennst du mein Geheimnis.«

Er beugte sich herab, um mich wieder zu küssen. »Du siehst immer wunderschön aus, Elle. Sogar mir haarigen Waden und Pickeln.«

Ich strich mit den Fingerspitzen über seine Wange – er hatte sich die Spuren meiner Gesichtsmaske abgewaschen –, weiter über seine Nase, den Zwei-Tage-Bart und seine Augenbrauen entlang.

»Was machst du da?«

»Ich bewundere nur meinen hinreißenden Boy-friend.« Dann küsste ich ihn. Ich hatte fast vergessen, wie gut sich das anfühlte. War das wirklich schon immer so gut gewesen? »Ich hab dich so vermisst. Einfach unbeschreiblich.«

»Ich hab dich mehr vermisst«, behauptete er und grinste dabei. Ich schüttelte den Kopf und küsste ihn gleich noch mal. Langsam und sanft, weil ich mir einprägen wollte, wie seine Zunge sich mit meiner bewegte. Wer wusste denn, wie lange ich würde warten müssen, bis ich wieder Gelegenheit dazu bekäme? Deshalb würde ich jede einzelne Minute mit ihm aus-kosten.

Wir hörten erst auf uns zu küssen, als draußen ein Auto hielt: Brad und mein Dad waren zurück. Wir setzten uns auf, ich strich mein T-Shirt glatt und Noah stahl sich noch einen flüchtigen Kuss, bevor die Haus-tür aufging.

»Wir sind wieder da!«, rief mein Dad.

»Bin hier.«

Brad rannte schon die Treppe hoch und schrie dabei: »Hey, Elle! Hey, Levi!« Wahrscheinlich hatte er den Auftrag, seine dreckigen Fußballklamotten gleich auszuziehen (er saute sich immer ein, und ich war mir sicher, er machte das mit Absicht). Mein Dad kam ins Wohnzimmer. Vorher sah Noah mich allerdings noch mit hochgezogener Augenbraue an, weil Brad einen Gruß an Levi gebrüllt hatte. Ich zuckte mir mit den Achseln. Levi war in den letzten

Wochen oft hier gewesen … öfter als Lee, um genau zu sein.

Dad musste zweimal hinsehen. Dabei fiel ihm die Kinnlade runter und er kniff die Augen zusammen. Noah hatte den Arm um mich gelegt und hob ihn jetzt, um zu winken. »Hallo, Mr Evans.«

Da räusperte Dad sich und fing sich wieder. »Schön, dich zu sehen, Noah. Bist du übers Wochenende zu Hause?«

»Yep, hab am Montag keine Kurse, und da dachte ich mir, ich komme Elle für ein paar Tage besuchen.« Er unterstrich das mit einem Lächeln für mich. Dabei hatte sein sentimentaler Gesichtsausdruck eine geradezu unheimliche Ähnlichkeit mit Lees, wenn er Rachel ansah, dass ich ganz rot wurde.

Dad nickte. »Und wie ist es am College? Deine Mom meinte, du hättest dich schon ganz gut ein-gelebt.«

Noah antwortete schnell und begeistert, was ganz untypisch für ihn war. »Ja, es ist toll. Ich habe schon ein paar richtig gute Freunde gefunden, und das Footballteam ist klasse. Meine Kurse sind auch sehr interessant. Der einzige Nachteil ist, dass ich meine Wäsche selber machen muss«, fügte er hinzu und sie lachten beide.

Wir blieben noch eine Weile so sitzen. Als mein Dad rausgegangen war, um sich einen koffeinfreien Kaffee zu machen, und Brad schon im Bett lag, strich Noah mit den Lippen über meinen Hals und schob eine Hand unter mein T-Shirt. Die fühlte sich so warm, vertraut und schwer an, dass ich sofort Herz-klopfen bekam. Da sagte er leise: »Möchtest du heute bei mir übernachten?«

»Hätten deine Eltern nichts dagegen?«

»Hatten Sie das je? Du hast doch eine Zahnbürste und ein Deo bei uns im Bad. Und in Lees Zimmer eine eigene Schublade mit Klamotten.«

»Ja, aber … ich weiß nicht, ich habe das Gefühl, erst fragen zu sollen. Das wäre doch was anderes.«

Er küsste meine Wange und strich mit den Lippen zu meinem Ohr. »Hey, wenn du lieber hierbleibst, ganz allein …« Er küsste mich, knapp unter dem Ohr, auf den Hals.

»Gib mir zwei Minuten.«

Ich eilte nach oben, um irgendwas anzuziehen, in dem ich das Haus verlassen konnte. Außerdem warf ich die nötigsten Sachen in eine große Handtasche – vor allem saubere (und hübsche) Unterwäsche und mein Handy-Ladekabel. Dann zog ich mir Schuhe an und lief wieder die Treppe runter.

»Ich übernachte bei Lee«, sagte ich zu Dad. Als ich ihm ansah, dass er bestimmt gleich irgendwelche peinlichen Kommentare übers »Aufpassen« von sich geben würde, fügte ich rasch noch hinzu: »Im Gäste-zimmer.«

Dabei hatte ich null Absicht, im Gästezimmer zu schlafen. Wie im Übrigen auch die Packung Kondome in meiner Tasche belegte.

Er nickte, als wolle er gar nicht mehr darüber hören. Aber der leicht missbilligende Blick, den er mir über den Rand seiner Brille hinweg zuwarf, war nicht zu übersehen. »Wann kommst du denn wieder nach Hause?«

Ich zuckte mit den Achseln. »Sonntag, schätze ich. Vielleicht nach dem Abendessen?«

Dad nickte. »In Ordnung. Schreib mir morgen mal und sag Bescheid. Hast du einen Schlüssel eingepackt?«

»Ja.«

»Und deine Pille genommen?«

Meine Wangen wurden knallrot. Ich hätte wissen können, dass er mich so leicht nicht davonkommen ließ. Seit über einem Jahr nahm ich schon die Pille – nicht so sehr als Empfängnisverhütung, sondern eher um meine unregelmäßige Periode zu normalisieren. Jetzt kam es mir so vor, als würde mein Dad mit der Situation umgehen wie mit Alkohol auf Partys: Er wusste, es würde passieren und dass er mich nicht davon abhalten konnte, also wollte er, dass ich eine gewisse Vorsicht walten ließ.

Trotzdem zischte ich jetzt: »Ja, Dad. *Meine Güte.* Ich bin eine verantwortungsbewusste Erwachsene!«

»Gestern hast du noch Soundtracks von Disneyfilmen gehört. Und dazu gesungen.«

»Wie gesagt, eine verantwortungsbewusste Erwachsene! Und ich gehe jetzt.«

Im Haus der Flynns herrschte Stille, bis auf das leise Brummen der Waschmaschine. Noah sagte, seine Eltern wären auf einer Party zum zwanzigsten Hochzeitstag von Freunden und würden erst am nächsten Tag wiederkommen. Lee war anscheinend noch mit Rachel aus.

Das war uns beiden nur recht.

Kurze Zeit später lagen wir in seinem Bett, aneinandergekuschelt unter der Überdecke, obwohl es eine warme Nacht war. Unsere Beine waren ineinander verschlungen und mein Kopf lag auf Noahs Brust. Langsam breitete ich meine Finger darauf aus.

»Du riechst anders«, sagte ich zu ihm. Er duftete immer noch nach dem Zitrus-Duschgel und dem Shampoo, das er benutzte, und nach seinem Aftershave, aber da war noch etwas, das ich nicht zuordnen konnte.

Als ich ihm das sagte, antwortete er: »Tja, ich habe seit ein paar Monaten keine Zigarette mehr geraucht, vielleicht liegt's daran.«

Ich stützte mich auf einen Ellbogen, um ihm ins Gesicht zu blicken. »Die Angewohnheit habe ich sowieso nie verstanden. Es war ja noch nicht mal eine Gewohnheit. Du hast das doch nur gemacht, um vor anderen cool zu wirken, oder?«

Er verzog den Mund und schaute kurz weg. »So ungefähr.«

»Warum ist dir das überhaupt so wichtig, dass du als Bad Boy giltst?«

Nachdem ich das gesagt hatte, fragte ich mich, warum ich ihn nicht schon früher darauf angesprochen hatte. Noah seufzte und strich mit den Fingern durch mein Haar. Weil er da schnell hängenblieb, streichelte er mir lieber nur oben über den Kopf. Das war eine irgendwie abwesende, aber sehr beruhigende Geste, die ich total vermisst hatte.

»Wie, hältst du mich etwa nicht für einen Bad Boy?« Er versuchte, das Gespräch ins Lustige zu ziehen, und sah mich gespielt verärgert an. »Jetzt bin ich aber gekränkt. Vielleicht sollte ich mal mit der Faust gegen die Wand schlagen und mir eine Kippe anzünden, um es dir zu beweisen. Mit meinem Motorrad davonbrausen und eine Schlägerei mit jemand anfangen. Losgehen und … keine Ahnung, alle Blumentöpfe draußen umtreten. Meine Mom wäre außer sich. Wie ein richtig harter Typ.«

Ich verdrehte die Augen. »Sehr witzig. Aber mal im Ernst. Wenn du mit mir zusammen bist, dann bist du der größte Softie, und zu Hause bist du auch ein Geek. Aber vor allen anderen baust du diese Fassade auf, als könnte dich nichts rühren. Manchmal tust du sogar so, als wolltest du einen Streit provozieren. Und glaub bloß nicht, ich hätte noch nicht durchschaut, dass das nur Show ist.«

Noah hielt meinen Blick kurz fest. Fast als versuche er zu erkennen, ob ich nur bluffte. Seine Finger malten Kreise auf meinen Rücken und ich drückte einen Kuss auf seine Schulter.

»Du warst noch zu klein, um dich zu erinnern. Du und Lee. Aber ich wurde an der Grundschule oft gemobbt. Ich war nicht so groß wie die anderen Kinder, eher der schmächtige kleine Junge.«

»Ich hab Fotos gesehen und erinnere mich dunkel.«

»Ich war aber auch schlau. Und du weißt ja, was irgendwelche Arschlöcher mit Geeks und Nerds machen – die größeren, nicht so schlauen Kids ärgern sie, weil sie sich selbst dann besser vorkommen. Passiert überall auf der Welt, oder? Situation wie aus dem Lehrbuch.«

»Stimmt ...«, sagte ich zögernd und runzelte dabei die Stirn. Wie hatte ich Noah all die Jahre so nahe sein und nicht wissen können, dass er gemobbt worden war? Ob Lee das wusste? Seine Eltern hatten es nie erwähnt ... Hatte er sie darum gebeten?

»Ich hasste es, weil ich am liebsten zurückgeschubst hätte – aber weißt du, wenn du zurückschlägst, kriegst du nur noch mehr Ärger ... Und ich war auch keine Petze. Ich hab nie einen Größeren angeschwärzt, weil er mich von der Schaukel gestoßen oder mir in der Pause meinen Cookie geklaut hat. Aber es machte mich so ... wütend.«

Noah holte zitternd Luft. Da streckte ich die Hand nach seiner freien Hand aus und verschränkte unsere Finger. Er erwiderte meine Geste nicht, zog seine Hand aber auch nicht weg.

»Ich konnte meinen Frust nicht an den anderen auslassen, wollte aber auch meinen Eltern nichts davon erzählen. Du weißt ja, wie sie sind – sie hätten in der Schule angerufen, eine große Sache daraus gemacht, und ich hätte erst recht als Loser dagestanden.«

»Also hast du deinen Frust an allem anderen ausgelassen«, sagte ich und musste daran denken, wie er mir mal von Aggressions-Management-Kursen erzählt hatte. Die hatte er vor ein paar Jahren besucht, doch sie hatten nichts genützt.

Er sprach weiter, als hätte ich nichts gesagt. »Middle School war nicht so schlecht. In dem Sommer hatte ich einen Wachstumsschub und meine Eltern meldeten mich zum Kickboxen an ...«

»Oh ja, daran erinnere ich mich.«

»Weil sie dachten, ich bräuchte ein Ventil. Und bald war ich nicht mehr der schmächtige kleine Junge.«

»Aber du warst immer noch ein Geek«, sagte ich und versuchte, damit einige Lücken zu schließen. Diese Unterhaltung war wie ein Puzzle – eines, bei dem ich versuchte, die Mitte hinzukriegen, ohne schon die Ränder fertig zu haben. Ich konnte nicht fassen, dass wir bisher noch nie darüber gesprochen hatten. »Du bist schlau. Das warst du schon immer. Verdammt, du hast es auf ein Ivy League College geschafft, Noah. Das kriegt echt nicht jeder hin.«

»Ich erinnere mich«, sagte er mit einem ironischen Lächeln, »wie ich mal in Spanisch in der Achten nur eine Drei bekam. Sonst hatte ich noch nie was Schlechteres als eine Zwei plus gekriegt, nicht mal an einem schlechten Tag in meinem schwächsten Fach. Ich wusste, dass ich schlau war, aber ich ließ es nicht schleifen. Meine Eltern waren wegen der Drei nicht sauer – sie meinten, es wäre doch nur ein kleiner Test, keine große Sache. Aber sie waren enttäuscht von mir. Auch wenn sie es nicht aussprachen, konnte ich es in ihren Gesichtern lesen. Und ich ging mit mir selbst härter ins Gericht, als sie es je hätten tun können.«

»Also …« Ich schob mich ein bisschen höher und schmiegte mich noch fester in Noahs Arm, den er als Reaktion noch enger um mich legte. Er hatte mich die ganze Zeit nicht angesehen, sondern an die Wand gegenüber gestarrt. Da löste ich meine Hand aus seiner und zog ihn am Kinn in meine Richtung, sodass er mich ansehen musste.

»Also«, sagte er, »beschloss ich, dass ich genug hatte.«

»Genug von was?«

»Davon, alles zu hassen und nichts dagegen zu tun. Ich fing an zurückzuschubsen. Manchmal geriet ich in Schlägereien, gelegentlich schwänzte ich auch die Schule. Meine Eltern und die Lehrer hielten das für eine Phase. Gebt ihm ein Jahr, dann wird er aufhören zu rebellieren und die Schule wieder ernstnehmen!«

»Aber so warst du nicht.«

Er schüttelte den Kopf. »Ich nahm die Schule ja schon ernst. Ich ließ die Leute nur in dem Glauben, ich würde es nicht tun. Wenn du an der Highschool im Footballteam bleiben willst, musst du einen Einser-Schnitt haben, oder? Jedenfalls ist es so gedacht. Der Coach hat bei einigen ein Auge zugedrückt. Aber meine Noten blieben gut, und weil das bei etlichen anderen Sportskanonen genauso war, fiel ich damit nicht weiter als Streber auf. Und um ganz ehrlich zu sein … es hat mir gefallen, als der Bad Boy zu gelten. Es hat Spaß gemacht, den Unterricht zu schwänzen und zu wissen, dass meine Lehrer nur mit den Augen rollen würden, wenn ich mit Verspätung reinschlenderte und keine Hausaufgaben gemacht hatte. Einfach weil sie nichts anderes von mir erwarteten. Ich glaube, sie rechneten damit, dass ich am Ende des Jahres scheitern würde.«

»Und du … wolltest sie überraschen, indem du richtig gut abgeschlossen hast, als Drittbester deines Jahrgangs?«, vermutete ich.

»Ich war für mich selbst und für niemand sonst gut in der Schule. Ich wollte nicht als Jahrgangsbester die Abschlussrede halten oder so was. Das brauchte ich nicht. Wollte ich genauso wenig wie die damit verbundene Aufmerksamkeit. Ich behielt meinen Ruf als Bad Boy auch nicht nur, um nicht mehr rumgeschubst zu werden oder weil es mir irgendwie Spaß machte, sondern weil wenn keiner etwas von mir erwartete, auch niemand enttäuscht sein konnte.«

Danach schwiegen wir beide lange. Zunächst war Noahs Atem noch flach und nervös gewesen, aber nach einer Weile beruhigte er sich. Bisher war er immer eher verschlossen gewesen und hatte gemeint, in diesen emotionalen Sachen sei er nicht gut. So verletzlich wie gerade hatte ich ihn noch nie erlebt.

Mir wurde bewusst, dass ich gar nicht mehr so genau wusste, wer Noah überhaupt war: Nicht wegen dem, was er mir gerade erzählt hatte, sondern weil er als anderer Mensch vom College nach Hause gekommen war. Er lächelte mehr, wirkte entspannter. Selbst als wir uns wegen des Fotos gestritten hatten, hatte er vernünftiger und ruhiger reagiert, als ich das von ihm gewohnt war.

»Und jetzt? Jetzt bist du in Harvard, und die Highschool ist vorbei, da hast du deine rebellische Seite komplett abgelegt?«

»Wer sagt, dass ich sie abgelegt habe? Ich dachte, das sei der Grund, warum du dich überhaupt in mich verliebt hast.«

Ich rollte mit den Augen und konnte mir ein Lächeln nicht verkneifen. »Genau, weil du so ein krasser Typ bist, der sagt, er wird die Topfpflanzen seiner Mom umtreten.«

»Ich könnte auch Eis zerbeißen«, sagte er todernst. »Ganze Würfel. Wenn das nicht krass ist …«

Ich gab ihm einen leichten Klaps auf die Brust. Da hielt er meine Hand fest und küsste jede meiner Fingerspitzen. Ich kicherte erleichtert, weil er wieder verspielt und nicht mehr so ernst war. Noah war, seit ich ihn kannte, nie richtig gut mit seinen Emotionen klargekommen. Daher überraschte es mich auch nicht, dass er, nachdem man ihn gemobbt hatte, lieber zurückgeschlagen hatte, anstatt rumzuheulen. So war er eben.

»Ich meine doch nur –«, fing ich an, aber er unterbrach mich mit einem flüchtigen Kuss.

»Ich weiß, was du meinst. Ich weiß nur nicht wirklich, wie ich anders sein soll, das ist alles. Aber ich versuche, mich weniger hinter einer Fassade zu verstecken. Nicht so viel mit Leuten zu streiten. Das ist dort leichter, weil alle neu sind und ich … mich quasi neu erfinden kann. Außerdem sind in Harvard alle ziemlich schlau, deshalb ist es okay, ein Geek zu sein.« Er grinste. »Aber es fällt mir noch schwer, anders zu sein, weil ich so lange den Bad Boy gegeben habe.«

»Ich werde dich so oder so lieben«, gestand ich ihm. Und ich glaube, in dem Moment habe ich ihn mehr geliebt denn je zuvor.

»Selbst wenn ich anfange, pinkfarbene Poloshirts zu tragen, mir Pullover um die Schultern knote und mein Motorrad verkaufe, um mir ein Golfwägelchen anzuschaffen?«

»Okay, jetzt wirst du aber echt albern.«

»Du hast damit angefangen.« Dabei grinste er allerdings.

»Nein, das warst du.«

»Du hast definitiv angefangen.« Dann zog er mich auf sich und piekte mich in die Rippen, in die Taille und kitzelte mich am Hals. Ich quietschte und versuchte, ihm auszuweichen. Dabei musste ich viel zu sehr kichern, als dass ich einen Streit hätte anfangen können. Noah lachte mir leise ins Ohr. »Aber ich fange *damit* an.«

12

In dieser Nacht schlief ich so gut wie seit Wochen nicht mehr. Als ich am nächsten Morgen um kurz nach zehn aufwachte, war Noah schon wach und schaute sich auf YouTube Videos an, während ich mich an ihn gekuschelt hatte.

Das war eine schöne Art, wach zu werden.

»Morgen, du Schlafmütze«, sagte er und beugte sich zu mir herab, als ich versuchte, ihn zu küssen. Er schmeckte nach Zahnpasta, also musste er wohl schon auf gewesen sein. Ich roch wahrscheinlich nicht so gut, aber das störte keinen von uns so wirklich. Ich lächelte an seinen Lippen.

»Ich hab dich vermisst ...«, sagte ich und unterbrach mich kurz, um zu gähnen. »Ich hab das hier vermisst.«

»An einem Samstagmorgen als Erstes im Bett Videos zu gucken?«, scherzte er.

»Mit dir aufzuwachen.«

Sein Lächeln wurde breiter. Meins auch. Noah unterbrach das Video, legte sein Handy weg, rollte sich auf mich und stützte dabei sein Gewicht auf die

Ellbogen. Ich strich mit meinen Armen über seine muskulöse Brust, seine kräftigen Arme und schmiegte mich enger an ihn. Dann presste ich meine Lippen auf seine. Bei jedem Kuss erfüllte mich immer noch dieselbe Euphorie wie beim allerersten Mal.

Warum hatte ich je an dieser Beziehung gezweifelt? Ich musste verrückt gewesen sein. Ich hatte geglaubt, Noah in den letzten Wochen vermisst zu haben, doch erst jetzt, wo er wieder hier war, merkte ich, wie schrecklich einsam ich ohne ihn gewesen war. Nichts stand mehr zwischen uns. Wir waren nicht nur gut – wir waren perfekt. Wir brauchten lediglich etwas Zeit miteinander, das war alles.

Den restlichen Vormittag verbrachten wir faul, gemütlich und absolut idyllisch.

Irgendwann brachte ich den Mut auf, ihn wegen der Tanzveranstaltung zu fragen.

»Noah ...«

»Ja?«

Ich schluckte und befeuchtete meine Lippen. Mein Mund fühlte sich auf einmal trocken an. »Es ... gibt bald einen Ball. In der Schule. Den Sadie Hawkins Dance. Und ich dachte, ob du für das Wochenende nach Hause kommen und mit mir hingehen kannst.«

Noah wandte seufzend den Blick ab. Mir wurde flau im Magen. Er brauchte gar nicht mehr antworten. Das Seufzen genügte schon.

Genau deshalb hatte ich es bisher vermieden, ihn überhaupt zu fragen. Weil ich mich vor dieser Reaktion gefürchtet hatte.

»Das würde ich ja gern tun«, erklärte er mir voller Bedauern in der Stimme. »das weißt du auch, Elle. Aber dieses Wochenende war eine einmalige Ausnahme. Ich kann nicht dauernd herkommen, schon gar nicht wegen einem Highschool-Ball. Das reißt mich zu sehr aus dem Lernen raus, aus Football, und es ist auch nicht gerade billig, hin und her zu fliegen.«

»Aber …« Ich holte tief Luft und setzte mich auf. »Ich möchte so gern mit dir da hingehen. Und ich hasse es, dich so lange nicht zu sehen. Das ist hart, verstehst du?«

»Verstehe ich«, sagte er finster. »Für mich ist es auch hart. Ich vermisse dich. Aber ich kann nicht jedes Mal anreisen, wenn ihr irgendeinen Ball oder eine Party oder sonst was habt. Und Sadie Hawkins – das ist doch im November, oder? Da komme ich dann doch sowieso kurz danach zu Thanksgiving.«

Ich wollte schon widersprechen, verkniff es mir aber und ließ mich neben ihm wieder tiefer in die Kissen sinken. Wir lagen beide irgendwie steif da. Das Schweigen war unangenehm angespannt. Es war doch nur eine Tanzveranstaltung, versuchte ich mir einzureden. Keine große Sache. Es klang ziemlich vernünftig, warum Noah deshalb nicht nach Hause kommen konnte.

Aber war es andererseits so schlimm, dass ich mehr Zeit mit ihm verbringen oder mit ihm einen Ball besuchen wollte?

Noah beugte sich herüber, um mich auf die Schläfe zu küssen, und nahm mich in den Arm. »Vielleicht schaffe ich es zum Summer Dance nach Hause.«

Das war ein Friedensangebot und ich nahm es an. Nickend drehte ich mich zu ihm, um ihn zu küssen. Dabei hätte ich mich am liebsten aus seiner Umarmung gewunden und mir einen Hoodie übergezogen, um mein Gesicht darin zu verstecken. Seine Zurückweisung lag mir wie ein Stein im Magen.

Um die Mittagszeit gingen wir runter, um etwas zu essen. Dort trafen wir auf Lee, der sich gerade ein Sandwich machte.

»Hey«, sagte er. »Wusstest du, dass er dieses Wochenende nach Hause kommt?«

»Nein.«

»Ich stehe übrigens gleich hier«, bemerkte Noah.

»Hast du gerade was gehört, Shelly?« Lee schaute sich theatralisch um, und ich verbiss mir das Lachen.

»Nur den Wind. Ich glaube, deine Mom hat irgendwo ein Fenster offen gelassen …«

Noah seufzte und ging an mir vorbei zum Kühlschrank, um dessen Inhalt in Augenschein zu nehmen. »Wo ist der Apfelsaft?«

»Wir haben keinen.«

»Aber wir haben immer Apfelsaft.«

»Du bist der Einzige, der den trinkt, und Mom meinte, es sei sinnlos, welchen zu kaufen, wenn keiner da ist, der ihn trinkt.«

»So viel zum Thema Empty-Nest-Syndrom.«

»Ich glaube, das tritt erst auf, wenn ich auch weg bin.«

Noah holte Orangensaft (ohne Fruchtfleisch) aus

dem Kühlschrank und hielt ihn fragend in meine Richtung. Ich nickte. »Es gibt auch keinen Speck.«

»Mom hat uns eine neue Ernährung verordnet. Wir essen jetzt alle weniger Fleisch. Hat irgendwas mit Dads Cholesterin zu tun.«

»Meine Güte, das ist, als wäre ich hier an einem fremden Ort.«

»Ich glaube, es gibt noch Truthahn-Aufschnitt.«

»Das ist kein Speck.«

»Mom behauptet, es wäre das Gleiche.«

»Alles Lüge.«

Ich musste über die beiden lächeln. Irgendwie hatte ich fast vergessen, dass Lee und Noah fast so gut miteinander auskamen wie Lee und ich – wenn nicht in mancher Hinsicht sogar besser.

Nachdem wir was gegessen hatten, erklärte Noah, dass wir beide wieder nach oben gehen und fernsehen würden.

Lee schnaubte. *Fernsehen*. Ja, genau. Vergesst die Verhütung nicht. Tut nichts, was ich nicht auch tun würde und so weiter.«

Ich wurde rot und senkte den Kopf, damit mir die Haare vors Gesicht fielen. Noah gab Lee eine Kopfnuss und riet ihm, sich um seine verdammten eigenen Angelegenheiten zu kümmern. Bevor Noah die Küchentür hinter uns zumachte, hörte ich Lee noch irgendwelche Würgegeräusche von sich geben.

Auf der Treppe blieb ich stehen, hielt Noah auf und rief dann laut kichernd: »Noah! Lass das! Doch nicht auf der Treppe!«

»Ihr seid echt eklig!«, schrie Lee aus der Küche.

»Ooooh, Noah«, stöhnte ich übertrieben.

»Du bist von meiner Weihnachtskartenliste gestrichen, Shelly!«

»Hab dich auch lieb, Alter!«

»Ihr beiden seid solche Spinner«, murmelte Noah kopfschüttelnd.

Ich grinste ihn an, bevor ich vor ihm die Treppe hinaufging, wobei er mir den Po tätschelte. Jedes Mal wenn ich mich umdrehte und ihn tadelnd ansah, wandte er den Blick ab und pfiff unschuldig vor sich hin. Kaum ging ich weiter, haute er mir wieder aufs Hinterteil.

Ich machte ein paar schnelle Sprünge die Treppe hinauf und spürte nur noch Noahs Fingerspitzen. Lachend verfolgte er mich. Schon hörte man Lee wieder schreien: »Seid gefälligst nicht so laut da oben! Ihr seid widerlich! Ich hasse euch beide!« Ich kicherte und rannte weiter vor Noah davon, der mich schließlich auf sein Bett warf. Er drehte mich auf den Rücken, ließ sich auf mich fallen und küsste mich, bis ich mir sicher war, dass es nichts Herrlicheres auf der Welt gab.

Irgendwann kam ich wieder runter, um mir einen Kaffee zu machen. Lee war bei Rachel – anscheinend. Ihre Eltern waren auf einer Hochzeit in der Verwandtschaft und sie plante einen großen Abend zu Hause. Mit Kerzenschein und bestelltem Essen und einem Film. (Mir hatte sie erzählt, dass heute vielleicht »die

Nacht« sein würde, in der sie zum ersten Mal miteinander schlafen würden.) Lees und Noahs Eltern waren immer noch bei ihren Freunden.

Sie hatten dort in einem Hotel übernachtet und würden erst heute Abend zurückkommen.

Ich ging leise zurück nach oben, und langsam, weil ich den Becher zu voll gemacht hatte, aber weil ich barfuß auf Teppich unterwegs war, hörte Noah mich nicht kommen.

Und vielleicht war das rückblickend gut so.

Oder auch nicht.

Ich hörte Noahs Stimme bis auf den Flur hinaus. Leise und eindringlich.

Seine Zimmertür stand einen Spalt breit offen und ich blieb lauschend davor stehen. Er saß mit dem Gesicht zum Fenster auf der Bettkante. Mit dem Rücken zu mir und der Tür, das Handy ans Ohr gepresst und den Kopf gesenkt. Ich konnte sehen, wie er sich mit der anderen Hand die Haare raufte. Seine Schultern wirkten verspannt.

Irgendwas stimmte nicht. Und ich ... blieb wie angewurzelt stehen.

Okay, wahrscheinlich hätte ich nicht lauschen sollen, und das wusste ich auch, aber die Eindringlichkeit seiner gedämpften Stimme hatte mich zu sehr alarmiert.

»Ja, ich bin mit ihr hier. Sie ist gerade unten ... Was? Nein. Natürlich hab ich es ihr nicht gesagt! ... Nein, noch nicht. Es ist nicht der richtige Zeitpunkt ... Nein ... Hör zu, ich werde es ihr schon noch sagen,

aber nicht heute … Sie muss es nicht wissen. Also …
nein, gut, okay, vielleicht schon, aber …« Er seufzte
und fuhr sich wieder durch die Haare. »Willst du sie
vielleicht anrufen und es ihr selbst sagen, wenn ich es
nicht tue?« Er schnaubte. »Genau. Hör zu, Amanda, es
hat nichts zu bedeuten. Elle muss das nicht wissen.«

Amanda.

Er redete mit *ihr*.

Über *mich*.

Es rauschte in meinen Ohren und ich wunderte
mich, dass ich den Kaffee nicht fallen ließ. Mir wurde
eiskalt. Hatte ich's doch gewusst! Dass irgendwas faul
war. Dass es seltsam zwischen uns war. Und das lag
nicht nur an der Entfernung …

*Es hat nichts zu bedeuten. Es ist nicht der richtige
Zeitpunkt. Elle muss das nicht wissen. Es hat nichts zu
bedeuten.*

Ich drückte die Tür auf und wusste, das Knarzen
der Angeln würde Noah merken lassen, dass ich
zurück war. Er drehte sich um, sah mich mit einem
gezwungenen Lächeln an – aber das verschwand
sofort, als er meinen Gesichtsausdruck sah.

»Oh, Shit«, murmelte er kurzangebunden ins
Handy. »Ich muss Schluss machen. Wir sprechen uns
wieder.«

Er legte auf und warf das Handy aufs Kissen. Dann
stand er auf und kam auf mich zu. Ich ging mit steifen, beinahe gelähmten Beinen zum Nachttisch und
stellte den Kaffee dort ab, bevor ich ihn doch noch
fallen ließ oder ihm ins Gesicht schüttete.

»Das war *sie*, nicht wahr?«, fragte ich mit tonloser, aber leicht zitternder Stimme.

Noah biss sich auf die Lippe und wirkte nervöser, als ich ihn je gesehen hatte. »Elle, wie viel davon hast du gerade mitgehört?«

Falscher Satz, Junge.

»War sie das? Das Mädchen von dem Foto?« Ich brachte es nicht über mich, ihren Namen auszusprechen. Dafür hasste ich sie gerade zu sehr.

»Ja, das war Amanda. Aber es ist nicht so, wie du denkst –«

»Ach? Bist du dir da sicher?«

»Ja«, sagte er fast schnippisch, aber doch in ernstem Ton und mit erhobenen Händen. Als bitte und flehe er, damit ich ihn anhörte. Mein Herz hämmerte wütend und meine Hände zitterten. »Ich weiß, was du denkst, und ich habe es dir schon mal gesagt: Mit Amanda ist nichts vorgefallen, das schwör ich dir. Und da ist auch jetzt nichts.«

»Wie kannst du erwarten, dass ich dir das glaube?« Ich taumelte einen Schritt zurück, als würden seine Worte mich physisch abstoßen. Meine Augen füllten sich mit Tränen. Aber ich durfte jetzt nicht weinen. Deshalb blinzelte ich so heftig, dass ich Sternchen hinter meinen Augenlidern sah. »Nach allem was ich gerade gehört habe? Ich wusste, dass du mir was verheimlichst. Du bist am anderen Ende des Landes, Noah! Und anscheinend hast du mich komplett vergessen. Dieser Besuch scheint so was wie ein letzter Versuch zu sein –«

»Du reagierst total übertrieben.«

»Tue ich das? Bei deinem Ruf?«

Das war ein Tiefschlag und noch dazu unfair. Er hatte zwar den Ruf, ein Player zu sein, aber das war hauptsächlich Gerede, und soweit ich wusste, hatte er nie jemand betrogen. Aber ich konnte die Worte, die aus meinem Mund kamen, nicht stoppen.

Dafür schienen seine Worte von vorhin mir in die Magengrube zu schlagen: *Es hat nichts zu bedeuten. Elle muss das nicht wissen.*

Was sollte das denn sonst bedeuten?

Ich legte eine Hand auf meinen Bauch, obwohl ich mir nicht sicher war, wo genau es wehtat. In meinem Kopf drehte sich alles und wahrscheinlich würden meine Beine jeden Moment nachgeben. Es fühlte sich an, als wäre ein ganzer Berg auf meine Brust gepoltert. Ich musste schreien, heulen oder … ich wusste selbst nicht, was.

Der flehende Ausdruck verschwand aus seinem Gesicht, sobald er meine Worte begriffen hatte. Seine blauen Augen wurden schmal und musterten mich eisig.

»Du vertraust mir nicht.«

Ich fühlte mich so was von schrecklich, aber meine Stimme war schneidend und ich schien nicht aufhören zu können. Ich zerstörte alles und eine Stimme in meinem Hinterkopf bettelte, ich solle augenblicklich damit aufhören. Aber Wochen der Nervosität und Belastung forderten jetzt ihren Tribut.

»Als ob du einen Deut besser wärst. Du wirst doch

eifersüchtig, sobald ich erwähne, dass ich Zeit zu zweit mit Levi verbringe. Gelten für dich etwa andere Regeln als für mich? Darf ich nicht misstrauisch sein, wenn ich eine Unterhaltung höre, wie du sie gerade mit irgendeiner Schlampe geführt hast, die du –«

»Amanda ist keine Schlampe.«

»Hör endlich auf, sie zu verteidigen. Hör auf, von ihr zu reden. Ich will gar nicht hören, wie nett sie ist.« Ich schrie inzwischen schon und war so froh, dass außer uns keiner zu Hause war. »Hast du auch nur die Spur einer Ahnung, wie demütigend das für mich war? Jeder hat das Foto online gesehen. Jeder wusste es, und alle nahmen an, wir hätten Schluss gemacht.«

»Ich weiß, Elle, und es tut mir leid. Aber du musst mir glauben, wenn ich dir – noch einmal – sage, dass nichts passiert ist. Und dass da jetzt nichts passiert und nichts passieren wird. Ich weiß nicht, was ich sonst noch sagen soll. Amanda bedeutet mir nichts, so wie du denkst, sie ist nur eine Freundin.«

»Eine Freundin, die du vor mir verheimlicht hast!«

»Du bist der letzte Mensch, der auf ein Mädchen eifersüchtig zu sein braucht, mit dem ich befreundet bin«, fauchte er zurück. »Schau dir doch dich und Lee an!«

»Das ist was anderes – und das weißt du ganz genau.«

Er schnaubte kopfschüttelnd. »Und Levi? Erzählst du mir jedes Mal, wenn du mit ihm abhängst?«

Ich biss die Zähne zusammen. Was hatte Levi denn mit dem allem zu tun?

»Wir haben Kurse und Vorlesungen zusammen. Das ist richtig viel. Es ist ... aber das verstehst du nicht.«

Vielleicht war das eine berechtigte Bemerkung, aber sie fühlte sich an wie ein Messerstich. War ich etwa zu dumm dazu? War er mir jetzt so weit voraus, nur weil er aufs College ging? Verstand ich es nicht, aber Amanda schon?

»Warum hast du jetzt gerade mit ihr telefoniert?«, fragte ich, plötzlich ganz leise. Das Schreien hatte mich erschöpft, »Worum ging es da? Denn wenn es nicht ist, wonach es geklungen hat, dann bitte, bitte sag es mir doch.«

Noah machte den Mund auf, um zu antworten, aber ihm schienen die Worte zu fehlen. Er zögerte und sagte gar nichts.

Ich schüttelte den Kopf. Ich wollte ihm ja glauben, aber wenn ich die Augen schloss, sah ich dieses blöde Foto vor mir: ihre Arme um ihn gelegt, seine um sie, ihre Lippen an seiner Wange, wo sie einen knallroten Lippenstiftabdruck hinterließen. Dazu das betrunkene Grinsen auf seinem Gesicht. Das ist *richtig viel*, hatte er gesagt. Was sollte das überhaupt heißen?

Nichts Gutes, wenn ich nach meinem aktuellen Gefühl ging.

»Bitte, Noah. Sag mir doch einfach die Wahrheit.«
Aber ich bekam nur Schweigen zu hören.
Dann holte er hörbar Luft ... und schwieg weiter.
Ich musterte ihn. Er ließ die Schultern hängen

und machte ein gequältes Gesicht. Ich konnte ihm ansehen, was auch immer da los war – er konnte und würde nicht mit mir darüber sprechen. Je länger ich wartete, desto schlimmer wurde es. Meine Gedanken rasten, malten sich die beiden in kompromittierenden Positionen aus, während sie miteinander lachten, sich in einem süßen kleinen Café, auf dem Collegehof oder in seinem Zimmer aneinanderkuschelten …

Mein ganzer Körper fühlte sich schwach an, mein Kopf dafür tonnenschwer. Noah schloss die Augen, als weigere er sich, mich anzusehen.

Plötzlich war der Riss zwischen uns kein kleiner Spalt mehr, den wir mit einem Überraschungsbesuch zu Hause und ein paar Videoanrufen flicken konnten. Es war eine so tiefe und breite Schlucht, dass ich nicht einmal mehr wusste, wen ich da vor mir hatte. Dieser neue, reifere Noah, der sich weigerte, mit mir zu reden, und Geheimnisse vor mir hatte, war ein Fremder. Er schien sich, genau wie ich es befürchtet hatte, total verändert zu haben.

Die folgenden Worte, die aus meinem Mund kamen, hörte ich, als spräche jemand anders. Meine Stimme klang wie tot, tonlos.

»Ich glaube nicht, dass das hier funktioniert.«

Ich zählte vier Herzschläge Schweigen. Noah hielt den Atem an. Das wusste ich, weil ich es auch tat und es so still zwischen uns war, dass ich seinen Atem hätte hören müssen. All die Anspannung, die Wut, das Bittende waren aus seinem Gesicht verschwunden. Er war nur noch kreidebleich. Weil ich ihm nicht in die

Augen schauen konnte, fixierte ich den ausgefransten Saum seiner Jeans, wo ein loser Faden seinen nackten Fuß berührte.

»Was?«

Er klang erstickt. Ich zuckte zusammen.

»Ich kann das nicht mehr.«

»Was?«

»Das hier. Mit uns. Ich kann das nicht. Ich hasse es, die ganze Zeit von dir getrennt zu sein. Und ich hasse die Vorstellung, dass du mit all diesen Mädchen am College bist – klügeren, hübscheren Mädchen, die sich dir wahrscheinlich an den Hals werfen. Und ich ... ich ...«

»Du vertraust mir nicht«, beendete er meinen Satz und sprach dabei jede Silbe überdeutlich aus.

»Ich will dir ja vertrauen«, versuchte ich mit brechender Stimme zu erklären. »Aber wenn du mir nicht die Wahrheit darüber sagen kannst, was eigentlich los ist ... was für eine Beziehung ist das denn dann? Das ist ... Ich kann damit nicht mehr umgehen. Und ... und keiner von uns sollte ... sollte von etwas gefesselt sein, was nur eine Last ist.«

»Also, was ... was willst du damit sagen?«

Ich holte tief Luft, versuchte, mich zu sammeln. Und ich zwang mich, ihm in die Augen zu blicken und zu ignorieren, das sie feucht glitzerten und sein Gesicht absolut verzagt (mal wieder eins von diesen SAT-Wörtern, über das Lee sich geärgert hatte) aussah.

Lee. Mist. Wie würde Lee das aufnehmen, wenn er es erfuhr? Wie sollte ich es ihm überhaupt sagen?

Oder würde Noah es ihm zuerst erzählen? Würde Lee Partei ergreifen müssen? Würde ich ihn dazu zwingen? Nach allem, was ich ihm zugemutet hatte, als ich zunächst hinter seinem Rücken schon mit Noah zusammen war?

»Elle?«

Ich konnte nicht mehr. Es tat zu weh.

»Ich will damit sagen, dass das nicht funktioniert. Und wir ... Schluss machen sollten.«

Diesmal zählte ich drei Herzschläge Schweigen.

»Tu das nicht, Elle«, flüsterte er.

»Dann sag mir, was los ist.«

»Ich ... ich ... kann das ... jetzt ... noch nicht, okay? Es ist ... kompliziert.«

Ich schüttelte den Kopf. Das war nicht die richtige Antwort. Sie war nicht gut genug. Sie verhinderte nicht, dass mir Tränen in die Augen stiegen.

»Wir können das hinkriegen. Elle. *Bitte*.«

»Nein, Noah. Das denke ich nicht. Sonst würdest du mit mir über so was reden.«

Er kam um das Bett herum auf mich zu und ich wich zurück. Wenn er mich jetzt in den Arm nahm, würde ich alles vergessen und ihm verzeihen wollen. Aber ich wusste, das wäre falsch.

Deshalb fixierte ich wieder seine Füße. Sah, wie er das Gewicht von einem Fuß auf den anderen verlagerte, bevor er die Zehen in den Boden stemmte, um sich gerade aufzurichten.

Was blieb mir denn anderes übrig? Das würde zu schmerzhaft werden – und besser ich zog jetzt die

Reißleine, bevor ihm klar wurde, dass es am College Mädchen gab, die seine Zeit viel eher verdienten als ich. Oder etwa nicht? Er entwickelte sich ganz offensichtlich weiter, und ich war nur ein weiterer Strick, der ihn an sein altes Leben fesselte. Und das brauchte – oder wollte – er nicht mehr. Und so, wie es klang, hatte er schon was mit *diesem Mädchen*.

Was auch immer da lief, er vertraute mir schließlich offenbar nicht genug, um es zu erzählen.

»Es tut mir leid«, murmelte er.

Da zerbrach irgendwas in mir.

Es verschlug mir den Atem. Wenn ich vorher geglaubt hatte, das würde schon wehtun, war es nichts im Vergleich zu diesem scharfen Schmerz, der mich jetzt durchdrang. Wie Nadeln tief in meiner Haut. Trotzdem fühlte ich mich äußerlich wie betäubt.

Obwohl ich bereit war, gegen die Tränen anzukämpfen, bevor ich hier weg war, kamen plötzlich keine. Ich stand einfach nur da. Mit leicht geöffneten Lippen und bleischweren Gliedern, die mich hinderten, einfach davonzulaufen.

Einen Moment lang rührte sich keiner von uns.

»Ich geh wohl mal besser«, murmelte ich dann. Ich nahm meinen Pulli und die Tasche vom Bett, warf mein Buch, in dem ich vorhin gelesen hatte und das noch auf dem Nachttisch lag, hinein. Ebenso mein Handy. Dabei hielt ich den Kopf gesenkt, damit meine Haare mich wie ein Vorhang vor Noah verbargen.

Er machte keine Anstalten, mir zu folgen. Und sei es nur, um mich zur Haustür zu bringen.

Ich zögerte in der Tür seines Zimmers. Sollte ich irgendetwas sagen? Vielleicht nur Lebwohl? Oder »Man sieht sich«?

Ein paar Sekunden stand mein Mund offen. Ich blickte verstohlen über meine Schulter. Noah hatte mir den Rücken zugekehrt und ich konnte die angespannten Muskeln an seinem Rücken und den Armen sehen. Einen Moment lang ballte er die Hände zu Fäusten, dann ließ er sie schlaff herabhängen.

Also ging ich, ohne ein Wort zu sagen.

Erst als ich in mein Auto (mit dem wir hergekommen waren, weil wir es eilig gehabt hatten) stieg, begriff ich schlagartig die Endgültigkeit meiner Aktion.

Wir hatten uns getrennt. *Ich* hatte mit *ihm* Schluss gemacht. Alles verschwamm vor meinen Augen. Automatisch schaltete ich den Scheibenwischer ein, nur um festzustellen, dass es nicht regnete, sondern ich weinte. Ich wollte nicht riskieren, dass Noah sah, wie ich in meinem Auto hockte und mir die Augen aus dem Kopf heulte, also fuhr ich ruckelnd, weil ich mit der Kupplung kämpfte, aus der Einfahrt. Weil ich am ganzen Leib zitterte, machte ich die Heizung an, doch das nützte nichts.

Ich weinte zu viel und heftig, um mich aufs Fahren konzentrieren zu können. Nicht mal die kurze Strecke bis nach Hause schaffte ich. Also bog ich in die nächste Seitenstraße, hielt an und würgte den Motor ab. Dann ließ ich mich aufs Lenkrad sinken und meinen Tränen freien Lauf.

13

Ich rief Lee an.

Ich wusste, er war bei Rachel. Und ich wusste, es war ihr großer romantischer Abend. Er hatte mir ja selbst erzählt, wie aufgeregt er war, Deshalb zögerte ich auch, als die Nummer meines besten Freunds auf dem Display erschien. Ich konnte sie vor lauter Tränen allerdings kaum sehen. Es wäre so egoistisch, ihren gemeinsamen Abend zu stören. Das wusste ich.

Trotzdem wählte ich.

Die Mailbox meldete sich. Inzwischen war ich schon das reinste Wrack. Die Minischachtel Kleenex, die ich für Notfälle im Auto hatte, war längst leer, genau wie die Packung Taschentücher aus meiner Handtasche. Aber ich war so verrotzt und verheult und außer mir, dass ich kaum Luft kriegte. Wie eine Ertrinkende schnappte ich schluchzend nach Luft.

Was zum Teufel hatte ich da gerade getan?

Ich konnte Levi anrufen. Er und ich waren inzwischen gut befreundet. Ich wusste, er würde für mich da sein. Er würde es auch verstehen – nach seiner eigenen unschönen Trennung von Julie. Ich sollte Levi anrufen, ermahnte ich mich selbst, und Lee in Ruhe lassen.

Aber so gern ich Levi mochte, ich brauchte jetzt Lee. Meinen besten Freund.

Bevor ich mir ins Gewissen reden konnte, dass ich meinen besten Freund gefälligst den Abend mit seiner Freundin genießen lassen sollte, hatte ich seine Nummer auch schon zum zweiten Mal gewählt.

Diesmal ging er beim ersten Klingeln dran.

»Ich bin hier gerade sehr beschäftigt, Shelly. Was ist los?« Lees Stimme klang gedämpft und leicht gereizt, aber irgendwie gelang es mir nicht, mich wegen meiner Störung schlecht zu fühlen.

Ich schniefte, und bevor ich mir überlegt hatte, wie ich anfangen sollte, schluchzte ich auch schon wieder los.

»Was ist passiert?«, fragte er, jetzt in sanfterem Ton. »Elle? Red mit mir.«

»Ich – ich ha-ha-hab Schluss gemacht«, stotterte ich. »Mit N-Noah.«

»*Was*?«

»Ich ha-hab mi-mit ihm Schluss gemacht.« Schniefend wischte ich mir mit dem Handrücken über die Wange. »Tut mir leid, euren Abend zu ruinieren, weil ich weiß, wie wichtig der für euch ist, aber ich – ich muss einfach mit dir reden. Gib mir nur zehn Minuten, dann kannst du dich wieder dem Essen und Trinken mit Rachel widmen. Bitte.«

»Ich gebe dir mehr als zehn Minuten«, sagte er. »Ihr beiden habt wirklich Schluss gemacht?«

»O Gott, Lee ... ich ... ich weiß nicht, was ich getan habe.«

»Wo steckst du?«

»In meinem Auto. Es ... es tut mir leid, Lee. Ich weiß, ich hätte dich nicht anrufen sollen, aber ich wusste nicht, was ich sonst machen sollte.«

»Du brauchst dich nicht entschuldigen.« Lees Stimme war sanft und beruhigend. »Wo genau bist du denn?« Ich schaute mich um und blinzelte genug Tränen weg, um das nächste Straßenschild zu entziffern. »Okay. Ich bin so schnell da, wie ich kann.«

Shit, ich hatte doch nicht erwartet, dass er geht und Rachel allein lässt. Ich meine, eigentlich hätte ich mir das vielleicht denken sollen, aber ich musste mit ihm reden, damit er mich tröstete. Es war nicht meine Absicht, dass er Rachel sitzenließ, schon gar nicht heute Abend.

»Nein – es ist – ehrlich, bitte, du sollst nicht –«

Ich protestierte vergeblich. Es klang so, als hätte er das Handy von seinem Ohr weggenommen. Ich konnte ihn noch reden hören, aber von etwas weiter weg. Außerdem raschelte irgendwas, wahrscheinlich Stoff.

»Tut mir leid, Rach. Ich muss gehen.«

»Was? Was ist denn passiert?« Rachels Stimme war noch weiter weg, aber ich verstand jedes Wort, das sie sagte. Nach ihrem Ton zu schließen, klang sie nicht im Geringsten erfreut, dass ihr gemeinsamer Abend gestört wurde.

»Elle braucht mich. Es tut mir leid. Ich komme bald zurück, versprochen. Ich kann sie nicht sich selbst überlassen. Ich schwör dir, es wird nicht lange dauern. Vielleicht ein, zwei Stunden. Tut mir leid.«

»Wie meinst du das? Willst du etwa gehen?«

»Äh, ja … Ich muss. Sie ist meine beste Freundin.«

»Lee, wir haben wochenlang auf den heutigen Abend gewartet, und wir wollten gerade … Und jetzt servierst du mich einfach so ab?«

»Ich serviere dich nicht ab.« Ich hörte, wie genervt er war, während er sich bemühte, ruhig und cool und gefasst zu bleiben. Das quälte mich. »Ich habe dir doch gesagt – ich komme schnell zurück. Ich weiß, dass das nicht gerade … ideal ist … Aber sie sitzt in ihrem Auto, verzweifelt, sie braucht mich. Sie schluchzt. Rach. Ich kann sie in diesem Zustand nicht im Stich lassen.«

»Nein, aber du lässt mich im Stich.« So schnippisch und schroff hatte ich Rachel noch nie gehört. Vor lauter schlechtem Gewissen zog sich mein Magen zusammen.

Lee versuchte nicht, das abzustreiten. »Sie ist meine beste Freundin, Rachel.«

»Und ich deine Freundin!«

»Du wusstest ganz genau, was für ein Verhältnis ich zu Elle hatte, als es mit uns beiden anfing. Sie ist ein riesiger Teil meines Lebens. Das war sie schon immer. Und das alles wusstest du. Ich vernachlässige sie schon seit Monaten, seit ich mit dir zusammen bin –«

»Willst du mir jetzt ernsthaft die Schuld daran in die Schuhe schieben, dass ihr beiden euch auseinanderlebt?« Ihre Stimme klang jetzt grenzwertig wütend.

Ich zuckte zusammen und hasste mich selbst. Ich hätte ihn nicht anrufen sollen.

»Nein! Hab ich das gesagt? Nein! Ich habe nur gemeint, dass ich dich lange an die erste Stelle gesetzt habe, aber in diesem Moment muss ich Elle an die erste Stelle setzen. Tut mir leid, wenn du das nicht respektieren kannst, aber –«

»Das respektieren? Lee, wir hatten gerade Sex miteinander, und jetzt haust du ab, um bei einem anderen Mädchen zu sein! Ich weiß, dass ihr beiden euch nahesteht, aber das ist einfach … Egal, was du sagst, sie wird immer an erster Stelle stehen, und ich … ich weiß nicht, ob ich das kann …«

O Shit. Shit, shit, shit. Ich hätte ihn definitiv nicht anrufen sollen.

Respekt, Elle, zwei Beziehungen an einem Abend ruiniert!

Lee seufzte genervt. »Rach, können wir das jetzt bitte lassen? Okay? Ich werde sie nicht im Stich lassen, wenn sie so verzweifelt ist. Ich liebe dich, aber wir reden hier von meiner besten Freundin. Tut mir leid.«

Ich war mir inzwischen sicher, dass Lee vergessen hatte, dass ich noch am Telefon war. Oder vielleicht dachte er, er hätte aufgelegt, denn nach dem Geraschel zu schließen, hatte er sein Handy anscheinend in die Tasche gesteckt.

Aber ich hörte Rachel sehr deutlich schreien: »Lee Flynn, wag es bloß nicht!« Dann knallte eine Autotür zu. In dem Moment drückte ich auf Auflegen und ließ das Handy in meinen Schoß fallen.

Fast gleichzeitig ertönte ein Donnerschlag und es fing an zu regnen. Heftig und ausgiebig.

So viel zum Thema bedauerliche Irrtümer, dachte ich sarkastisch und musste sogar bitter auflachen.

Doch danach begann ich nur umso heftiger zu heulen.

Jemand klopfte an mein Fenster und ich zuckte zusammen. Einen Moment lang glaubte ich, es sei Noah, der gekommen sei, um zu versuchen, die Sache auszuräumen, weil er mich so ohne Weiteres nicht gehen lassen wollte.

Aber als meine Augen die Gestalt vor dem Fenster schärfer sahen, wurde mir klar, dass es Lee war, nicht Noah, der da neben meinem Auto stand. Ich konnte nicht verhindern, dass ich ein wenig enttäuscht war. Jede Hoffnung auf eine romantische Erklärung, mit der Noah mir offenbaren würde, was los war und wir die Dinge in Ordnung bringen könnten, war verflogen.

Lee hatte die Arme um sich geschlungen, federte auf den Fußspitzen und hatte den Kragen seiner Jacke gegen den Regen hochgeschlagen. Nicht dass das was nützte. Er sah schon komplett durchgeweicht aus.

Ich fegte die benutzten Papiertücher vom Beifahrersitz auf den Boden, kletterte hinüber und ließ Lee auf den Fahrersitz.

Als Erstes beugte er sich zu mir rüber und nahm mich lange und fest in den Arm. Ich heulte in sein schickes schwarzes Hemd und schlang die Arme unter seiner Jacke um seine Taille. Er fragte nicht, wie es mir ging oder was passiert war. Er hielt mich nur und strich mir übers Haar. Er war total nass, was auch meine Klamotten feucht werden ließ, aber das kümmerte mich nicht. Denn es war genau das, was der Trennungs-Arzt verschrieben hatte.

Fünf, zehn oder zwanzig Minuten später hatte ich mich soweit beruhigt, dass ich sprechen konnte.

»Es tut mir so leid. Ich hätte dich nicht anrufen sollen – ich hätte einfach nach Hause fahren und Dixon oder Levi anrufen sollen. Ich wollte doch nicht, dass du und Rachel euch streitet.«

Lee stöhnte. »Du hast das gehört?«

»Du hast vergessen aufzulegen. Und ich dachte, du würdest dich gleich wieder melden, um noch was zu sagen.«

»Wie viel hast du gehört?«

Ich verlagerte mein Gewicht, löste mich aus seiner Umarmung, lehnte mich auf dem Sitz zurück und schnitt eine Grimasse. Lee nickte nur und machte ein grimmiges Gesicht dazu.

Ich machte den Mund auf, um mich noch mal zu entschuldigen – eine Trennung war mehr als genug für einen Abend, und Lee sollte sich nicht um meine Beziehungsprobleme und gleichzeitig noch um seine eigenen kümmern müssen. Es war total egoistisch von mir gewesen, ihn anzurufen. Aber er legte mir einen Finger auf den Mund, bevor ich auch nur einen Ton sagen konnte.

»Nicht. Ich werde dich nicht nach einer Trennung

schluchzend allein in deinem Auto hocken lassen und nur ein paar Minuten am Telefon trösten.«

»Du hattest doch gerade Sex mit Rachel, und dann hast du sie einfach sitzengelassen.«

Er zuckte zusammen und fuhr sich mit einer Hand durch die Haare. »Ja … Aber sie wird es verstehen. Du brauchst mich. Wenn ich nicht hier sein wollte, wäre ich nicht hier, Shelly. Hör zu, wie wäre das? Ich fahre, besorge uns ein bisschen Eis, dann fahren wir zu dir nach Hause. Schauen uns ein paar Filme an. Einen mit Noah Centineo oder so was. Mhm? Wie wäre das?«

Ich konnte nur schniefen und nicken. Da wühlte Lee in seinen Jackentaschen, gab mir ein (wie er schwor) unbenutztes Papiertaschentuch und ließ den Motor an.

Ich blieb im Auto, während er in den Laden ging. Als er zurückkam, warf er mir eine Tüte zu. Darin waren zwei große Becher Ben & Jerry's, Marshmallows, Nagellack, ein paar Tuchmasken fürs Gesicht und eine große Packung extraweiches Kleenex.

»Wozu ist das alles?«

Da strahlte er mich an. »Shelly, im Laufe der Jahre hast du mich gezwungen, genug Frauenfilme anzusehen, um genau zu wissen, was zu tun ist, wenn jemand eine schlimme Trennung durchmacht.«

»Ich glaube, du verwechselst gerade Trennung mit Übernachtungsparty.«

Aber er lachte nur.

Das Haus war leer.

»Hallo?«, rief Lee, während ich noch den Kopf erst

durch die Wohnzimmertür und dann in die Küche steckte.

»Keiner zu Hause«, bestätigte ich das Offensichtliche.

»Hä? Wo sind die denn?«

Ich zuckte mit den Achseln. »Schätzungsweise irgendwo unterwegs.« Es war ja noch nicht so spät. Vielleicht waren sie ins Kino gegangen oder in die Mall oder Brad war bei einem Freund, wo Dad ihn gerade abholte. Lee schob sich an mir vorbei in die Küche, fischte einen Tüte Popcorn aus den Tiefen des Vorratsschranks und tat sie in die Mikrowelle.

Ich stand nur da, umklammerte meine Tüte mit Übernachtungsparty/Trennungs-Utensilien und sah Lee zu, wie er ein Tablett mit zwei Schüsseln für Eis und zwei Löffeln vorbereitete. Dann kochte er zwei Becher Kaffee, goss zwei Gläser Wasser ein, nahm das Popcorn aus der Mikrowelle und schüttete es heiß und köstlich duftend in eine große Schüssel.

Dann nahm er das Tablett, auf dem die Löffel klapperten. »Komm mit. Nach oben.«

Ich ging voraus und hielt Lee die Tür zu meinem Zimmer auf. Er stellte das Tablett auf meinen Schreibtisch und nahm mir die Tüte ab. Wieder stand ich einfach nur da, während er riesige Portionen Eis in die Schüsseln füllte, auf Netflix den ersten *Bridget-Jones*-Film aufrief und die Tüte mit den Marshmallows aufriss. Als Nächstes zog er meine Tagesdecke vom Bett, breitete sie auf dem Boden aus und verschwand im Flur. Er kam mit stapelweise Häkel- und Fleecedecken aus dem Wäscheschrank wieder, die er zum Einkuscheln auf die Tagesdecke warf. Es folgten noch meine Kopfkissen und eine Menge Zierpolster, damit wir was zum Anlehnen hatten. Schließlich setzte er sich und klopfte auf den Platz neben sich.

Ich hatte echt den besten Freund der ganzen Welt. Denn wer sonst hätte alles liegen und stehen gelassen, um das hier für mich zu tun?

Noah nicht. Noah kümmerte es nicht. Noah konnte jetzt zu *ihr* zurück.

Ich fragte mich, ob er über das Ende unserer Beziehung geweint hatte. Der Teil von mir, der immer noch sauer auf ihn war, bezweifelte es. Noah war nicht der Typ, der weinte. Er schlug stattdessen auf irgendwelche Sachen ein. Hatte er sich diese Mühe gemacht? Oder war er erleichtert, weil es ihm jetzt freistand, mit *ihr* zusammen zu sein und er mir nicht mehr erklären musste, dass es jemand anderen gab, mit dem er lieber zusammen war?

Ich sah Lee an. Er bedrängte mich immer noch nicht mit Fragen darüber, was passiert war oder warum sein großer Bruder und ich Schluss gemacht hatten. Er benahm sich überhaupt nicht so, als wäre es zwischen uns jetzt komisch. Oder er zeigte es nicht. Er war in seiner Funktion als mein bester Freund hier. Und jetzt lächelte er mich an und legte einen Arm um mich. Das war genau der Trost, den ich brauchte.

»Na komm. Lass uns die Trennungstherapie beginnen.«

14

Irgendwann, nachdem ich mich mit Eis, Marshmallows, Kaffee und Popcorn vollgestopft und so
viel geweint hatte, dass meine Augen praktisch
zugeschwollen waren, kuschelte ich mich an Lee, als
wäre er mein liebster Riesenteddy und ich sechs Jahre
alt. Der *Bridget-Jones*-Film war nebenbei gelaufen,
während ich Lee alles erzählt hatte und schließlich
nicht mehr ganz so außer mir war.

Seit unserem dreizehnten Lebensjahr hatten wir
nicht mehr in einem Bett geschlafen. Nachdem ich
meine erste Periode gehabt hatte, war uns das plötzlich wie etwas vorgekommen, das nur kleine Kinder taten, nur waren wir das ja nicht mehr. Aber Lee
schien es nichts auszumachen, als ich an ihn gelehnt
unter unserem Deckenberg einschlief.

Ungefähr eine halbe Stunde nachdem Lee und
ich uns in meinem Zimmer eingerichtet hatten, hatten wir meinen Dad und Brad nach Hause kommen
gehört. Ich hatte Lee runtergeschickt, um mit ihnen
zu reden. Seine Stimme war durch die offene Tür

bis zu mir hinaufgedrungen, als er mit meinem Dad sprach.

»Elle hat einen harten Tag hinter sich, deshalb schauen wir jetzt Filme und stopfen uns mit Eis voll«, hatte er gesagt, ohne weitere Erklärung.

»Klingt eher nach Pyjamaparty.« Dad hatte gelacht, aber mehr war dazu nicht gesagt worden. Lee war wieder zu mir nach oben gekommen und hatte die Tür hinter sich zugemacht.

Ich wurde geweckt, weil meine Tür aufgerissen wurde und mein Bruder fragte: »Hey, Elle, hast du – O MEIN GOTT!«

Die Tür schlug so fest zu, dass die Bilderrahmen auf meinem Schreibtisch klirrten. Dazu kam noch das Geräusch von Brad, der die Treppe hinuntertrampelte. Da waren wir beide wach.

»Dad!«, schrie er. »Da ist ein Junge in Elles Zimmer! Dafür kriegt sie jetzt aber Hausarrest!«

Lee stöhnte, löste sich von mir, streckte sich und ließ seine Knochen knacken. »Aah, mir tut alles weh. Ich hätte dir doch ein paar Decken klauen und mich auf dein Bett legen sollen, anstatt auf dem Boden zu schlafen.«

»Sorry.« Ich gähnte und rieb mir die Augen.

Schon hörte ich wieder Schritte auf der Treppe – diesmal klangen sie ganz nach meinem Dad. Er blieb vor meiner Tür stehen, dann wurde behutsam geklopft.

»Du kannst reinkommen«, rief ich und versuchte, meine steifen Glieder zu strecken. »Es ist nur Lee.«

Die Tür ging auf und mein Dad schaffte es nur schlecht, sein Staunen zu verbergen. »Oh. Ich dachte, du wärst gestern Abend noch nach Hause gegangen, Lee.«

Er sagte das mit einem gewissen Unterton und so, wie er uns ansah, war sein Misstrauen offensichtlich.

»Ich dachte, Brad meinte, du hättest Noah hier bei dir«, fügte er hinzu.

»Na, das wäre ja ein Ding«, sagte Lee ironisch und gleichgültig. Er sprang auf die Füße. »Wenn man bedenkt, dass die beiden gestern Schluss gemacht haben. Sorry, hab ich das gestern Abend nicht erwähnt? Ich wollte hier auch nicht einschlafen, aber Elle kam mir vor, als brauche sie einen Freund.«

»Ihr habt euch getrennt?«

Ich sah verschiedene Emotionen im Gesicht meines Vaters. Schock zuerst, dann Verwirrung und schließlich Mitgefühl.

»Was ist denn passiert?«, fragte er.

»Ich will wirklich nicht drüber reden«, stöhnte ich und vergrub kurz den Kopf in meinen Händen.

»Verrat mir wenigstens ein paar Einzelheiten. Ich bin doch dein Dad. Ich muss das wissen. Warum hat er mit dir Schluss gemacht? War es die Entfernung – wollte er dir das nicht zumuten, hat er das gesagt? Hat er jemand anderen kennengelernt oder –«

»*Ich* hab mit *ihm* Schluss gemacht, Dad.« Es kränkte mich ein bisschen, dass er dachte, Noah müsste sich von mir getrennt haben, aber mir war jetzt gerade nicht danach, ihn darauf hinzuweisen. »Es hat einfach … nicht funktioniert.«

»Oh. Na ja.« Dad räusperte sich. »Kommst du damit klar, Kumpel?«

Ich zuckte mit den Achseln.

»Möchtest du vielleicht Pancakes zum Frühstück?«

Ich schaffte es, mit einem kleinen Lächeln zu antworten.

Lee würde zum Frühstück bleiben. Während wir auf die ersten Pancakes warteten, machte er sein Handy wieder an. Ich erinnerte mich vage, dass es gestern Abend geklingelt hatte und er aufs Display geschaut und es seufzend ausgemacht hatte.

Als es jetzt anging, sah ich, wie er zusammenzuckte. Ein schlechtes Gewissen machte sich in mir breit, weil ich mich erinnerte, wie gekränkt und wütend Rachel geklungen hatte, als er gestern von ihr weggefahren war. Ich hatte angefangen, darüber zu reden, aber er hatte rasch abgewehrt und ich wollte ihn nicht bedrängen. Ich wusste, wie hin und her gerissen er sich fühlen musste. Ich fand es schrecklich, war aber ehrlich gesagt froh, dass er sich gestern Abend für mich entschieden hatte, als ich ihn gebraucht hatte.

»Wie groß ist der angerichtete Schaden?«

»Drei – nein, vier – verpasste Anrufe von ihr. Und ein paar Textnachrichten.«

»Was hat sie geschrieben?«

Er tippte aufs Display. »›Bitte ruf mich zurück, wenn du ein paar Minuten hast. Hoffe, Elle ist okay‹ und …«

Ich sah sein entsetztes Gesicht. »›Ich glaube, wir müssen reden. Bitte ruf mich morgen an.‹«

Autsch.

»Sie hat nicht mal einen Kuss oder irgendwas geschickt. Oder Gutenacht gesagt. Dabei sagen wir uns immer Gutenacht.«

»Tut mir leid.«

»Ist ja nicht deine Schuld.«

Doch, weil ich ihn ja nicht hätte anrufen müssen. Ich hätte genauso gut Dixons, Cams oder Levis Nummer wählen können. Und das wussten wir beide. Aber Lee lächelte mich an und machte mir nicht den geringsten Vorwurf. Er verstand mich, und dafür war ich ihm so verdammt dankbar.

»Was willst du tun?«, fragte ich. »Möchtest du, dass ich für dich mit ihr rede?«

»Nimm's mir nicht übel, Elle, aber ich glaube wirklich nicht, dass das jetzt helfen kann. Ich schätze, ich werde ihr ein paar Blumen kaufen, zu ihr fahren und sie um Verzeihung bitten. Wird das nicht von mir erwartet?«

»Du kannst nicht deine ganze Lebenshilfe aus den Frauenfilmen und romantischen Komödien beziehen, die ich dich zwinge, mit mir anzusehen.«

»Bis jetzt haben die mir aber gute Dienste geleistet.«

Ich lachte zum ersten Mal seit dem Krach. Als ich daran dachte, erschauerte ich und zog rasch in meiner Erinnerung die Rollos vor dem gestrigen Nachmittag zu. Ich wollte jetzt nicht an unsere Auseinandersetzung denken, nicht an Noah und daran, wie sehr ich ihn vermissen würde. Nicht an dieses Telefonat …

Ich ballte die Hände zu Fäusten.

Hör auf, daran zu denken! Hör auf, daran zu denken, wie er mit ihr geredet und Dinge vor dir verheimlicht hat. Hör auf an das Foto zu denken und daran, wie nah sie sich zu sein schienen … Hör auf, dir auszumalen, wie sie sich küssen.

Ich biss die Zähne zusammen und kniff die Augen zu, als könnte ich auf diese Weise auch das Bild vor meinem inneren Auge blocken. Aber es ging nicht weg. Noah und Amanda. Amanda und Noah. Sich küssend.

Nichts anderes konnte das Telefonat erklären – er verheimlichte mir etwas. Etwas, worüber Amanda genug wusste, um ihn anrufen, *während er mit mir zusammen war*, um ihn zu fragen, ob es mir schon erzählt hätte. Da musste noch mehr sein – vielleicht hatten sie sich geküsst, vielleicht auf dieser Party … Ich wollte nicht mal an die Möglichkeit denken, dass es mehr war als nur eine Affäre, sondern irgendwas Ernstes zwischen den beiden. Das tat einfach zu weh.

Ich öffnete die Augen und sah, dass Lee mich musterte.

»Bist du okay?«

Ich schüttelte den Kopf.

»Möchtest du drüber reden?«

Ein Teil von mir wollte das, aber eigentlich fand ich die Vorstellung unerträglich. Ich hatte Lee ja gestern Abend schon alles erzählt – bis zu jedem Wort, das ich mir von dem mitgehörten Telefonat gemerkt hatte. Er hatte dazu nicht viel gesagt. Aber ich kannte Lee gut genug, um zu wissen, dass er sich nicht dazu äußern wollte, weil er den gleichen Verdacht hatte wie ich. Vielleicht wusste er ein bisschen mehr darüber, als er sich anmerken ließ, wollte mir jedoch nicht wehtun.

Wenn ich jetzt mit ihm darüber sprach, fürchtete ich, etwas zu erfahren, was ich nicht hören wollte.

Dann rief mein Dad: »Alles klar, Pancakes sind fertig!« Damit war ich gerettet.

Lee ging nach dem Frühstück nach Hause. Er wollte sich umziehen, bevor er Rachel besuchte. (»Wahrscheinlich kreuze ich besser nicht in den Klamotten von gestern Abend bei ihr auf, oder?«) Es überraschte mich, dass er mich schon ein paar Minuten nach seinem Aufbruch anrief.

»Er ist weg.«

»Wie meinst du das?«

»Ich meine, dass er nicht hier ist. In der Küche liegt ein Zettel, auf dem steht, er hätte am College zu tun und deshalb einen früheren Rückflug genommen. Soll ich jetzt meinen Eltern die Neuigkeit erzählen?«

Ich biss mir auf die Lippe. Hatte Noah es ihnen vielleicht schon gesagt? War er frühzeitig aufgebrochen, weil er nicht riskieren wollte, mir erneut zu begegnen? Oder war er schnell zurückgeflogen, um *ihr* die gute Neuigkeit mitzuteilen, dass er jetzt frei, Single und verfügbar war?

Also sagte ich: »Klar. Sicher. Irgendwer muss es ja machen, schätze ich.«

»Soll ich es auch den Jungs sagen?«

Ich überlegte. Dann kam ich zu dem Schluss, dass ich Levi selbst davon erzählen wollte. Er sollte es nicht über eine Gruppennachricht von Lee oder jemand anderem erfahren. »Nein, ist okay. Das schaffe ich selbst.«

»Hast du deinem Dad alles noch genauer erzählt?«

»Nein, er mochte Noah sowieso nicht besonders, weil er halt mit mir zusammen war«, sagte ich. Als ob mein Vater irgendeinen weiteren Grund bräuchte, um meinen Freund nicht zu mögen, einfach weil der Kerl mit seiner einzigen Tochter zusammen war. Da spielte es auch keine Rolle, dass er Noah seit fast achtzehn Jahren kannte. Solange wir zusammen waren, hatte er seine Vorbehalte. »Er braucht nicht noch mehr Gründe. Das würde Thanksgiving nur noch peinlicher machen, als es sowieso schon sein wird. Lass mich dann wissen, wie es mit Rachel gelaufen ist, ja? Und sag ihr, dass es mir leidtut.«

Seit gestern dachte ich schon über die Auswirkungen nach – wie unangenehm alles sein würde, wenn ich jetzt zu Lee nach Hause käme und Noah wäre da und so weiter ... die größte Sache war aber Thanksgiving. Lee war gestern Abend sogar so taktvoll gewesen, mich extra darauf hinzuweisen: »Thanksgiving wird dieses Jahr so abartig werden.«

Wir feierten Thanksgiving jedes Jahr mit den Flynns. Meine Eltern hatten nicht viele Geschwister, daher hatte ich nur ein paar Cousinen und Cousins, alle am anderen Ende des Landes. Wir sahen einander nur, wenn eine meiner Großtanten alle paar Jahre im Sommer ein Familientreffen veranstaltete. Lee war für mich mehr Familie als jeder einzelne von ihnen, deshalb lag es ja auch so nahe, Thanksgiving mit den Flynns zu feiern.

Und jetzt, nach dieser Trennung, freute ich mich so gar kein bisschen darauf, mit meinem Ex am selben Tisch zu sitzen.

Ich verdrängte den Gedanken erst mal und beschloss, mich heute stattdessen auf den Aufsatz für meine College-Bewerbung zu konzentrieren. Ich musste sowieso daran arbeiten, und außerdem brauchte ich irgendeine Möglichkeit, diese ganze Energie loszuwerden, ohne zu schreien. So setzte ich mich, nachdem Lee aufgelegt hatte, an meinen Computer, öffnete das entsprechende Worddokument und las mir die dreihundertachtundvierzig Wörter noch mal durch, die ich Anfang der Woche bereits zusammengeschustert hatte. Ich musste mich auf irgendwas konzentrieren, das nicht meine Trennung, Noah oder der Zustand von Lees Beziehung war, für den ich eindeutig die Verantwortung trug. Da konnte ich genauso gut das hier erledigen.

Eine Sache erledigte ich allerdings, noch bevor ich mit der Arbeit anfing. Ich öffnete meinen Browser, klickte auf Facebook und änderte mein Profilbild. Anstelle von einem, das Noah und mich diesen Sommer am Strand zeigte, wählte ich eins von Lee und mir auf unserer letzten Geburtstagsparty aus. Dann änderte ich noch meinen Beziehungsstatus zu »Single«.

15

Wenn ich geglaubt hatte, das Foto vor ein paar Wochen hätte die Leute zum Reden gebracht, dann war das nichts im Vergleich zu dem Tratsch, der jetzt losbrach. Lee berührte mich mit seiner Schulter, damit ich wusste, er war da, während ich mit eingezogenem Kopf zu den Jungs rüberlief, die sich um Warrens Auto versammelt hatten. Levi lächelte mich aufmunternd an. Die anderen sahen sich an, als wüssten sie nicht, ob sie mich ausfragen oder in Ruhe lassen und sich die Einzelheiten später von Lee erzählen lassen sollten.

Levi wusste natürlich schon alles.

Nachdem ich gestern eine Stunde lang an meiner College-Bewerbung gearbeitet hatte, reichte es mir und ich rief ihn an.

»Lass mich raten«, sagte er. »Du musst babysitten und wünschst dir Gesellschaft.«

»Ich hab mit Noah Schluss gemacht.«

Er schwieg erst eine Weile und meinte dann: »Wie geht's dir damit?«

»Willst du nicht all die schmutzigen Details wissen?«, fragte ich zurück und dachte an die verschiedenen SMS und Facebook-Nachrichten, die ich von einigen Mädchen aus der Schule erhalten hatte. Sie gierten nach Klatsch und fragten, was passiert wäre, weil sie mein geändertes Profilbild gesehen hätten. Was das zu bedeuten habe.

»Du kannst sie mir erzählen, wenn du willst«, sagte Levi, »aber du musst nicht.«

Das war eine seltsam tröstliche Reaktion.

»Ich … mir geht's nicht gut. Aber das wird schon wieder. Denke ich.«

»Das wird es«, sagte er zuversichtlich. »Ich war nach der Trennung von Julie wochenlang ein Wrack, und schau mich jetzt an.«

»O Gott«, erwiderte ich todernst. »Ich bin verloren.«

Levi lachte und war überhaupt nicht beleidigt, sondern stellte fröhlich fest: »Siehst du? Du machst sogar schon Witze.«

»Ich glaube, er hat jemand anderen«, erzählte ich Levi mit einer Stimme, die kaum mehr als ein Flüstern war. Als würde es wahrer, je lauter ich es aussprach. Ich berichtete von dem Telefonat und dass er etwas vor mir verheimlichte. Dass wir wegen Amanda gestritten hatten und wie er sie verteidigt hatte.

»Er hat sie verteidigt?«, fragte Levi ungläubig nach.

»Ich hab gesagt, sie wäre eine Schlampe, und er meinte, sie wäre keine«, echauffierte ich mich. Gleichzeitig wurde mir klar, wie belanglos das jetzt klang.

Froh, dass Levi mir nicht sagte, wie albern ich mich anhörte, erzählte ich weiter, bis –

»Moment mal, *du* hast mit *ihm* Schluss gemacht?«

»Warum finden alle das so schockierend?«, seufzte ich genervt. Spielte Noah tatsächlich in einer Liga so weit über mir, dass das eine derart frappierende Vorstellung war? *Wenn das Leute am Montag in der Schule zu mir sagen*, dachte ich, *dann schreie ich.*

Mit Levi darüber zu sprechen half – war aber auch emotional so anstrengend, dass ich beschloss, in der Schule eine etwas andere Version auszugeben. Eine, die hoffentlich deutlich weniger Fragen und weniger Gerüchte nach sich ziehen würde.

»Diese ganze Sache mit der Fernbeziehung hat für uns einfach nicht funktioniert«, sagte ich gelassen auf dem Parkplatz zu den Jungs, als wir am Montagmorgen zur ersten Stunde aufbrachen und Cam das Thema vorsichtig anschnitt, indem er mich fragte, was passiert sei.

Das machte dann ziemlich schnell die Runde.

Trotzdem kursierten jede Menge Gerüchte, genau wie damals bei der Sache mit dem Foto.

»Hast du schon gehört? Er hat sie mit *Levi* erwischt. Genau, der aus dem Englischkurs. Ich weiß! Sie ist so eine Schlampe, oder? Hat sie total verdient, dafür, dass sie ihn betrogen und mit jemand anders rumgemacht hat.«

»Sie hat rausgekriegt, dass er dieses blonde Ding von dem Foto genagelt hat. – Du erinnerst dich noch an das Foto, oder? – Hinter ihrem Rücken. Er ist so ein Arschloch. Wie konnte er ihr das bloß antun? Ich wette, das hat ihr das Herz gebrochen.«

»Ich hab dir doch gesagt, dass das nicht funktionieren wird. Solche Sachen funktionieren nie, nicht auf die Entfernung. Hey, denkst du, ich sollte ihr mal meine Nummer geben? Jetzt, wo sie doch wieder Single ist.«

»Tja, also mein Cousin war letztes Jahr mit Noah im Footballteam, und *er* hat gesagt, das Ding war bereits vor die Wand gefahren, als Noah aufs College ging. Ich meine, er kann was so viel Besseres kriegen als Elle Evans.«

Ich biss die Zähne zusammen, während die Gerüchte nur so um mich herumschwirrten.

Ich kam mir wie zehn Zentimeter groß und total verletzlich vor. Es fühlte sich an, als würden sie mein Privatleben einfach zum Spaß auseinandernehmen, und ich hasste es. Noch nie zuvor war derart gehässig über mich getratscht worden.

Der Tag zog sich endlos in die Länge. Vor allem als Lee ein bisschen auf Distanz zu mir ging, nachdem ich darauf bestanden hatte. Rachel zeigte sich mitfühlend, aber als sie mich umarmte, merkte ich, dass sie mir immer noch verübelte, dass Lee sie am Samstag sitzengelassen hatte. Ich fühlte mich schon schlecht genug, ohne dass ich ihre Beziehung auch noch komplett ruiniert hatte. So gut ich konnte, hielt ich mich an Levi, obwohl das die Gerüchte nur anzuheizen schien.

Es war total anstrengend.

Als ich jetzt in mein Bett gekuschelt dalag, machte mir das leuchtende Display meines Handys Kopfschmerzen. Ich rieb mir die Augen und gähnte. Mitternacht war schon vorbei, aber trotz allem war ich immer noch wach.

Vor über einer Stunde hatte ich mir mein Handy gegriffen und war meine Nachrichten durchgegangen. Um wie jeden Abend die von Noah zu lesen. Wir hatten nie länger als ein paar Stunden nicht miteinander kommuniziert. Und uns immer Gutenacht geschrieben – selbst in verschiedenen Zeitzonen.

Jetzt hatten wir seit zwei Tagen nichts voneinander gehört.

Meine Augen füllten sich mit Tränen und ich presste die Handballen dagegen, um nicht wieder loszuheulen.

Das war meine Entscheidung. Es war meine Wahl, erinnerte ich mich. Ich meine, ich war diejenige gewesen, die sich verletzt gefühlt hatte. Diejenige, die nicht damit klarkam, dass er mir Dinge verheimlichte. Ich war diejenige, die entschieden hatte, dass wir uns trennen sollten. Letztlich war es besser so. Das musste es doch sein.

Irgendwann, gegen drei, schlief ich ein.

»Du siehst scheiße aus«, sagte Levi ein paar Tage später zu mir, als wir das Klassenzimmer verließen. Ich hatte die ganze Zeit den Text für Englische Literatur gelesen und dabei versucht, ihn und Lee zu ignorieren, damit sie mich nicht fragten, wie es mir nach der

Trennung ging, oder mir erklärten, ich sähe scheiße aus. (Rachel war mir gegenüber immer noch ein bisschen kühl, und Lisa hatte sich für eine Seite entschieden – eindeutig nicht für meine.)

Ich funkelte ihn an. »Fang. Bloß. Nicht. Davon. An.«

»Sorry. Äh … du siehst …« Er biss sich auf die Lippe und schien nach einem anderen Wort zu suchen. Etwas, das weniger drastisch klang. Und etwas weniger zutraf.

Ich wusste, wie ich aussah. Ich hatte riesige Ringe unter den Augen von einer wieder mal durchwachten Nacht, dazu ein paar ziemlich fiese Pickel (wahrscheinlich von dem ganzen Stress und der Aufregung), mein Haar konnte mir heute gar nichts recht machen (obwohl ich es zu einem Pferdeschwanz frisiert hatte, standen krisselige Strähnen rund um mein Gesicht ab), und ich war mir sicher, dass die Sorgenfalten in meinem Gesicht permanent waren.

»Äh …«

»Du kannst aufhören zu versuchen, mich nicht zu beleidigen«, erklärte ich Levi. »Ich weiß selbst, dass ich scheiße aussehe. Du musst mich nicht auch noch dran erinnern.«

Jetzt machte er ein gekränktes Gesicht. »Tut mir leid.«

Ich seufzte. »Egal. Aber hör zu, ich bin heute für gar nichts in Stimmung, okay?«

»Hat das mit Noah zu tun?«

»Irgendwie schon.«

»Nur irgendwie? Was ist denn los?«

»Kannst du mich vielleicht einfach in Ruhe lassen?«, fauchte ich ihn so laut an, dass sich ein paar Köpfe in unsere Richtung drehten. Einige Leute fingen an zu tuscheln. *Na toll, ich hätte wetten mögen, dass das die Gerüchteküche wieder anheizte ...* Meine Güte, warum musste an der Highschool eigentlich alles so stressig sein?

Von wegen die beste Zeit unseres Lebens.

Es war die Hölle.

Ich versuchte, meine Umgebung links liegen zu lassen, aber es fiel mir schwer, die abschätzigen Blicke und geflüsterten Bemerkungen zu ignorieren. Das zog mich wirklich runter. Konnten sich alle nicht verdammt noch mal endlich um ihre eigenen Angelegenheiten kümmern? Warum mussten die dauernd über meine reden?

Ich konnte mit Levi keinen Flur entlanggehen, ohne dass die Leute uns ansahen, als würden sie darauf warten, dass wir gleich an Ort und Stelle wild knutschend übereinander herfielen.

Das machte mich dermaßen wütend.

Und während alle immer mehr übers College sprachen und zweite, dritte und vierte Meinungen zu ihren Bewerbungsaufsätzen einholten, schien ich immer weiter zurückzufallen. Lee hatte mir gegenüber die Brown noch ein paarmal erwähnt. Ich wusste, dass ich viel härter arbeiten musste, wenn ich dorthin wollte. Doch nach den Ereignissen vom letzten Wochenende hatte ich das Gefühl, Rachel würde keinem von uns je verzeihen, wenn ich plötzlich neben den beiden als Paar ebenfalls an der Brown aufkreuzen würde. Wahrscheinlich würde sie es schon übel aufnehmen, wenn sie erführe, dass ich mich dort bewarb – und damit wäre ich ja noch weit davon entfernt, überhaupt genommen zu werden.

Mit Lee konnte ich darüber nicht reden. Er verbrachte seine gesamte Zeit mit dem Footballteam, während Rachel mit Theaterproben beschäftigt war. Außerdem waren die beiden immer noch mitten im Versöhnungsprozess. Wenn ich ihn noch mal aufs College ansprächе, wäre das nur eine weitere Belastung ihrer Beziehung – und schon wieder wegen mir.

Ich wusste, wie viel Rachel Lee bedeutete.

Da wollte ich ihm keine Last sein.

Wobei mir gerade jetzt nach Schreien zumute war. Oder nach Heulen. Vielleicht nach beidem.

»Elle? Bist du okay?«

»Mir geht's gut«, schnauzte ich ihn an. »Mein Gott, Levi, warum suchst du dir nicht jemand anderen, dem du zur Abwechslung mal wie ein ausgesetzter Welpe nachlaufen kannst?«

Ich bereute den Satz, kaum dass ich ihn ausgesprochen hatte.

Es war wie ein Flashback der Party bei Jon Fletcher vor ein paar Wochen, als Lee mehr oder weniger das Gleiche zu mir gesagt und mich damit total verletzt hatte.

Ich meinte es nicht so. Ich musste nur irgendwie Dampf ablassen und Levi war eben gerade … gerade da.

Wir waren beide stehengeblieben und ich sah eine Sekunde lang die Kränkung in seinem Gesicht, bevor ich auf dem Absatz kehrt machte und davonstürmte, bevor ich mich noch schlechter fühlen konnte als sowieso schon.

Langsam konnte ich verstehen, warum Noah manchmal das Bedürfnis verspürt hatte, auf Wände, Türen oder Spinde einzuschlagen.

In unserem nächsten Kurs tat ich so, als würde ich nicht mal merken, dass Levi sich ans andere Ende des Klassenzimmers gesetzt hatte, anstatt seinen üblichen Platz neben mir einzunehmen. Als es klingelte, verließ er den Raum als Erster und wartete nicht auf mich.

Erst Noah, dann Lee und jetzt Levi.

Würde ich in meinem Leben jeden Jungen, an dem mir etwas lag, vergraulen?

Als es endlich Zeit für die Mittagspause war, holte ich mir ein Sandwich und schaute zu unserem üblichen Tisch hinüber.

Da saß Lee, der den Arm um Rachel gelegt hatte. Sie lachte über irgendetwas, das Dixon gesagt hatte, während Lee sich über ihren Kopf hinweg mit Cam und Levi unterhielt. Zwei von Rachels Freundinnen saßen auch noch mit am Tisch. Warren und Oliver gesellten sich dazu und alle unterbrachen ihre Gespräche, um sie zu begrüßen. Während ich weiter hinsah, kam auch noch Lisa mit ihrem Lunchpaket und setzte sich.

Einen Moment lang stand ich da und überlegte, ob

sie wohl auf mich warteten. Vielleicht war ihnen gar nicht aufgefallen, dass ich nicht bei ihnen saß.

Ich ging zur Kasse, um mein Sandwich zu bezahlen, und ließ dann den Blick über den Rest der Mensa schweifen. Da waren so viele Leute, zu denen ich mich eigentlich gern gesetzt und mit denen ich geredet hätte, aber ich hatte das Gefühl, keinem von ihnen so zu vertrauen wie Lee oder Cam oder Dixon – oder Levi.

Ein paar wenige sahen in meine Richtung und setzten dann die Gespräche mit ihren Freunden fort.

Wahrscheinlich redeten sie nicht über mich, aber – aber was, wenn doch? Sie hatten schließlich schon die ganze Woche über mich geredet, warum sollten sie jetzt damit aufhören? Warum sollten sie es auch nicht tun, wenn ich einfach so dastand, mein Tunfisch-Sandwich umklammerte und wie ein Freshman am ersten Schultag einsam und verloren dastand.

Ich schaute noch mal zu meinen Freunden an unserem Tisch, versuchte, mit Hilfe von purer Willenskraft einen davon zu bewegen, herzusehen, mir zu winken, ich solle mich ein bisschen beeilen und zu ihnen setzen.

Aber das tat keiner.

Meine Vernunft sagte mir, dass sie mich einfach noch nicht bemerkt hatten. Genauso wie ich wusste, dass die Leute wahrscheinlich nicht über mich redeten. In Wirklichkeit badete ich gerade einfach in einem Riesenbottich Selbstmitleid. Aber wenn man das Gefühl hat, zu ertrinken, ist es schwer, vernünftig zu denken.

Ich atmete ein paarmal flach, warf dann mein Sandwich in den nächsten Mülleimer und verließ die Cafeteria.

Lee lächelte mich aufmunternd an, als ich zu der Stelle kam, an der er sein Auto heute Morgen geparkt hatte. »Hey.«

»Hi.« Ich stieg ein, knallte die Tür zu und wartete, dass er auch einstieg.

Das tat er eine gefühlte Ewigkeit später und sah mich stirnrunzelnd an. »Was ist eigentlich heute mit dir los? Du bist nicht zum Mittagessen gekommen, hast in keinem Kurs mit mir geredet, und Levi meint, du hättest ihn angebrüllt –«

»Lee, können wir vielleicht einfach nach Hause fahren? Bitte?«

Es muss entweder mein Ton oder mein Gesichtsausdruck gewesen sein, der ihn dazu brachte, es so rasch aufzugeben, denn er schüttelte nur den Kopf, seufzte tief und warf den Motor an.

Die Heimfahrt verlief schweigend.

Ich war nicht in der Stimmung zu reden. Ich war zu gar nichts in Stimmung.

Ich war übermüdet – nachts lag ich wach und spulte mein letztes Gespräch mit Noah immer wieder in meinem Kopf ab. Ich dachte an die vielen Momente, in denen ich geahnt hatte, dass er etwas vor mir verheimlichte, und ich hätte wissen müssen, dass irgendwas im Busch war. Das machte es mir unmöglich, mich zu konzentrieren. Dadurch war ich noch gestresster wegen der Schule, auf die ich mich an sich hätte konzentrieren müssen. Verzweifelt sehnte ich mich nach einer Umarmung, aber ich war gleichzeitig so wütend über alles und auf jeden, dass ich niemand auch nur die Chance geben wollte, mich zu fragen, was los sei.

Lee wusste, dass irgendwas nicht stimmte. Schließlich war er mein bester Freund.

Er hielt ein paar Blocks von meinem und seinem Zuhause entfernt an. »Okay. Was zum Teufel ist mit dir los? Ich weiß, die Trennung war hart für dich, aber seien wir mal realistisch: Du warst diejenige, die mit Noah Schluss gemacht hat. Und ich dachte, wir wären uns darin einig, dass es auch das Beste wäre, nachdem er Geheimnisse vor dir hatte und vielleicht auch irgendwas mit dieser Amanda am Laufen. Und ja, ich weiß, du hast ihn geliebt, aber das kannst du doch jetzt nicht an uns auslassen.«

»Es ist nicht wegen Noah, okay? Meine Güte.«

»Warum benimmst du dich dann so?«

Ich schnaufte und biss mir von innen auf die Wangen. »Ich … ich bin einfach durcheinander und total gestresst.«

»Dann rede mit mir! Du musst mir so was sagen! Ich weiß, dass du gesagt hast, ich soll diese Woche Quality Time mit Rachel verbringen, aber –«

»Lee …«

»Wenn du mir nicht sagst, was los ist, kann ich dir nicht helfen. Und ich will dir aber helfen.«

»Und ich will dir und Rachel nicht noch mehr Probleme machen. Du musst nicht rund um die Uhr auf mich aufpassen. Ich hab nur einfach keine besonders tolle Woche, kapiert? Alle tratschen, reden übers College und … Das macht mir einfach zu schaffen. Es wird mir gerade alles zu viel.«

»Dann sag mir doch, was ich tun kann.«

»Ich weiß es nicht! Ich … ich will einfach …«

»Was willst du? Willst du für eine Weile in Ruhe gelassen werden? Soll ich Rachel fragen, ob sie dir Nachhilfe geben will, wenn du Probleme mit deinen Noten hast?« Seine Stimme klang jetzt sanfter und sein Mund war zu einem mitfühlenden Lächeln verzogen.

Ich raufte mir die Haare, weil ich einfach nicht wusste, was ich wollte oder brauchte. Genau darin bestand ja mein Problem.

»Alles ist im Moment schräg für mich. Das musst du verstehen. Du sollst ganz normal zu mir sein und ich will, dass alle aufhören, mich zu fragen, wie ich mich fühle. Denn ganz ehrlich, nicht gerade fantastisch und …« Ich verstummte, weil mir die Luft ausging. In meinem Hals spürte ich einen Kloß, und ich hasste mich dafür, wie emotional und aufgebracht ich reagiert hatte. Ich wollte doch einfach nur, dass alles wieder okay war, so wie noch vor ein paar Wochen. Ich hörte Lee seufzen und genervt aufs Armaturenbrett trommeln.

Dann sagte Lee: »Lust vorbeizukommen, Videospiele zu spielen und was Chinesisches zu essen zu bestellen? Wir könnten auch die Jungs dazu einladen. Ich bin eigentlich mit ein paar Typen aus der Footballmannschaft verabredet, aber das kann ich absagen. Wir nehmen uns einfach mal einen Abend frei. Denken beide nicht an Hausaufgaben und Aufsätze und College und Noten und Lernen. Ja? Wie klingt das?«

Es klang perfekt. Ich empfand meinem besten Freund gegenüber riesige Dankbarkeit. Wie konnte er nur so genau wissen, was mir fehlte? Noch bevor ich es selbst wusste.

»Und was ist mit Rachel?«

Er zuckte mit den Achseln. »Sie meinte, sie würde heute Abend sowieso mit ein paar von den Mädchen ins Kino gehen. Insofern ist es eine Win-Win-Situation.«

Ich gab mir Mühe, nicht gekränkt zu sein, weil sie mich nicht gefragt hatten. In den letzten Monaten hatten die anderen Mädchen mich ein bisschen mehr einbezogen, aber das war jetzt wieder anders. Wahrscheinlich würde ich mich auch hassen, wenn ich Rachel wäre, also konnte ich ihr schlecht vorwerfen, dass sie nach wie vor nicht so gut auf mich zu sprechen war.

»Und du versprichst, normal zu sein und mich nicht dauernd mit der Frage zu nerven, ob ich okay bin?«

Er hob eine Hand. »Pfadfinder-Ehrenwort.«

Ein Abend mit den Jungs war eine schöne Abwechslung. Wir hatten das schon eine Weile nicht mehr gemacht. Im Sommer, wenn wir Zeit miteinander verbracht hatten, waren meist Freundinnen oder Freunde dabei gewesen. Das war auch nett, aber trotzdem gefiel es mir, dass es jetzt wieder so war wie im letzten Jahr, wenn auch nur für einen Abend.

In der Küche packten wir das ganze Essen aus und dann nahmen sich alle ihre Teller mit ins Wohnzimmer, bis nur noch Levi und ich in der Küche waren.

»Hey«, sagte er leise.

Ich war froh, dass er zuerst das Wort ergriff. Das nahm mir eine Last von den Schultern, die ich bis dahin noch gar nicht bemerkt hatte. So konnte ich etwas leichter atmen.

Ich antwortete: »Das von heute in der Schule tut mir leid. Ich wollte dich nicht so anschreien.«

»Ist schon okay. Du hast im Moment eine Menge am Hals.«

Er lächelte mich offen und ehrlich an. Ich lächelte zurück.

Beim Essen brachte Cam das Gespräch auf den Sadie Hawkins Dance. Das fühlte sich an, als hätte er mal eben einen Kübel Eiswasser über mir ausgeschüttet. Ich hatte mich so darauf konzentriert, Noah einzuladen – der mir dann ja einen Korb gegeben hatte –, dass ich danach überhaupt nicht mehr weiter darüber nachgedacht hatte, den Ball zu besuchen.

Ich musste mir also jemand anderen einladen. Oder tatsächlich allein hingehen. Das konnte ich auch machen.

Oder gar nicht hingehen. Aber eigentlich hatte ich mich darauf gefreut. Von Noah würde ich mir nicht einen Abend mit meinen Freunden nehmen lassen – nur weil er mich versetzt und wir uns getrennt hatten.

Mein Entschluss stand fest: Ich würde hingehen und dafür sorgen, dass auf meinem Instagram-Account jede Menge Bilder zu sehen wären, die zeigten, wie viel Spaß ich gehabt hatte.

Cam beschwerte sich ausgiebig darüber, dass Lisa ihn dazu bringen wollte, sich eine Krawatte zu besorgen, die zu ihrem Kleid passte. Und sie bestand darauf, sie müsse perfekt sein und ganz exakt dazu passen. Die Farben der Dekoration würden Rot und Pink sein. Das sollte süß, flirtend und sehr romantisch wirken. Für mich würde es kein besonders romantischer Abend werden, aber ich freute mich trotzdem darüber. Das war schlicht und, was für unser Budget noch wichtiger war: preiswert.

»Apropos Sadie Hawkins«, begann Lee, »mit wem geht denn jeder von euch überhaupt?«

»Cassidy Thomas«, meinte Warren. »Sie ist mit mir in Geografie. Und sie hat mir einen Zettel in meinen Spind geworfen, auf dem stand, ob ich mit ihr hingehen will. Sie hat sich solche Mühe gegeben und echt nett geschrieben. Ich konnte nicht Nein sagen.«

»Sie ist ja auch ganz süß«, kommentierte Dixon. »Ziemlich neugierig. Und offensichtlich hat sie einen schlechten Männergeschmack.«

Warren lachte.

Olly meldete sich als Nächster zu Wort. »Kaitlin hat mich gefragt. Ich glaube, das lag allein daran, dass sie nur einen Block von mir entfernt wohnt, sodass der Heimweg kurz ist. Aber sie ist nett.«

»Ach ja, sie hat mir erzählt, dass sie dich fragen

würde«, meinte ich und erinnerte mich an die Besprechung der Schülervertretung, wo ein paar Mädchen über mögliche Dates diskutiert hatten.

»Und was ist mit dir?«, fragte Cam Dixon. »Dich hat auch schon jemand gefragt, stimmt's?«

Dixon wurde zu meiner Überraschung rot. »Äh, genaugenommen habe – habe ich jemand gefragt.«

»Aber das ist Sadie Hawkins«, sagte ich. »Da müssen die Mädchen die Jungs fragen.«

»Das ... das ist genau der Haken daran«, stammelte er und schaute auf seinen Teller mit süßsaurem Hühnchen und Nudeln. Seine Wangen waren jetzt noch röter. »Ich hab Danny gefragt. Aber schon vor ein paar Wochen.«

»Was für eine Danny? Dani Schrader?«

»Nein, Danny Brown. Aus dem Basketballteam.«

Ein paar Sekunden lang herrschte Schweigen, während wir alle diese Info verarbeiteten.

Ich konnte sehen, wie die anderen Jungs Blicke tauschten, die sagten: *Dixon geht mit einem Typen auf den Ball? Was? Moment, wie kann das denn keiner von uns mitgekriegt haben? Dachte er, er könnte mit uns darüber nicht reden?*

Ich hoffe, dass meine Miene das nicht ausdrückte, denn Dixon hob den Blick und sah mich an.

Da lächelte ich und sagte: »Die wichtigste Frage in diesem Zusammenhang lautet, Dixon, welche Farbe werden eure Krawatten haben? Bitte sag mir, dass sie zusammenpassen.«

Er lächelte erleichtert. »Rot, glaube ich.«

Cam mischte sich ein, aber in total ungläubigem Ton: »Sorry, aber *Danny Brown*?«

Dixon verzog den Mund. »Hört mal, tut mir leid, dass ich es keinem von euch erzählt habe, aber … ich meine, es … ist … einfach so, und –«

»Nein, nein«, unterbrach Cam ihn, »mir ist scheißegal, ob du bi oder schwul oder was auch immer bist, aber, Dixon, dieser Danny Brown ist keine gute Wahl. Du hast echt was Besseres verdient. Du hättest Joe Drake fragen sollen. Der steht auf Jungs *und* hat noch kein Date.« Cam schüttelte gespielt streng den Kopf und Dixon schnaubte.

»Aber jetzt ist es zu spät«, sagte Cam, immer noch kopfschüttelnd, und presste die Lippen zusammen.

»Er ist ein netter Kerl«, verteidigte Dixon sich grinsend. »Und witzig.«

»Hey«, meinte Warren und gab Cam einen leichten Schubs. »Ich weiß gar nicht, warum du dich aufregst. Gott weiß, was Lisa an dir findet – du bist keine heiße Nummer und noch nicht mal witzig. Was für Qualitäten hast du überhaupt?«

»Ich beherrsche diesen Trick, bei dem man sich ein volles Wasserglas auf den Kopf stellt, ohne einen Tropfen zu verschütten. Die Damen lieben das. Ist einfach so.«

»Stimmt«, scherzte ich und sah Warren todernst an, während ich eine Hand auf meine Brust legte. »Ich glaube, mein Herz hat bei dem bloßen Gedanken daran gerade kurz ausgesetzt.«

»Und was ist mir dir, Elle?«, sagte Dixon und sah

immer noch ganz erleichtert aus, weil keiner von uns eine große Sache daraus gemacht hatte, dass er mit einem Jungen zum Ball ging. »Und versuch jetzt nicht, das Thema zu wechseln. Der Ball ist schon in ungefähr einer Woche.«

»Äh …«

Levi fing meinen Blick auf und sagte schnell: »Leute, ich brauche ein neues Jackett. Könnt ihr mir da irgendeinen Laden empfehlen?«

Olly ignorierte ihn völlig und meinte: »Ja, komm schon, Elle. Du bist jetzt Single. Da kannst du dir einen Typen aussuchen. Wir können dir auch ein paar Vorschläge machen, wen du fragen könntest. Jetzt, wo du definitiv nicht mit No– aua!« Er brach mitten im Wort ab und sah Lee böse an, der ihm den Ellbogen in die Seite gerammt hatte.

Ich war Lee und Levi dankbar für ihre Versuche, meine Gefühle zu schonen. Trotzdem sagte ich: »Ich habe mir gedacht, ich komme einfach so mit euch mit. Alleine. Wie wär das? Solo hingehen? Daraus mache ich eine große Sache.«

Ein paar lachten. Dann meldete Olly sich wieder zu Wort: »Hey, Levi, du hast doch auch noch kein Date, oder?«

Er schüttelte den Kopf. »Äh, ehrlich gesagt, nein.«

Ich schnitt eine Grimasse in Levis Richtung und riss die Augen auf. »Was? Moment mal, ich hab mindestens fünf Mädchen gesehen, die dich gefragt haben.«

Er zuckte mit den Achseln. »Und ich dachte mir, es ist einfacher, ihnen einen Korb zu geben, als zu erklären, dass ich nicht wirklich auf der Suche nach einem Date bin, versteht ihr? Mir reicht es, einfach so mit euch mitzukommen.«

Lee fing meinen Blick auf, verzog den Mund und hob die Augenbrauen ein Stückchen, bevor er mit dem Kopf auf Levi deutete, als wolle er sagen: *Wie wär's?*

Offengestanden widerstrebte mir die Idee auch nicht.

Also stand ich auf und schlängelte mich zwischen Tellern, Gläsern und Besteck zu Levi durch, der zwischen Cam und Warren auf der Couch saß.

Vor Levi ging ich auf ein Knie, ignorierte Lees Gekicher und nahm eine seiner Hände in meine, wobei ich ein todernstes Gesicht machte. »Levi Monroe, möchtet Ihr mir die Ehre erweisen und auf dem Ball mein Date sein?«

»Ach, du meine Güte«, antwortete er mit hoher Stimme und Südstaaten-Akzent. »Ei der Daus, Ma'am, liebend gern.«

Ich zog die Augenbrauen hoch. »Demütige mich nicht. Ich versuche hier, einen niedlichen Eindruck zu machen.«

»Ich auch.«

Ich rollte mit den Augen und Levi lachte. »Klar gehe ich mit dir zu der Tanzveranstaltung, Elle.«

Ich tat, als würde ich in Ohnmacht fallen – verlor das Gleichgewicht und landete in einem Teller mit gebratenem Eierreis.

16

In den letzten Tagen hatte ich ein bisschen mit Rachel geredet, und obwohl ihre frostige Haltung mir gegenüber angetaut war, fand ich es immer noch eher unangenehm, sie anzurufen. Aber Lee war seit Stunden nicht an sein Handy gegangen, und das sah ihm überhaupt nicht ähnlich. Ich hatte ihn gefragt, ob er morgen mit mir in die Mall kommen wollte. Und danach hatte ich noch wissen wollen, ob es schon einen Plan gab, wie alle zum Sadie Hawkins Dance fahren würden. Da er überhaupt nicht antwortete, machte ich mir Sorgen.

Erst als ich schon Rachels Nummer wählte, kam mir in den Sinn, dass die beiden vielleicht … anderweitig beschäftigt waren. Deshalb wollte ich gerade schon wieder auflegen, als sie sich meldete.

»Hallo?«

»Hey, Rach, ist Lee da? Ich versprech dir, ich hab nur eine kurze Frage.«

»Nein. Ist er … nicht bei dir?«

Ich runzelte die Stirn. »Nein. Warum sollte er?«

»Weil er mir gesagt hat, dass ihr beide heute Abend was zusammen macht.«

Ich verzog das Gesicht und ein ungutes Gefühl überkam mich. »Äh, nein. Mir hat er gesagt, er hätte ein Date mit dir.«

»Also hier ist er definitiv nicht. Ist alles okay? Was gibt's denn überhaupt?«

Ich rieb mir mit einer Hand über den Nacken. »Ach, keine große Sache. Ich fand es nur seltsam, dass er mir nicht geantwortet hat. Aber bei dir ist er wirklich nicht?«

»Bestimmt ist das nur ein Missverständnis«, sagte Rachel zögernd und nüchtern. Ich konnte ihr anhören, dass sie das selbst nicht glaubte. »Vielleicht hat er irgendwo eine Reifenpanne.«

»Das bezweifle ich. So eine Ratte«, murmelte ich. Dann schaltete ich Rachel auf Lautsprecher und ging auf Snapchat, anschließend Instagram. »Verdammt, in seiner Story ist auch nichts … Ihr habt nicht dieses *Find My Friends*-Ding auf euren Handys, oder?«

»Äh, nein. Vielleicht seine Mom?«

»Nein, das Höchste, was sie auf ihrem Telefon kann, ist, mir über Facebook Artikel schicken, in denen steht, was für Essen diese Woche Krebs bei mir verursachen kann. Letzte Woche war es Popcorn.«

»Und was ist es diese Woche?«

»Tofu. Meine Prognose für nächste Woche ist Rohkost. Aber egal, wir sind vom Thema abgekommen. Du hast keine Ahnung, wo er sein könnte, oder? Hat er dir nichts gesagt?«

Ihre Vermutung mit der Reifenpanne ließ meine Gedanken rasen. Was, wenn er einen Unfall hatte? Was, wenn ihm was Schreckliches passiert war?

Aber andererseits – warum hatte er mich und Rachel belogen? Wo zum Teufel steckte er?

»Nein, er meinte nur, er wäre heute Abend bei euch. Es gäbe Abendessen mit dir, deinem Dad und deinem Bruder, danach würdet ihr Videospiele spielen und chillen.«

Ich starrte eine Sekunde lang mein Handy an. Das war eine fette Lüge. Nicht nur ein bisschen geflunkert. Mir hatte er erzählt, es wäre Date Night und er würde mit Rachel essen gehen.

Was war bloß so wichtig, dass er uns beide anlog?

»Moment, ich hab ihn«, sagte Rachel in dem Moment. »Geh mal auf Olivias Instagram Story.«

Das erste Bild zeigte fünf kleine Bierfässer und die Bildunterschrift *#getrekt*. Verstehe, *get wrecked*. Sauf dich zu. Das nächste ist ein Selfie von Olivia mit zwei Jungs aus dem Footballteam. Dann folgen einige Videos von etwas, das wie eine Party aussieht, allerdings, soweit ich das erkennen kann, nur mit der Footballmannschaft und einigen der beliebtesten Mädchen, die meisten davon Cheerleader.

»Er hat uns angelogen, um auf eine Party zu gehen«, sagte Rachel. Ihre Stimme klang kleinlaut.

»Er ist so gut wie tot. Ich hole dich ab und dann heizen wir ihm so was von ein. Gib mir zwei Minuten, um mir Schuhe anzuziehen und in mein Auto zu steigen.«

Rachel gab sich große Mühe, nicht zu weinen. Aber sie schniefte immer wieder, wischte sich über die Augenwinkel und sagte dann: »Ich kapier einfach nicht, warum er gelogen hat. Warum hat er nicht einfach gesagt, dass er was mit den Jungs aus dem Team unternimmt?«

Jede Spur von Feindseligkeit mir gegenüber war verschwunden. Hier ging es nicht darum, dass Lee versuchte, seine Freundschaft zu mir und die Beziehung zu ihr unter einen Hut zu kriegen. Heute Abend waren wir Verbündete.

Das Haus war diesmal nicht hell erleuchtet wie eine Fackel des Chaos und der Freiheiten an der Highschool. So hatte Jon das bei allen anderen seiner Partys gemacht. Aber als wir die Einfahrt hinaufgingen, konnten wir trotzdem durch ein offenes Fenster Gelächter und Musik hören.

Rachel zögerte, während ich die Hand schon auf der Klinke hatte. Die Haustür war offen.

»Ich weiß nicht, Elle, vielleicht sollten wir ... einfach morgen mit ihm reden ...«

Sie sah so verzweifelt aus, so verraten. Ich kannte dieses Gefühl nur zu gut, aber ich war viel zu wütend auf Lee. Es kam mir nicht mal in den Sinn, ihn heute Abend vom Haken zu lassen. Normalerweise war ich nicht scharf auf Auseinandersetzungen, doch das hier war eine Ausnahme. Dass Rachel die Hände rang und sich auf die Lippe biss, um nicht loszuheulen, spornte mich nur noch mehr an.

»Du kannst hier warten, wenn du willst, aber ich gehe da jetzt rein.«

Ich betrat das Haus und hörte, wie Rachel mir nach-
lief. Sie berührte meine Schulter, aber ich glaube, eher
um sich selbst als mich zu trösten.

Wir folgten dem Lärm in das riesige Wohnzimmer.
Dort lief auf dem Fernseher ein Videospiel, das wie
Fortnite aussah. Von irgendwoher kam auch Musik,
aber längst nicht so laut wie bei einer normalen Party.
Das Footballteam hatte sich auf Sofas und Sessel verteilt, hockte am Boden oder stand im Raum. Auf jeder
Abstellfläche Bierflaschen und Becher. Es waren etwa
fünf oder sechs Mädchen anwesend – ich erkannte,
dass sie aus dem Cheerleader-Team waren.

Lee fläzte in der Ecke einer Couch. Er hatte einen
Arm auf der Lehne und hielt einen Becher in der
Hand, während Peggy Bartlett auf seinem Knie saß
und ihm kichernd das Haar aus der Stirn strich.

Hinter mir gab Rachel ein Geräusch von sich. Ich
drehte mich gerade rechtzeitig um, sodass ich sie
noch hinausrennen sah.

Kurz überlegte ich, ihr nachzulaufen, aber zuerst
würde ich mir Lee vorknöpfen.

Als ich weiter in den Raum trat, schauten ein paar
Leute auf.

»Hey, Flynn, du hast ja gar nicht gesagt, dass du
eine von deinen Girlfriends eingeladen hast!«

»Sie ist nicht mein Girlfriend«, lallte er, grinste mich
aber dabei an. »*Whasup*, Shell?«

»Klar, garantiert nagelt er sie nebenher noch«, murmelte jemand, aber als ich mich wütend umschaute,
konnte ich nicht sehen, wer das gewesen war.

»Das ist deine Date Night? Deshalb kannst du nicht an dein Telefon gehen?«

»Hey, lass ihn in Ruhe, ja?«, rief Benny Hope, der mal die Zehnte wiederholt hatte, mir zu. »Geh nach Hause zu deiner Teddybärensammlung.«

»He, Alter«, sagte Lee lachend, »Mr Wiggles ist ein geschätztes Familienmitglied.«

Alle lachten. Meine Wangen glühten. Ich ballte die Hände zu Fäusten und hatte Mühe, nicht wie Rachel auch einfach rauszulaufen.

»Lee, wir gehen jetzt.«

»Aber ich hab gerade Spaß.« Mühsam richtete er seine glasigen Augen auf mich und verzog den Mund zu einem schlaffen Grinsen. »Es ist lustig, Elle. Bleib doch da.«

»Deine Freundin ist gerade weinend hier rausgelaufen. Denkst du nicht, du gehst vielleicht besser und redest mit ihr? Denkst du nicht, dass du dich vielleicht bei uns beiden entschuldigen solltest?«

»Komm schon, ich bin doch nicht derjenige, der deine Party gecrasht und dir den Abend versaut hat.«

Peggy Bartlett lachte und strich ihm wieder die Haare aus dem Gesicht. »Genau, *Elle*. Vielleicht gehst du besser, bevor du allen den Abend versaust. Soweit ich weiß, hat dich keiner hierher eingeladen. Niemand hat eine Stripperin bestellt.«

Noch mehr Gelächter. Und Lee lachte am lautesten.

Da legte sich eine Hand auf meine Schulter. Ich rechnete fast mit Rachel, aber die Hand war zu kräftig. Als ich mich umdrehte, lächelte Jon mich an. Sein

Lächeln hatte zwar nichts Mitleidiges, aber er feixte auch nicht. Ich war sogar erleichtert über sein Auftauchen und weil wenigstens irgendwer sich freute, mich zu sehen.

»Hey, Evans! Was machst du denn hier? Hat Flynn dich eingeladen?«

»Sie zieht uns alle total runter, J«, jammerte ein anderes Mädchen. Sie war aus der Elften und ich kannte sie nicht besonders gut. Sara? Sarah? Irgendwas in der Art. Sie zog einen Schmollmund und sah damit aus wie einer dieser verzerrenden Snapchat-Filter. Stand ihr nicht besonders gut. »Sag ihr, dass sie endlich verschwinden soll.«

»Möchtest du ein Bier, Elle?«, fragte er mich stattdessen. »Bleibst du ein bisschen? Dann hol ich dir ein Bier.«

»Elle verträgt nicht viel«, krähte Lee dazwischen. »Sie soll lieber nach Hause gehen.«

»Ich bleibe nicht«, erklärte ich Jon. »Ich bringe nur Lee nach Hause.«

Er warf einen Blick in Lees Richtung. Ich konnte auch in Jons Atem Bier riechen, aber er wirkte nicht so dicht wie alle anderen Jungs. »Er trinkt schon seit Stunden. Hast du ein Auto dabei? Dann helf ich dir, ihn rauszubringen.«

Ein paar Leute protestierten und beschwerten sich, dass Jon jetzt selbst die Party ruinieren würde. Er solle Flynn lassen, wo er war, weil es Flynn gut ginge. Sie hätten alle gerade so viel Spaß gehabt, bis ich aufgekreuzt sei.

Zu mir sagte Jon: »Er ist einer von den wütenden Betrunkenen.«

»Das war er früher nicht. Überhaupt hat er früher nicht so viel getrunken.«

»Da hast du genug für euch beide getrunken, was?« Er zwinkerte mir zu, ging aber zu Lee und tippte Peggy an, damit sie von seinem Knie runterging. Sie warf mir einen gehässigen Blick über die Schulter zu und rümpfte dabei die Nase, als hätte ich einen schlechten Geruch mitgebracht. Ich war mir sicher, dass sie mir am Montag in der Schule das Leben schwermachen konnte, wenn sie wollte. Trotzdem war es mir im Moment herzlich egal, ob sie angepisst war oder nicht. Jon legte einen Arm um Lee und zog ihn auf die Füße.

»Lass mich los, Fletcher. Mir geht's gut. Ich kann alleine gehen«, protestierte Lee, aber er stolperte nur irgendwie mit, während Jon ihn rausführte. Dann trug der ihn praktisch die Einfahrt hinunter.

»Wo hast du geparkt?«

»Da war nichts frei, deshalb stehe ich ein Stück die Straße runter. Aber ist schon gut. Danke. Ich glaube, er muss sowieso erst ein bisschen ausnüchtern. Ich will nicht, dass er mir das ganze Auto vollkotzt, verstehst du?«

»Klar. Also, wenn du noch irgendwas brauchst, schrei einfach, ja?«

So sehr ich Jons Hilfe schätzte und dass er nicht so fies zu mir gewesen war wie die anderen – etwas quälte mich noch. Jon war dieses Jahr Kapitän der Footballmannschaft und …

»Hast du ihn dazu gebracht?«, rief ich Jon nach, der schon wieder zum Haus zurückging.

Er drehte sich um und legte den Kopf schräg. »Wozu? Sich zu besaufen? Ich meine, wir haben ein paar Trinkspiele gespielt, aber …«

»Dazu, uns anzulügen. Ich weiß, dass ihr ihm auch gesagt habt, er darf uns nichts davon erzählen, als ihr diese Initiations-Sache veranstaltet habt, also …« Ich hoffte, dass Lee einen wirklich blöden Grund dafür hatte, mich und Rachel wegen heute Abend anzulügen. Zum Beispiel, dass es irgendeine geheime Footballteam-Party war. Irgend so was.

Jon lachte. »Das ist Blödsinn. Das war heute Abend nur eine unwichtige Sache. Nicht mal eine Party. Ich hab den Jungs gesagt, sie sollen es nicht auf Snapchat oder so rausposaunen, weil ich nicht wollte, dass es ausufert. Aber ich hab ihm sicher nicht gesagt, er soll euch anlügen.«

»Okay. Danke.«

Lee saß auf der Bordsteinkante, wo Jon ihn abgeladen hatte. Die Beine weit von sich gestreckt stützte er sich mit den Ellbogen auf seine Oberschenkel. Er stöhnte und murmelte irgendwas Unverständliches vor sich hin.

Ich sah, die Hände in die Hüften gestemmt, erst ihn an und hielt dann nach Rachel Ausschau. Ich entdeckte sie neben meinem Auto und winkte ihr, herzukommen. Sie rührte sich nicht und ich winkte weiter, für den Fall, dass sie mich nicht gesehen hatte.

Dann brummte mein Handy.

Ich will ihn jetzt nicht sehen. Red du erst mit ihm.

Ich setzte mich neben Lee auf den Bordstein. »Du hast heut Abend richtig Scheiße gebaut, weißt du das?«

»Du auch. Ich hatte gerade solchen *Spaß*. Warum musstest du mir den verderben?«

Ich lachte bitter auf. »Erinnerst du dich noch, wie beschissen ich mich gefühlt habe, als ich das Foto von Amanda und Noah sah? Genau das hast du gerade Rachel angetan.«

»Hab ich nicht.«

»Äh, doch, hast du. Du und Peggy, das sah ziemlich lauschig aus. Dazu kommt noch die Tatsache, dass du Rachel darüber belogen hast, wo du heute Abend warst, damit sieht es unterm Strich nicht besonders gut für dich aus. Ganz zu schweigen davon, dass du aussiehst, als würdest du gleich kotzen.«

»Was? Und du siehst dabei gut aus, dass du mich stalkst und aufspürst? Zehn Punkte für Sherlock und Holmes.«

»Watson.«

»O Mann«, stöhnte er.

»Tu nicht so«, fauchte ich zurück. »Du hast uns beide angelogen. Mir hast du gesagt, du wärst bei Rachel, und Rachel, du wärst bei mir. Und das alles, damit du was machen konntest? Auf eine Party gehen und mit Peggy aus dem Cheerleader-Team flirten?«

»Ach, als ob du so perfekt wärst!«

Lee richtete sich auf und stützte sich mit einer Hand nach hinten ab. Im Licht der Straßenlaternen sah er käsig aus. Sein Blick wirkte unscharf, die Augen waren blutunterlaufen. Die Lippen presste er zu einem Strich zusammen.

»Was zum Teufel soll das denn heißen?«

»Du machst Rachel zum fünften Rad am Wagen. Oder du bist das fünfte Rad. Keine Ahnung, okay, aber irgendwo ist da ein fünftes Rad. Und das soll jetzt mein Problem sein? Du tust dir doch bloß selber leid, weil du Noah abgeschossen hast. Den Kerl, für den du mich monatelang belogen hast. Du hast mich angelogen, weil du zu beschäftigt damit warst, mit meinem Bruder rumzumachen. Und glaubst du etwa, das war keine miese Aktion?«

Ich schnaubte empört und stand auf. »Das ist ja wohl was komplett anderes.«

Lee kam ebenfalls schwankend auf die Beine. »Bei dir soll das okay sein, aber bei mir nicht?«

»Ich hab nie – meine Güte, Lee, das hier hat nichts mit Noah zu tun! Und nichts damit, dass ich mich einsam fühle! Vergiss mich! Aber Rachel ist so außer sich, dass sie nicht mal mit dir reden will. Glaubst du nicht, dass du ihr eine Entschuldigung schuldest?«

Er schaute weg.

»Ich hab kapiert, dass du es hasst, Noahs kleiner Bruder zu sein. Und dass er der große Star im Footballteam war. Dass er dir diesen tollen Ruf hinterlassen hat, dem du jetzt gerecht werden musst. Aber keiner hat je gesagt, dass du dich wie ein Arschloch aufführen und jeden vor den Kopf stoßen musst, dem was an dir liegt. Wann warst du das letzte Mal mit

Warren, Cam, Dixon und Olly im Kino? Wann waren wir beide zuletzt für einen Milchshake in der Mall? Ich weiß, dass wir gestern Abend alle zusammen verbracht haben, aber das war das erste Mal seit Monaten. Im wahrsten Sinne des Wortes, seit *Monaten*. Ich versuche hier nicht, dir deinen Freitagabend zu verderben und dir zu sagen, du sollst nicht mehr mit den Footballern abhängen, aber mein Gott, Lee, wie wär's mit ein bisschen Selbstachtung?«

Ich machte auf dem Absatz kehrt und stapfte davon. Ich meinte, ihn hinter mir noch irgendetwas sagen zu hören, aber als ich zurückschaute, kotzte er sich nur die Seele aus dem Leib.

Ich zögerte.

So konnte ich ihn nicht einfach zurücklassen.

Also joggte ich die Straße runter zu Rachel. Ihr Gesicht war tränenüberströmt und sie gab leise Schluchzer von sich. Als ich bei ihr war, schluckte sie heftig und zog die Nase hoch.

»Ihm geht's nicht gut«, erklärte ich.

»Hat er sich entschuldigt?«

Ich biss mir auf die Lippe. »Nicht … wirklich … Hör zu, Rach, warum nimmst du nicht mein Auto und fährst nach Hause? Ich krieg ihn schon wieder hin. Im Moment kotzt er. So kann ich ihn nicht allein lassen. Ich hole mein Auto dann morgen bei dir ab. Hey, wenn ich es hole, könnten wir zusammen in die Mall fahren, mhm? Zeit für uns Girls. Kein Wort über Jungs oder irgendsolchen Mist. Wir machen es uns einfach nett.«

»Das ... das klingt gut, Elle. Danke. Aber bist du dir sicher, dass ...«

»Ich komm schon irgendwie nach Hause. Mach dir keine Sorgen. Ich regele das. Und ich versprech dir, sobald er wieder nüchtern ist, wird er wochenlang um Vergebung bei dir betteln.«

Rachel lächelte angestrengt. Dann nahm sie meine Schlüssel, drehte sie ein bisschen zwischen ihren Fingern und ließ den Anhänger klimpern. »Elle, glaubst du ... glaubst du ... ich habe etwas falsch gemacht?«

»Was?«

»Peggy ist eben Cheerleader.«

»Er hat überhaupt kein Interesse an Peggy. Ich glaube, er hat nicht mal gemerkt, dass sie auf seinem Schoß saß. Er ist so hackedicht, Rachel, dass er nicht mal stehen kann. Ich versichere dir, dass er dich nicht betrügt. Aber aus irgendeinem Grund hat er sich wie der letzte Dreckskerl benommen, und du hast jedes Recht, sauer auf ihn zu sein.«

»Sag mir Bescheid, ob mit ihm alles okay ist, ja? Und auch, ob du okay bist. Sicher, dass du nach Hause kommst? Ich ... ich kann ihn nur jetzt einfach nicht sehen, Elle. Ich kann nicht.«

»Fahr nach Hause. Ich schreibe dir später, okay? Versprochen. Und dann sehen wir uns morgen.«

Rachel nickte. Nachdem sie in mein Auto gestiegen war und anfing, sich den Sitz und die Spiegel einzustellen, kehrte ich zu Lee zurück. Der saß zusammengesunken wieder auf dem Gehsteig und hatte den

Kopf in die Hände gestützt. Er stöhnte, vor sich eine Pfütze aus Erbrochenem.

Ich holte mein Handy wieder raus und rief Dad an.

Vorhin hatte ich ihm gesagt, ich würde mich mit Lee und Rachel treffen, was nicht mal gelogen war. Es klingelte ein paarmal, bis er ranging. »Elle? Ist alles okay?«

»Nein. Dad, ich brauche ... ich brauche deine Hilfe.«

»Was ist passiert? Hattest du einen Unfall? Elle? Was ...«

»Nein, nein. Mir geht's gut«, sagte ich rasch. »Aber Lee ist so betrunken, dass er kotzt, und ich kann ihn hier nicht zurücklassen.«

»Wo seid ihr?«

»Vor Jon Fletchers Haus. Du weißt schon, der aus dem Footballteam. Lee war zu einer Football-Party hier. Rachel will ihn nicht sehen. Deshalb hab ich ihr mein Auto gegeben, damit sie nach Hause fahren konnte. Ich kann Lee in dem Zustand nicht hier lassen, Dad.«

»Schick mir die Adresse und gib mir fünf Minuten.«

»Danke, Dad.« Ich legte auf, schrieb ihm Jons Adresse und stieß Lee mit der Fußspitze an. »Dafür schuldest du mir was.«

Statt einer Antwort stöhnte er nur.

Während wir warteten, kam Jon mit einer Flasche Wasser raus. »Ich hab euch immer noch hier draußen gesehen. Soll ich dir helfen, ihn in dein Auto zu kriegen?«

»Nein danke, mein Dad ist schon unterwegs. Rachel

hat meinen Wagen genommen. Sie wollte ihn nicht sehen.«

»Zwischen ihm und Peggy ist nichts passiert«, versicherte Jon schnell in ernstem Ton. »Sie flirtet einfach gern, aber Lee hat ihr dauernd gesagt, er hätte eine Freundin.«

»Danke.«

»Sag Bescheid, wenn ich noch irgendwas tun kann.«

»Danke, Jon. Ich weiß das echt zu schätzen. Und tut mir leid, dass ich deinen Abend versaut habe.«

»Nee, du hast gar nichts versaut.« Er grinste mich an und klopfte mir noch mal auf die Schulter. »Man sieht sich.«

Ich winkte ihm nach, als er ins Haus zurückkehrte. Dann schraubte ich die Flasche auf und ging in die Hocke, um sie Lee an die Lippen zu halten. Er nahm sie mir mit zitternden Händen ab und nippte daran, bis mein Vater eintraf.

»Bitte erzählt meiner Mom nichts davon«, war alles, was Lee herausbrachte, als Dad ihn auf den Rücksitz schob. »Bitte erzählt meiner Mom nichts.«

»Kumpel, ich glaube, du hast jetzt erst mal ganz andere Sorgen.« Ich stieg neben Lee ein. Dad seufzte und meinte: »Da steht ein Eimer auf dem Boden. Sorg dafür, dass er da reinkotzt.«

»Ich werde nicht mehr kotzen«, meldete Lee sich zu Wort. Doch sobald wir losgefahren waren, stöhnte er und riss mir den Eimer aus der Hand. »Bitte erzählt meiner Mom nichts«, konnte er nochmal sagen.

17

Lee blieb über Nacht. Er schlief auf der Couch, den Eimer neben seinem Kopf. Ich blieb solange wach, wie ich konnte, um auf ihn aufzupassen, aber irgendwann schlief ich doch ein. Wir wachten beide gegen acht Uhr auf, als mein Dad runterkam, um Kaffee zu kochen.

»Shit«, murmelte Lee und schnalzte mit den Lippen. »Shit.«

»Ich glaube, das ist noch untertrieben, aber Ja.«

»Shit.«

Er kam mühsam auf die Beine. Ich redete absichtlich kein Wort mit ihm, als er erst Wasser, dann Kaffee trank und sechs Scheiben Toast verdrückte. Ich zog mich an, während er duschte, und warf ihm dann eins seiner Sweatshirts aus meinem Schrank hin, als er in Jeans und mit nassen Haaren in mein Zimmer kam. Wenigstens sah er jetzt schon etwas menschlicher aus. Nicht mehr ganz so aschfahl und zombiemäßig. Seine Stimme klang rau und seine Augen waren blutunterlaufen. Er schlurfte durchs Zimmer auf mich zu und lehnte sich an mich. Ich stieß ihn weg.

»Elle? Shelly, komm schon. Bitte. Es tut mir wirklich leid. Tut mir leid, dass ich so dicht war und du dich um mich kümmern musstest. Tut mir leid, dass ich so ein Blödmann war.«

»Weißt du, Lee, das ist nicht mal der Grund, warum ich sauer bin. Ich bin sauer, weil du Rachel richtig wehgetan hast. Es hätte sie nicht gestört, dass du auf der Party warst. Sie ist verletzt, weil du sie belogen hast. Weißt du, wie ich mich gefühlt habe, als ich Noah am Telefon mit Amanda gehört habe? Genau diesen Schmerz empfindet Rachel jetzt.«

»Ich weiß. Ich weiß. Mein Gott, ich weiß.«

»Sonst hast du nichts zu sagen? Das hatten wir doch schon mal, erinnerst du dich? Da hast du dich auf einer Party wie ein Arschloch benommen, dich am nächsten Tag entschuldigt und wir sind zur Tagesordnung übergegangen. Aber das mache ich nicht noch mal mit, Lee. Ich schaff das nicht jedes Mal, wenn eine Party stattfindet. Du musst dich zusammenreißen. Ich muss mich auch zusammenreißen, ich weiß, aber … Ich bin eher eine nervige, trübe Tasse. Aber du … machst richtig was kaputt.«

»Bitte sag nicht, ich wäre eine Abrissbirne oder so was.«

Ich schob eine Hüfte zur Seite, verschränkte die Arme und Lees Lächeln verschwand.

»Sorry.«

»Im Ernst. Beim nächsten Mal helfe ich dir nicht mehr. Und du musst es bei Rachel wiedergutmachen.«

»Ich weiß, Shelly. Ehrlich. Ich stehe so quasi für

den Rest meines Lebens in deiner Schuld. Ich werde sofort zu Rachel gehen und –«

»Nein, wirst du nicht. Du wirst nach Hause gehen, dort bleiben und dich schlecht fühlen. Rachel und ich fahren in die Mall. So viel zum Thema fünftes Rad am Wagen.«

»Tut es ihm wirklich leid?«

»Ja, aber Moment mal. Kein Wort über Jungs. Schon vergessen? Ich hab's so satt, mir selbst leidzutun und über diese Trennung zu brüten. Und glaub mir, du willst nicht, dass ich davon anfange.«

Jetzt begriff ich, warum Levi alle Fotos von sich und seiner Ex in den sozialen Medien gelöscht hatte. Es war tough, sie zu sehen. Sich daran zu erinnern, wie die guten Zeiten gewesen waren. Wie sehr ich Noah geliebt hatte. Wie sehr er vermeintlich mich geliebt hatte.

Je weniger ich darüber nachdachte, desto eher konnte ich mir zumindest einreden, darüber hinwegzukommen.

Rachel straffte die Schultern. »Nein, du hast – du hast recht. Keine Jungs, kein Selbstmitleid. Können wir übers College reden? Oder steht das auch auf deiner schwarzen Liste?«

»Sehr witzig.«

»Meine Mom drängt mich, ich soll mich für Yale bewerben, aber ich weiß nicht. Eine Cousine von mir war dort, und ich hab sie letztes Jahr für ein Wochenende besucht, aber … Es hat mich nicht so angesprochen, weißt du? Das merkt man ja manchmal gleich, dass etwas nichts für einen ist.«

»Dann bewirb dich eben nicht.«

»Ja, aber … ich weiß nicht. Yale hat natürlich was. Der Name, meine ich. Der ist so prestigeträchtig …«

Noah hatte mir so etwas in der Art erzählt, nachdem er die Zusage aus Harvard bekommen hatte.

Ich schüttelte den Gedanken ab. Ich *musste* aufhören, an ihn zu denken.

»Ein prestigeträchtiges College bringt gar nichts, wenn du dich in den nächsten vier Jahren deines Lebens mies fühlst.«

»Okay, mies ist vielleicht ein bisschen übertrieben.« Rachel lächelte. »Aber klar, du hast wahrscheinlich recht. Hast du dir schon überlegt, wo du dich bewerben willst?«

Wir unterhielten uns weiter über Colleges, sprachen sogar über die Brown. Rachel versicherte mir, es würde ihr nichts ausmachen, wenn ich mich bewerben würde. Wir redeten noch über die Schule, über Kinofilme, über alle möglichen Leute, eigentlich wirklich über alles, bis auf unser Liebesleben. Das war seltsam erfrischend.

Außerdem fühlte es sich so gut an, dass zwischen Rachel und mir endlich alle Vorbehalte verschwunden waren.

Natürlich versöhnten Lee und Rachel sich wieder. Sie ließ ihn ein paar Tage lang schmoren, aber er wusste natürlich, wie sehr er sich ins Unrecht gesetzt hatte.

Schließlich verzieh sie ihm. Er hatte keine Hemmungen, mir zu erzählen, wie toll der Versöhnungssex gewesen war. Ich zog ihn damit auf, aber eigentlich ließ es mich nur an Noah denken.

Als der Sadie Hawkins Dance näherrückte, wuchs auch die Anspannung in der Schule. Die Atmosphäre war erfüllt vom Versprechen auf Romantik. Das hinterließ bei mir nur einen bitteren Geschmack im Mund. Ich wusste nicht mehr, wie oft ich schon nach meinem Handy gegriffen hatte, um Noah zu schreiben. – Einfach um zu hören, wie es ihm ging, versucht, mich dafür zu entschuldigen, wie es mit uns geendet hatte, um vorzuschlagen, dass wir vielleicht reden könnten, wenn er zu Thanksgiving heimkam. Nur damit es zwischen uns nicht so seltsam wäre.

Ich checkte sein Instagram ein paarmal.

Er postete nicht besonders viel.

Amanda dagegen postete viel auf ihrem Feed und in ihrer Story (das sah ich mir nur von Levis Handy an, damit sie nicht wusste, dass ich in ihrem Account herumschnüffelte). Sie schien viel Zeit mit Noah zu verbringen.

Ich war diejenige, die das Ganze beendet hatte. Deshalb hatte ich kein Recht, eifersüchtig zu sein. Ich sollte mich für ihn freuen. Ich sollte auch ihm wünschen, dass er darüber hinwegkam und glücklich war.

Aber jetzt, wo alles sich auf den Ball vorbereitete, war es unmöglich, ihn nicht zu vermissen und zu bedauern, dass alles aus war. Ich dachte dauernd an den letzten Schulball, den wir gemeinsam besucht hatten. Ich träumte vor mich hin, dass er doch zu diesem Ball nach Hause käme und wir so etwas noch einmal erleben würden.

Ich befestigte meine Ohrringe und verzog die Lippen. Ich musste aufhören, an Noah zu denken. Er hatte sowieso nicht mit mir da hingehen wollen. Deshalb war es besser so.

Jetzt stand es mir frei, zu daten, wen ich wollte.

Meine Gedanken gingen zu meinem Date für heute Abend. Alle vermuteten, dass zwischen Levi und mir irgendwann sowieso schon etwas passiert war.

Unwillkürlich geriet ich ins Grübeln. Würde es mir wirklich so gegen den Strich gehen, wenn etwas zwischen uns laufen würde? Ich mochte Levi. Sehr. Er war so umgänglich, und es war ganz anders als mit Noah. Er wusste genau, wie er mich zum Lächeln und Lachen bringen konnte. Und wir stritten uns nie. Natürlich schadete es auch nicht gerade, dass er süß aussah.

Würde es seltsam sein, heute Abend eng umschlungen mit ihm zu tanzen? Und wenn, würde ich ihn dann küssen wollen?

Ich hatte noch nie jemand außer Noah geküsst.

Ein Teil von mir fragte sich zwangsläufig, wie es sein mochte, Levi zu küssen.

Meine Wangen wurden heiß und ich sah mein gerötetes Gesicht im Spiegel.

Okay, vielleicht sollte ich darüber nicht nachdenken.

Reiß dich zusammen, Elle.

Wahrscheinlich sollte ich mir aktuell keine

Gedanken darüber machen, irgendwen zu daten. Ich hatte es definitiv nicht eilig, mir mein Herz erneut brechen zu lassen.

»Heute Abend geht's nur um mich«, erklärte ich meinem Spiegelbild und versuchte, Selbstbewusstsein in meine Stimme zu legen.

Ich fuhr mir mit den Fingern durchs Haar, schüttelte es, damit es mehr Volumen bekam. Dann lächelte ich, zufrieden mit meinem Aussehen. Viel Schmuck hatte ich nicht angelegt – nur die hübsche Armbanduhr, die Dad mir zum siebzehnten Geburtstag geschenkt hatte und die früher Mom gehört hatte, und kleine Diamantstecker.

Ich wippte auf den Füßen vor und zurück und bewegte die Zehen, um meine Schuhe zu testen. Das waren schwarze Kitten Heels, die ich schon eine Weile nicht mehr getragen hatte. Ich konnte mich nicht mehr erinnern, ob ich von ihnen Blasen bekam.

Hoffentlich nicht, denn den Großteil des Abends wollte ich mit Tanzen verbringen.

Es klopfte an meiner angelehnten Zimmertür und Dad kam rein. »Schon fertig?«

Ich drehte mich schwungvoll, um ihm mein dunkelrotes Jerseykleid mit dem ausgestellten Rock zu zeigen. »Yep.«

»Du siehst wirklich hübsch aus, Elle.«

»Danke.«

»Noah weiß gar nicht, was ihm entgeht.«

Ich verdrehte die Augen und wollte es achselzuckend abtun, aber gleichzeitig schätzte ich auch sein Mitgefühl. »Ich war es, die mit ihm Schluss gemacht hat, schon vergessen?«

»Ich weiß. Aber du vermisst ihn noch sehr. Jedes Mal wenn dein Handy brummt, stürzt du dich drauf, als würdest du erwarten, dass er es ist und dich bittet, ihn zurückzunehmen.«

Ich beschäftigte mich lieber damit, den Inhalt meiner Clutch zu überprüfen. Lipgloss, check. Eintrittskarte für den Ball, check. Bargeld, check. Hausschlüssel, check ...

Kein Ton von Noah, check.

»Süße, du weißt, dass du immer mit mir reden kannst, ja?«

»Da gibt es nichts zu reden, okay? Ich bin mit der Fernbeziehung und dem Ganzen nicht klargekommen. Es wurde mir zu viel. So ist es besser.«

»Und du bist sicher, dass da sonst nichts ist?«

Ich sah meinen Dad an, der skeptisch die Augenbrauen hochzog. Ging es ums College? Oder hatte Lee ihm die ganze Sache mit Amanda erzählt? Sah er mich deshalb so komisch an? Vorsichtig hakte ich nach: »Was zum Beispiel?«

»Ach, vielleicht ... du und Levi? Ihr scheint euch richtig gut zu verstehen.« Er zog seine Augenbrauen noch höher und presste die Lippen zusammen, um nicht lächeln zu müssen. »Steckt andauernd zusammen, schreibt euch viel, jetzt geht ihr zusammen auf diesen Ball ...«

Oh.

OH.

Ich schnaubte, als hätte ich nicht selbst gerade noch darüber nachgedacht, Levi zu küssen. »Dad, da ist wirklich nichts. Levi und ich sind nur gute Freunde.«

»Bist du dir da sicher?«

»*Ja.*«

»Okay. Wenn du es sagst.«

Ich rollte mit den Augen. In dem Moment zog das Geräusch eines Autos draußen und dann einer zuschlagenden Tür unsere Aufmerksamkeit auf sich. »Das ist er.«

»Wäre es dir total peinlich sein, wenn ich drauf bestehe, Fotos von euch beiden zu machen, bevor ihr aufbrecht?«

»Ja.«

»Dann mache ich meinen Job als dein Dad anscheinend ganz richtig.«

Nachdem Dad ungefähr zwei Dutzend Fotos gemacht und Brad Levi vom Fußballtraining in dieser Woche erzählt hatte, konnten wir endlich gehen.

Ich musste zugeben, dass Levi in seinem Anzug hot aussah. Er trug einen einfarbig schwarzen Anzug, ein pinkfarbenes Hemd und eine schwarze Krawatte. Außerdem roch er *richtig* gut. Sein lockiges braunes Haar war ordentlicher frisiert als sonst. Mit irgendwelchem Gel, in dem sich das Licht fing.

Und noch etwas schimmerte.

Ich streckte, als wir an einer Ampel hielten, den Finger aus und strich über seinen Wangenknochen. »Ist das Glitzer?«

Levi machte ein Geräusch zwischen Lachen und Seufzen. »Becca wollte mir helfen, mich fertig zu machen.«

»Okay …«

»Und letzte Woche hat sie Mom überredet, ihr so eine Creme mit Glitzer drin zu kaufen.«

»Ah, verstehe.«

»Weißt du, was sie gesagt hat? Das war witzig. Sie sagte, mein Gesicht müsse weich sein, für den Fall dass ich heute Abend irgendwelche hübschen Mädchen küsse. So wie dich.«

Ich musste nicht so tun, als wäre ich schockiert. Aber ich tat pathetisch, um es herunterzuspielen. Hoffentlich war ich nicht wieder rot geworden. »Ihr habt euch darüber unterhalten, dass du mich küsst?«

Wollte er mich küssen?

Wollte ich ihn küssen?

Oder war das nur eine impulsive Gegenreaktion?

»Ich glaube, Becca denkt, ich brauche eine neue feste Freundin. Sie hatte Julie wirklich gern bei uns, weil sie auch ein bisschen wie eine große Schwester für sie war. Wahrscheinlich vermisst sie das einfach.«

»Dann schätze ich, ich muss bald mal wieder zu euch zum Babysitten kommen.«

Levi lächelte. »Danke, Elle.«

»Kein Problem. Macht mir nichts aus.« Und das stimmte wirklich.

(Aber bedeutete das, dass ich mehr von ihm wollte als nur Freundschaft, oder würde es mich stören, wenn er mich küsste?)

Bei Noah hatte ich immer gewusst, dass ich verknallt in ihn gewesen war. Hilflos und, wie ich gedacht
hatte, auch hoffnungslos. Und nie hatte ich irgendeinen anderen Jungen so wirklich *gemocht*. Deshalb
fiel es mir jetzt auch schwer, meine Gefühle für Levi
einzuschätzen.

Aber ich konnte nicht leugnen, dass seine
Bemerkung darüber, mich zu küssen, mir für den Rest
der Fahrt nicht mehr aus dem Kopf ging.

Wir fanden relativ problemlos einen Parkplatz bei
der Schule, obwohl natürlich viel los war, und konnten das dumpfe Dröhnen der Musik aus der Turnhalle
schon hören. Es verursachte mir einen regelrechten
Adrenalinschub.

Während wir zum Eingang liefen und unsere
schlenkernden Arme sich gelegentlich berührten,
fragte ich: »Hast du vor, auf die After-Party zu gehen?«

Die Party war erst im letzten Moment organisiert
worden. Emma, eines der Mädchen aus der Schülervertretung, hatte es geschafft, ihre Eltern zu überreden, dass sie ihr eine Hausparty erlaubten. Darauf freute ich mich schon. Lee und Rachel hatten
entschieden, nicht hinzugehen, aber das war okay.
Der Rest unserer Gang würde da sein. Ich brauchte
den heutigen Abend, um mich möglichst ohne einen
Gedanken an Schule oder College und an Noah zu
amüsieren. Ich wollte es krachen lassen. Spaß haben.

»O ja, Cam hat mir das vorhin erst geschrieben.
Ich denke, wenigstens kurz. Meinen Eltern habe ich
versprochen, nicht zu lange zu bleiben. Meine Mom

will morgen früh aufstehen, um Becca zum Ballett zu bringen.«

»Becca macht Ballett?«

»Es wird ihre erste Stunde sein. Jedenfalls habe ich versprochen, nicht zu spät heimzukommen. Weil sie immer aufbleibt, um sicherzugehen, dass ich mich nicht besinnungslos betrunken habe und in irgendeinen Graben gefahren bin. Mein Dad dagegen würde einen Hurrikan überschlafen.«

»Du könntest auch immer bei mir übernachten«, schlug ich vor. »Meinem Dad würde das nichts ausmachen. Du könntest auf der Couch schlafen.«

»Bist du dir sicher, dass das okay wäre?«

»Klar. Ich wüsste nicht, was dagegen sprechen könnte.«

»Danke, Elle.«

Ich lächelte ihn an, und er trat einen Schritt beiseite, weil wir den Eingang zur Turnhalle erreicht hatten. Er machte eine ausholende Geste, die wohl »nach Ihnen« bedeuten sollte.

Die Halle war ziemlich gut dekoriert. Nicht so, dass man sie nicht noch erkannt hätte, aber schon eindrucksvoll. Ich hatte zu den wenigen Glücklichen gehört, die nicht früher hatten kommen müssen, um dabei zu helfen. Aber nur weil ich Brad vom Fußballtraining abholen musste.

Es gab unzählige Luftballons und Papiergirlanden in Rot, Pink und Weiß, kreuz und quer im Raum. Die normalen, zu grellen Deckenlampen waren aus, stattdessen leuchteten blinkende, bunte Lichter in den

Ecken des Raums und elektrische Laternen, die auf die Tische verteilt waren.

Und –

»O mein Gott«, rief Levi, fasste mich am Arm und bemerkte es gleichzeitig mit mir. »Ist sie das? Ist das die berüchtigte Kissing Booth?«

Ich konnte nur staunend die Leute anstarren, die sich um die Bude geschart hatten. Lee und ich hatten sie für das Frühlingsfest vor ein paar Monaten gebaut. Sie sah inzwischen schon ein bisschen heruntergekommen aus. Ich hatte angenommen, sie wäre einfach zerlegt und entsorgt worden. Doch jetzt gingen Pärchen hinein, um für Fotos mit ihren Dates zu posieren.

Ethan Jenkins entdeckte uns und kam herüber, um Hallo zu sagen. Ich ließ ihn gar nicht zu Wort kommen, sondern zeigte mit ausgestrecktem Zeigefinger auf die Kissing Booth. »Was zum Teufel macht das Ding hier?«

»Ist doch toll, oder? Wir sind gestern drauf gestoßen. Passt bestens zum Rot-Pink-Styling, was? Die Leute sind ganz verrückt danach!«

Ich lächelte gezwungen und war erleichtert, als Ethan jemand anderen entdeckte und weiterzog.

Levi drehte sich grinsend zu mir. »Möchtest du auch ein Foto da drin machen?«

»Sicher nicht«, sagte ich – vielleicht ein bisschen zu abrupt – und schüttelte mich.

Als ob ich heute Abend noch mehr Erinnerungen an Noah nötig hätte. Oder noch mehr Gründe, mich damit zu beschäftigen, ob ich Levi küssen wollte. Die Original-Kissing-Booth mit ihm zu betreten, das war bestimmt ein direkter Weg ins Desaster. Da war ich mir ganz sicher.

»Komm mit«, sagte ich, griff nach Levis Hand und zog ihn hinter mir her. »Lass uns tanzen.«

Draußen war es warm, aber ich schlang trotzdem die Arme um meine Mitte und zog die Schultern hoch. Am tintenblauen Himmel standen ein paar Wolken, aber ich konnte einige Sterne sehen. Hinter mir drangen leise die Töne des letzten Songs aus der Turnhalle.

Der Abend war fantastisch gewesen. Es hatte keinerlei Probleme gegeben, und so konnten auch wir Mitglieder der Schülervertretung den Ball richtig genießen. Ich meine, natürlich hatte jemand versucht, den Punsch mit Wodka zu versetzen, aber die Lehrer und Aufpasser aus den Reihen der Schüler hatten scharf aufgepasst und den Übeltäter nach Hause geschickt, bevor er irgendwelchen Schaden anrichten konnte.

Die Kissing Booth war tatsächlich ein Hit gewesen. Ich raffte mich sogar auf, darin ein Foto mit Lee zu machen. Auf einem legten wir die Arme umeinander, auf dem nächsten küsste er mich auf die Wange und auf einem dritten beugte ich mich zu ihm hin, um ihn zu küssen, während er mein Gesicht mit beiden Händen wegschob und dazu ein entsetztes Gesicht machte.

»Neues Profilbild«, erklärte ich ihm, nachdem ich sein Gesicht rangezoomt hatte.

Als ich noch in der Bude stand, schoben Warren und Cam auch Levi hinein und ich ließ verlegen Rachel ein Bild von uns beiden machen. Danach verließ ich die Booth rasch wieder.

Die Band, die wir ausgesucht hatten, war großartig. Das Tanzen hatte mir richtig Spaß gemacht. Nur zum letzten Tanz wollte ich nicht bleiben. Mir war nicht danach, von lauter süßen Paaren umgeben zu sein, die sich eng umschlungen hielten.

So saß ich jetzt hier, auf einer Bank vor der Turnhalle. Allein.

Jemand räusperte sich hinter mir, dann sah ich Levi, der sich neben mich setzte. Wir hatten uns für eine Weile aus den Augen verloren, weil ich mit ein paar Mädchen zusammen getanzt hatte.

Er lockerte seine Krawatte und sah mich mit schräg gelegtem Kopf an.

»Ist dir kalt?«

Ich zuckte mit den Achseln, und schon schlüpfte er aus seinem Jackett und bot es mir an. Ich legte es mir um die Schultern. Es duftete nach seinem Aftershave. Und das roch richtig gut. Ich musste mich regelrecht zurückhalten, um nicht mein Gesicht an den Stoff zu schmiegen und daran zu schnuppern.

»Danke.«

»Dir war wohl nicht danach, den letzten Tanz zu tanzen?«

»Das weniger. Aber ich wollte nicht zwischen

diesen ganzen Pärchen sein, verstehst du? Die sich alle umarmen und küssen und so. … Ich meine, das ist herrlich und romantisch, aber ich muss es jetzt gerade nicht unbedingt sehen.«

»Das verstehe ich. Weißt du, dass das der erste Schulball ist, den ich besuche, seit Julie mit mir Schluss gemacht hat? Deshalb weiß ich, wie es dir geht.«

Ich lehnte mich zu ihm und legte meinen Kopf an Levis Schulter. »Trennungen sind scheiße.«

»Yep.«

»Vermisst du Julie noch?«

»Manchmal. Aber schon seltener als früher. Es wird besser, keine Sorge. Nur bei dir vielleicht nicht so leicht, weil du Noah wiedersehen wirst. Also in den Ferien. Zu Thanksgiving und Weihnachten und so. Ich sehe Julie nie mehr, und ich glaube, das hat mir geholfen, über sie wegzukommen.«

Ich grinste und meinte sarkastisch: »Wow. Danke. Das klingt echt ermutigend, Levi.«

»Sorry.«

Ich stupste ihn mit meinem Kopf an. »Ist schon okay.«

»Es wird besser«, wiederholte er.

»Ja.«

»Aber in der Zwischenzeit …« Levi zog seine Schulter unter meinem Kopf weg und stand auf. Ich setzte mich aufrecht hin und sah ihn an. Seine Silhouette vor dem Licht der Parkplatz-Laternen war groß und schlank. Vom vielen Tanzen wirkten seine Locken ein bisschen verstrubbelt. Jetzt streckte er mir eine Hand hin und lächelte.

»Lust zu tanzen?«

Ich lächelte zurück. »Warum nicht?«

Ich ließ mich von Levi hochziehen, legte seine Jacke auf die Bank und meine Arme um seine Schultern. Levi umfasste meine Taille und so wiegten wir uns hin und her.

Ich konnte nicht anders als ihn mit Noah vergleichen. Seine Arme waren nicht ganz so kräftig, seine Schultern weniger breit. Zwischen uns gab es keine Hitze, keine Funken, keine Anspannung. Ich spürte nicht das Verlangen, mich an ihn zu schmiegen, wie ich es vom Zusammensein mit Noah kannte. Nichts verschlug mir den Atem und brachte mich dazu, ihn zu küssen. Aber es war angenehm und süß. Auf ganz spezielle Weise ungezwungen und leicht.

Der Song war fast vorbei und damit auch unser Tanz – aber so lange er dauerte, war es schön.

Stöhnend drehte ich mich um und vergrub mein Gesicht im Kissen. Mein Kopf tat weh. Meine Füße schmerzten. Mein Hals kratzte. Ich hob das Gesicht aus dem Kissen und erinnerte mich an den gestrigen Abend – Sadie Hawkins, Tanzen mit Levi …

Die Afterparty, wo ich, nachdem Levi beschlossen hatte, nach Hause zu fahren, vielleicht ein Bier zu viel getrunken hatte. Dann hatte ich draußen Dixon und Cam die Ohren vollgejammert: wie sehr ich Noah vermisste, dass ich nicht mit ihm hätte Schluss machen sollen, wie sehr ich diese Bitch Amanda hasste, weil sie sich zwischen uns gedrängt hatte und zudem alles hatte, was mir fehlte – offenbar alles, was Noah suchte – und was für ein Arschloch Noah war, weil er mir Sachen verheimlich hatte.

Wahrscheinlich verdiente ich dafür die Kopfschmerzen.

Immerhin war ich pünktlich um ein Uhr nach Hause gekommen. Dad war noch wach, fragte, wie der Ball und die Party gewesen waren. Anscheinend hatte ich es geschafft, nicht so betrunken zu wirken, dass ich ihm Anlass zu Hausarrest gab.

Langsam setzte ich mich auf und rieb mir mit den Händen übers Gesicht. Es war erst neun Uhr morgens, wenn die Uhr auf meinem Nachttisch stimmte. Also lehnte ich mich noch mal in die Kissen zurück und griff nach meinem Handy, um die Nachrichten zu checken.

Eine stammte von Rachel – sie hatte mich in einem Post getaggt. Ich stellte fest, dass sie eine Menge Fotos vom gestrigen Abend hochgeladen hatte, darunter auch das von mir und Lee, auf dem wir total bescheuert tanzten, und das von Levi und mir in der Kissing Booth.

Eine Weile starrte ich das Foto an. Es war nett. Ich sah gut darauf aus. Mein Kleid schmeichelte mir und meine Haare sahen hübsch aus. Je länger ich es betrachtete, desto bewusster wurde mir, wie gut Levi neben mir aussah. Ich drückte auf Like.

Als ich meine Nachrichten aufmachte, um jemand

in unserem Gruppenchat zu antworten, setzte mein Herz kurz aus, ich riss die Augen auf und hatte auf der Stelle das Bedürfnis, mich zu übergeben.

Da war eine Nachricht an Dad – ich hatte geschrieben, ich sei auf dem Heimweg von der Party –, aber davor ...

Hatte ich Noah eine SMS geschrieben.

Ich vermisse dich sooooo sehr xxxxx

Shit.

Shit, shit, shit!

Ich klickte darauf, um zu sehen, wie groß der angerichtete Schaden war. Dass ich ihm nur eine einzige Nachricht geschrieben hatte, war eine gewisse Erleichterung. Nicht auszudenken, wenn ich ihm zwei Dutzend schmachtende Botschaften übermittelt hätte. O Gott, das wäre die absolute Katastrophe.

Aber auch eine einzige war ziemlich schlimm. Mein Handy verriet mir, dass ich die Nachricht um 00:24 Uhr geschickt hatte. Ziemlich sicher als ich mit den Jungs draußen saß. Da muss ich doch etwas betrunkener gewesen sein, als ich dachte ...

Ich war so eine Idiotin. Meine Schultern verspannten sich, während ich auf die Nachricht starrte und darunter den kleinen Hinweis entzifferte: *gelesen: 07:58.*

Was sollte ich jetzt machen? Noah hatte es schon gesehen und nichts ließ sich mehr zurücknehmen. Offenbar hatte er entschieden, das Ganze zu ignorieren, denn seit er es gesehen hatte, war bereits mehr als eine Stunde vergangen. Was bedeutete das?

Hasste er mich? Oder fand er einfach, es lohne sich nicht, darauf zu antworten?

Ich schluckte den Kloß in meinem Hals runter, fuhr mir mit den Fingern durch die Haare und blieb in einigen zerzausten Locken stecken.

Sollte ich ihm noch mal schreiben und mich entschuldigen? Sagen, ich sei betrunken gewesen und hätte ihm gar nichts schicken wollen?

Oder sollte ich die ganze Sache auch ignorieren?

Ich versuchte, eine Entschuldigung zu formulieren: *Hahaha, gerade gesehen, dass ich dir gestern Abend geschrieben habe. Sorry – hatte bei der Party nach Sadie Hawkins wohl zu viel getrunken!*

Ich betrachtete den Text und hielt den Finger zögernd über SENDEN. Das wirkte gezwungen. Irgendwie *fake*. Ich wollte zwar nicht, dass er glaubte, ich würde alles bedauern und nach ihm schmachten. (Selbst wenn es eigentlich so war.) Aber was, wenn er auf die zweite Nachricht dann auch nichts antwortete?

Oder wenn er antwortete und schrieb, es sei schon okay, er wisse, dass ich ihn nicht vermisse – er mich übrigens auch nicht?

Noch schlimmer: Wenn er antwortete, dass er mich auch vermisse?

Ich löschte die Nachricht, die ich entworfen hatte, legte mein Handy weg und schloss die Augen. Auch wenn ich geglaubt hatte, eine Fernbeziehung mit Noah wäre schwierig, über ihn hinwegzukommen, das war noch viel schwieriger.

18

Weil ich jetzt wirklich anfangen wollte, über Noah wegzukommen, beschloss ich, mich den ganzen Tag nur auf mich selbst zu konzentrieren. Nachdem ich mir ein paar YouTube-Videos angesehen hatte, aß ich ein Frühstück, das üppig genug war, um meinen Kater zu kurieren. Danach schrieb ich einen Aufsatz für Geschichte zu Ende. Anschließend fühlte ich mich ziemlich konzentriert und motiviert. Also entschied ich, die College-Bewerbung noch mal anzugehen. In der vergangenen Woche hatte ich gewisse Fortschritte gemacht. Vielleicht würde heute der Tag sein, an dem ich sie tatsächlich fertig schrieb.

Ich schrieb ein paar neue Absätze, bevor ich den gesamten Text durchlas. Fast geschafft! Ich brauchte nur noch einen guten Schluss, aber ich wusste, es würde helfen, wenn ich alles erst noch einmal durchlas.

Je mehr ich las, desto stärker wurden meine Zweifel. Warum hatte ich meine Zeit damit vergeudet, diesen Mist zu schreiben? Die Euphorie, die ich bei dem Gedanken, fast fertig zu sein, verspürt hatte, verflog. Ich sollte über irgendwas schreiben, das mich inspiriert hatte – aber wenn ich jetzt meinen Aufsatz las, fühlte ich mich nicht sehr inspiriert.

Ich hatte so viel über diesen verdammten Aufsatz nachgedacht und ihn wochenlang Stück für Stück immer wieder neu geschrieben. All die Arbeit und der Stress – wofür? Für diesen Mist, der jetzt auf meinem Bildschirm stand?

Die Worte begannen zu verschwimmen, bis ich gar nichts mehr erkennen konnte. Ich klickte wütend auf die Maus, markierte einzelne Stellen und fragte mich, was zum Teufel da los war – bis ich schniefen musste und merkte, dass ich kurz davor war, loszuweinen. Wieder einmal.

Gott, ich war so ein Loser.

Ich schaffte es noch nicht mal, einen einzigen, blöden Aufsatz zu schreiben.

Nie würde ich es aufs College schaffen. Ich konnte nicht mal einen verdammten Aufsatz schreiben. Wie zur Hölle sollte ich da vier Jahre College absolvieren?

Außerdem wusste ich noch gar nicht, was ich am besten mit meinem Leben anfing. Ich hatte keine Idee, welches Hauptfach ich studieren sollte.

Als ich mit meinem Dad und den Berufsberatern, die an die Schule kamen, gesprochen hatte, versicherten sie mir, ich würde auch ohne die Wahl eines Hauptfachs auf ein gutes College kommen. (Nachdem sie mich darauf hingewiesen hatten, kam ich mir bescheuert vor, deshalb so einen Aufstand gemacht zu haben.) Aber einen echten, handfesten Rat für das Verfassen meines Bewerbungsaufsatzes hatten sie mir nicht gegeben. Und den brauchte ich ja nun mal, um es überhaupt aufs College zu schaffen.

Hier saß ich also, weinend – und auch ein bisschen jammernd – vor meinem Computer, *weil ich nicht mal einen ordentlichen Satz zusammenbrachte.*

Meine Zimmertür ging auf und weil die Gestalt – wegen der Tränen, die einfach nicht aufhören wollten zu fließen, sah ich sie total verschwommen – zu klein war, um Dad zu sein, konnte es sich nur um meinen Bruder handeln.

»Geh raus!«, heulte ich und schluchzte auf. »Geh weg! Lass mich in Ruhe!«

Brad blieb in der Tür stehen und da wurde ich wütend. Ich wusste gar nicht genau warum – plötzlich war ich stinksauer, weil ich mich nicht mal in Ruhe in meinem Selbstmitleid ergehen konnte.

»Elle? Was ist denn los?«

Er war (ausnahmsweise) wirklich süß. Und er schien sich echt Sorgen um mich zu machen.

Aber davon wurde ich nur noch wütender.

»Geh *raus*! Lass mich in *Ruhe*!«

Schließlich machte Brad die Tür doch wieder zu. Ich brach über meinem Tisch zusammen und heulte in meine Arme. Wahrscheinlich sah ich so erbärmlich aus, wie ich mich fühlte, aber nachdem ich einmal angefangen hatte zu weinen, konnte ich nicht mehr aufhören. Dabei hasste ich diese Art von Weinen.

Was, wenn ich den Aufsatz nie fertig bekäme und

es nie auf ein College schaffte? Dann würde ich Dad und mich selbst enttäuschen. Lee würde aufs College gehen und mich ganz und gar vergessen und ...

Die Gedanken wirbelten wie in einem fiesen Whirlpool und zogen mich tiefer und tiefer runter. Ich knallte meinen Laptop zu, unfähig, noch auf den Bildschirm zu schauen, von wo aus der Aufsatz mich verhöhnte.

Nach einer Weile ging meine Zimmertür wieder auf.

Ich wollte gerade meinem kleinen Bruder oder Dad sagen, er solle rausgehen und mich in Ruhe lassen, aber hinter Brad stand jemand anderes: Levi. Die Worte blieben mir im Hals stecken.

»Ich dachte, du könntest vielleicht einen Freund gebrauchen«, sagte Brad leise.

Ich schniefte noch mal und brachte ein klitzekleines Lächeln zustande. Brad lächelte verlegen zurück – er war es auch nicht gewohnt, so nett zu mir zu sein. Dann zog er sich zurück. Levi klopfte ihm auf die Schulter und lächelte ihn anerkennend an, bevor er mein Zimmer betrat.

Er setzte sich ans Fußende meines Betts, schaute in meine Richtung, und ich kam zu ihm. Ich setzte mich neben ihn und lehnte den Kopf an seine Schulter.

Levi schien das nicht zu stören.

Dann legte er seinen Arm um mich.

»Ich wollte fragen, ob du okay bist, aber ich glaube, die Frage erübrigt sich. Du siehst schlimm aus.«

Ich gab ihm einen halbherzigen Schubs. »Es ist

wegen dem Bewerbungsaufsatz fürs College. Ich schaff den nicht. Weil ich nicht weiß, was ich schreiben soll. Und das, was ich schreibe, ist Mist. Ich möchte aufs College, aber das kann ich nicht, wenn ich diesen Aufsatz nicht schaffe, und –«

»Hey, komm schon.« Er drückte mich fester an sich. »Es hängt nicht dein ganzes Leben davon ab, ob du aufs College gehst oder nicht, weißt du. Schau mich an. Ich gehe nicht. Ich nehme mir erst mal ein Jahr Zeit, um ein bisschen Geld zu verdienen und mir zu überlegen, was ich machen will. Ich werde keine vier Jahre verplempern und einen Berg Schulden anhäufen für etwas, bei dem ich mir gar nicht sicher bin. Vielleicht überlegst du dir das auch mal.«

Ich zupfte an einer Macke in meinem Nagellack. »Praktisch jedes Mal, wenn ich mich hinsetze und mit meinem Aufsatz nicht weiterkomme, denke ich mir, *vielleicht sollte ich das einfach nächstes Jahr machen.*«

»Aber?«

»Aber ich will auch nicht allein zurückbleiben.«

Er überlegte eine Sekunde. »Lee.«

Lee hatte so hart gearbeitet, um es an die Brown zu schaffen, weiter gute Noten zu schreiben und sich im Footballteam zu behaupten. Er versuchte, sich dort einen eigenen Namen zu machen (und soweit ich das beurteilen konnte, war ihm das verdammt gut gelungen; sie hatten inzwischen aufgehört, ihn »Kleiner Flynn« zu nennen).

Lee hatte Football, Rachel den Theaterclub. Einige der anderen Jungs machten auch Sport oder spielten in einer Band. Klar, ich hatte jetzt Leichtathletik, aber ich nahm an keinen Wettkämpfen teil oder so. Ich hatte nicht mal mehr von irgendeinem der Jobs gehört, für die ich mich beworben hatte. Irgendwie kam ich mir vor, als würde ich allen einen Schritt hinterherhinken.

»Ja. Und selbst wenn das mit Lee keine Rolle spielen würde – ich will aufs College. Wirklich. Es ist nur ... Wie du gesagt hast, ich bin mir nicht komplett sicher, was ich danach mit meinem Leben anfangen soll. Und die Vorstellung, dass das, was ich jetzt mache, mich für die nächsten paar Jahre bindet, macht mir Angst, verstehst du?«

»Nicht wirklich«, sagte er und klang dabei für meine gegenwärtige Stimmung befremdlich gut gelaunt. »Du musst doch erst mal die SATs absolvieren, und so wie du das machst, mit all den Übungstests, wirst du das mit Links schaffen. Und wenn du dann am College angenommen bist, hast du noch eine Ewigkeit Zeit, dir ein Hauptfach auszusuchen. Und weißt du, das kannst du außerdem immer noch ändern. Verdammt, du kannst doch alles tun. An der nächsten Marsmission mitarbeiten. Die PR für ein Baseballteam machen. Ein Weingut betreiben. Erzieherin werden.«

Ich lächelte schwach. »*The sky is the limit*?«

»Elle, wir haben doch alle *Girls Club* gesehen. Seither wissen wir, dass das Limit nicht existiert.«

Darüber musste ich jetzt richtig lachen.

»Danke, dass Sie zu meinem TED Talk gekommen

sind«, fügte er hinzu und brachte mich gleich wieder zum Lachen. »Wie wär's damit? Ich lese deinen Aufsatz. Und dann arbeiten wir zusammen daran. Er kann gar nicht so schlecht sein, dass wir nichts daraus machen können.«

Das … klang tatsächlich nicht so schlecht. Obwohl ich mich wie ein Dummkopf fühlte, weil ich nicht vorher schon jemand um Hilfe gebeten hatte. Ich drehte mich zu ihm, um ihn zu umarmen. »Danke, Levi. Du bist der Beste.«

Er zögerte, bevor er meine Umarmung erwiderte. »Ich bin immer für dich da, Elle.«

Levi blieb noch bis zum Abendessen, und als er dann später am Abend nach Hause ging, war meine Bewerbung so gut wie fertig zum Verschicken. Ich konnte es gar nicht fassen, was für ein gutes Gefühl ich jetzt damit hatte, und dankte ihm überschwänglich.

Er zog sich gerade seine Schuhe an und lachte. »Wenn du mir wirklich danken willst, kannst du morgen mit ins Aquarium kommen. Ich hab versprochen, mit Becca hinzugehen. Und es wäre nett, ein bisschen Gesellschaft zu haben.«

Ein Tag im Aquarium klang toll, also holte Levi mich am nächsten Morgen ab. Becca war die ganze Fahrt über total aufgekratzt. Wie ein Wasserfall erzählte sie von ihrer ersten Ballettstunde, ihrer Lehrerin dort, den anderen Mädchen und von der Aufführung, die sie zu Weihnachten machen würden – was sie aufs Thema Weihnachten brachte.

Ich gab an den richtigen Stellen Oh und Ah von mir und stellte ihr die richtigen Fragen, sodass sie weitererzählen konnte. Levi sah mich im Rückspiegel an und grinste mit einem Blick, der mir zu verstehen gab: *Besser du als ich*.

Im Aquarium war nicht besonders viel los. Hauptsächlich waren Familien mit kleineren Kindern da sowie eine Handvoll Pärchen mit Dates.

Was mich zugegebenermaßen ein bisschen verlegen machte. Ich wusste, mit Lee wäre es nicht so gewesen, aber ich war eben nicht mit Lee hier, sondern mit Levi. Und das machte das Ganze eben doch ein wenig seltsam.

Ich muss einen leicht unbehaglichen Eindruck gemacht haben, während wir Becca folgten, die zwischen den Aquarien mit Rochen, Seesternen und Aalen hin und her schoss, als könnten die im nächsten Moment schon verschwunden sein. Denn Levi fasste mich sanft am Ellbogen und sah mich besorgt an.

»Hey«, sagte er leise, »alles okay?«

»Was? Ja. Alles gut. Mir geht's gut.«

»Sicher? Du siehst ein bisschen unglücklich aus.«

»Oh, nein, ich …«

»Denkst du an Noah?«

Eigentlich nicht, und es überraschte mich selbst, das festzustellen. Ich dachte nicht darüber nach, wie es wäre, mit Noah hier zu sein, und ich wünschte mir auch nicht, wir wären eines der händchenhaltenden Paare. Ich dachte stattdessen, dass es mir, obwohl

Levis kleine Schwester dabei war, so vorkam, als hätten wir beide eine Art Date.

Aber es war einfacher, »Ja. Alles gut.« zu sagen.

Levi sah mich mitfühlend an. »Du wirst über ihn wegkommen, weißt du. Und damit will ich gar nicht sagen, dass du vergessen wirst, ihn je geliebt zu haben. Aber es wird einfacher werden, ihn nicht mehr zu lieben.«

»Du klingst, als würdest du für die *Cosmo* oder so was schreiben.«

Levi lachte nur. Und dann zog Becca auch schon wieder unsere Aufmerksamkeit auf sich, als sie laut aufquietschte: »Wuaaah! Schaut euch die mal an! Die ist RIESIG!«

Während wir unsere Runde durchs Aquarium fortsetzten, entspannte ich mich schließlich doch, sodass ich den Besuch genießen konnte. Wie sich rausstellte, wusste Becca einiges über Quallen. (Etwa: »Wusstest du, dass Quallen sich selbst klonen können? Man kann also eine in zwei Teile schneiden und hat dann zwei Quallen. Das hab ich im Internet gelesen.« Und: »Quallen haben keinen Verstand. Genau wie Levi!«)

Sie las uns auch die Infotafeln neben den Wasserbehältern laut vor und war von jeder neuen Art begeistert. Nach dem Einsiedlerkrebs hielten wir allerdings zehn Minuten lang vergeblich Ausschau. Levi ließ sich ein bisschen zurückfallen, als Becca meine Hand ergriff und mich zum nächsten Aquarium zog. Ich blickte über meine Schulter zu ihm, während Becca sich die Nase an der Glasscheibe platt drückte.

»Warum lächelst du denn so?«, fragte ich ihn. Es war ein seltsames Lächeln, nicht sein übliches. Klein und gedankenverloren. Mir wurde warm davon, ich errötete und schob mir eine Haarsträhne hinters Ohr, während ich zurücklächelte.

Nachdem ich ihn darauf angesprochen hatte, schien es schnell zu verschwinden, beziehungsweise sich in das Lächeln zu verwandeln, das ich von ihm kannte. »Es ist einfach nur schön, dass Becca wieder ein Mädchen hat, mit dem sie ein bisschen Zeit verbringen kann.«

»Und was ist mit dir? Genießt du meine Gesellschaft etwa nicht?«, zog ich ihn auf.

Da verdrehte er die Augen. Wahrscheinlich sollte ich über dieses besondere Lächeln und seine mögliche Bedeutung gar nicht so viel nachdenken.

»Ich genieße deine Gesellschaft immer, Elle. Aber bilde dir jetzt bloß nichts darauf ein.«

Ich lachte und dann meinte Becca: »Hey, Levi, komm, sieh dir das mal an!« Und damit war der Bann des Augenblicks gebrochen.

Als wir später bei dem Aquarium mit den Haien standen und sie über und um uns herumschwimmen sahen, was Becca hin und wieder ein leises »Ooooh« der Bewunderung entlockte, spürte ich, dass Levi mich ansah. Er stand so nah bei mir, dass sein Arm gegen meinen drückte. Das wurde mir plötzlich deutlich bewusst.

Ich musste mich zwingen, nicht direkt zurückzustarren. Aus dem Augenwinkel konnte ich erkennen, dass er wieder dieses seltsame Lächeln von vorhin im Gesicht hatte.

In meinem Bauch machte sich ein komisches Gefühl breit. Es waren nicht unbedingt Schmetterlinge, aber ... so was Ähnliches.

Es war der gleiche Blick, mit dem Lee Rachel immer ansah, wenn er glaubte, niemand würde ihn beobachten. Und es war der Blick, bei dem ich früher Noah manchmal ertappte, wenn er nicht merkte, dass ich ihn sah.

Becca stand ein paar Schritte entfernt. Ich wusste, wenn ich mich jetzt umdrehte und Levi ansah, würde *irgendetwas* passieren. Genug, damit er mich vielleicht küsste.

Ich schluckte, weil mein Mund plötzlich ganz trocken war.

Mir wurde bewusst, dass ich von ihm geküsst werden *wollte* ...

In dem Moment klingelte mein Handy.

Das Geräusch war laut, fast brutal in der Stille des Aquariumstunnels. Ich zuckte zusammen und die Leute schauten zu mir rüber, während ich in meiner Handtasche wühlte und das Telefon endlich herausholte.

Es war Lee.

»Hey«, sagte er, bevor ich irgendwas sagen konnte. »Wo bist du? Ich bin gerade bei dir zu Hause gewesen und dein Dad meinte, du wärst heute mit Levi unterwegs.«

»Wir sind im Aquarium.«

»Im Aquarium?« Der Schock in Lees Stimme war mit Händen zu greifen. »Wie ... also ... nur ... ihr beide? Als ein Date?«

Ich warf wieder einen verstohlenen Blick zu Levi. Über den zu küssen ich gerade ernsthaft nachgedacht hatte. Den ich quasi fast geküsst hätte. Zu Lee sagte ich: »Wir sind mit Becca hier. Du weißt schon, Levis kleine Schwester. Er hatte versprochen, mit ihr ins Aquarium zu gehen, und wollte ein bisschen Gesellschaft.«

»Oh«, sagte Lee und ich war mir sicher, Erleichterung aus seiner Stimme zu hören. »Okay, dann ...« Er verstummte, räusperte sich und in mir machte sich mit einem Mal ein seltsames Gefühl breit. Weshalb auch immer er mich angerufen hatte, es musste was Ernstes sein.

»Lee? Ist alles okay?«

»Ich kann es dir auch später erzählen, wenn du wieder zu Hause bist. Ist schon okay.«

Er versuchte, beiläufig zu klingen, was ihm total misslang. Ich kannte ihn zu gut, um nicht zu merken, dass er irgendetwas Wichtiges als nebensächlich abtun wollte. Er war schließlich extra zu mir nach Hause gekommen, weil er mir etwas sagen wollte. Unruhe erfasste mich.

»Ist was mit Rachel? Habt ihr euch gestritten oder so?«

»Äh, nein, es ist – nichts mit Rachel und mir. Echt jetzt, mach dir keine Sorgen. Es ist ... Hör zu, ich erzähl es dir einfach, wenn du wieder zu Hause bist.«

»*Lee*«, fauchte ich. Wie er um den heißen Brei herumredete – und die Tatsache, dass er es mir anscheinend nur von Angesicht zu Angesicht erzählen wollte –, machte mir Angst. »Was ist los? Bitte.«

Er seufzte. »Okay, meine Mom hat gerade mit Noah telefoniert. Es ging darum, dass er zu Thanksgiving kommt ...« Lee machte eine Pause – und schien meine Reaktion abzuwarten.

Obwohl mir davor graute, Noah beim Thanksgiving-Festessen zu sehen, wusste ich, dass ich es nicht ausfallen lassen konnte. Dann musste ich mich eben für einen Tag zusammenreißen und höflich mit ihm umgehen. Genauso wie ich mich jetzt zusammenriss und versuchte, sorglos zu klingen. »Tja, also damit habe ich schon gerechnet. Was ist damit?«

Lee holte tief Luft und atmete langsam wieder aus. Es pfiff und knisterte an meinem Ohr. Meine Handflächen wurden feucht. »Er bringt zu Thanksgiving jemand mit nach Hause, das ist alles. Aber ich dachte, du solltest das zuerst von mir erfahren.«

»Jemand?«

Aber mit wem war Noah denn so eng, dass er –

Nein.

Nein, das würde er nicht machen. *Das nicht*. Nicht nach allem, was passiert ist. Das würde er nicht wagen. Aber vielleicht zog ich vorschnelle Schlüsse ... Mein Gott, das hoffte ich.

»Du meinst Steve?« Ich hörte selbst die Verzweiflung in meiner Stimme und hasste das. Genauso wie ich es hasste, dass ich mein Handy inzwischen mit glitschigen Fingern umklammerte. »Seinen Mitbewohner? Oder wie heißt der Typ aus der Footballmannschaft, mit dem er oft abhängt? David? Dave?«

»Ja. Ich meine, nein. Ich meine … den bringt er zu Thanksgiving nicht mit.«

»Lee …«

»Shelly, er bringt Amanda mit.«

Ich hatte damit gerechnet, aber trotzdem blieb mir schlagartig die Luft weg und ich stützte mich mit einer Hand an der nächsten Wand ab – es war das Glas des Haifischbeckens. Mir war schwindelig. Eigentlich war ich mir sicher gewesen, dass mein Herz schon gebrochen war, als ich mit Noah Schluss gemacht hatte, aber das war noch nichts im Vergleich zu dem Gefühl jetzt. Der Boden unter mir schien zu schwanken. In meinen Ohren dröhnte es. Der bittere Geschmack in meinem Mund ließ mich befürchten, ich würde mich gleich übergeben.

»Shelly?«, hörte ich Lee. »Bist du noch da? Rochelle? Elle?«

»Ja«, sagte ich. Meine Stimme klang erstickt. Ich holte ein paarmal tief Luft, um die Übelkeit loszuwerden. Etwas anderes füllte diese Lücke allerdings ziemlich schnell, während ich meine Fassung wiederfand: Wut.

»Alles okay mit dir?«

»Okay?«, fauchte ich im Flüsterton. Wie ich feststellte, sahen schon ein paar Leute in meine Richtung. So taumelte ich ein paar Schritte weiter weg. »Natürlich ist verdammt noch mal nicht alles okay,

Lee! Du hast doch auch das Foto von den beiden auf Instagram gesehen. Ich hab dir von ihrem Gespräch erzählt, das ich an dem Tag mitgehört habe, als wir Schluss gemacht haben. Und jetzt bringt er sie zum Thanksgiving-Festessen mit nach Hause, obwohl er weiß, dass ich auch da sein werde? Um mich mit der Nase draufzustoßen? Das ist verdammt noch mal alles andere als *okay*!«

»Immer mit der Ruhe, Shelly. Okay, ich hab's verstanden. Chill mal«, sagte Lee hektisch. Ich fluchte nicht oft, genau wie Lee. Aber wenn der Zeitpunkt dafür je angemessen war, dann jetzt. »Ich dachte mir nur, du solltest Bescheid wissen. Statt an Thanksgiving überrascht zu werden.«

»Danke für die Vorwarnung«, zischte ich mit zusammengebissenen Zähnen. Aber ich war ja nicht auf Lee wütend, und das wussten wir beide. »Ich … ich kann nur nicht glauben, dass er mir das antut. Ich weiß, dass wir uns getrennt haben und er jetzt das absolute Recht hat, mit ihr zu schlafen, sie zu daten und was auch immer, aber sie einfach so mit nach Hause zu bringen, so kurz danach, das ist einfach – mein Gott, ich kann nicht glauben, dass er das macht! Was für ein *Arschloch* –«

»Elle?«

Das war jetzt Levi, der meinen Namen sagte. Er stand vor mir, berührte mich an der Schulter und runzelte die Stirn.

Ich hob einen Finger, um ihm »eine Minute noch« zu signalisieren, während ich mich darauf konzentrierte, was Lee gerade sagte: »Ich weiß, dass du noch nicht über ihn weg bist, Shelly, und dass diese ganze Trennung dir das Herz gebrochen hat, aber falls es dich irgendwie tröstet, meiner Mom hat er gesagt, sie wäre nur eine gute Freundin.«

»Sie ist nicht nur eine gute Freundin, Lee! Das ist sie nicht, und wir beide wissen das!«

»Nun ja«, sagte er vorsichtig, »wir wissen nicht sicher, dass die beiden was miteinander haben.«

»Ach, dann hab ich mir das alles wohl nur eingebildet?«

»Nein, das hab ich nicht gesagt. Und das weißt du.«

Ich atmete tief aus. »Tut mir leid. Du weißt, dass ich nicht auf dich wütend bin.«

»Ich weiß. Hör zu, schreib mir, wenn du wieder zu Hause bist, dann komme ich vorbei und wir reden in Ruhe, ja?«

»Okay.«

»Sag Levi schöne Grüße von mir. Bis später.«

»*Bye*«, sagte ich, legte auf und warf das Handy zurück in meine Tasche. Dann sah ich Levi an.

»Was war da denn los? Ist alles okay?«

Ich schüttelte den Kopf, während meine Augen sich mit Tränen füllten. Ich blinzelte sie weg, aber eine fiel mir trotzdem auf die Wange. »Noah bringt Amanda zu Thanksgiving mit.«

Levi verzog nur den Mund. »Oh, Mist.«

Ich führte das gleiche Gespräch erst mit Lee, dann mit Levi und später mit Dad. Ich musste einfach darüber reden. Viel. Immer wieder. Wie eine nervige kaputte Schallplatte.

Brad war vor dem Schlafengehen noch unter der Dusche, und so saßen mein Dad und ich mit zwei Bechern heißer Schokolade im Wohnzimmer, als ich ihm genau erzählte, wie sehr ich Noah jetzt hasste. Ursprünglich hatte ich ihm ja gesagt, wir hätten wegen der Entfernung Schluss gemacht, aber jetzt erzählte ich ihm alles. Ich war einfach zu wütend, um es für mich zu behalten.

»Ich meine«, sagte ich zum millionsten Mal, »er weiß doch, für wie viel Ärger zwischen uns sie gesorgt hat. Sie war praktisch der Grund für unsere Trennung. Erst das Foto und dann das Telefonat. Ich wusste schon, dass sie sich nahestanden und ich wollte ihm sogar glauben, als er meinte, er hätte mich nicht mit ihr betrogen. Irgendwie hatte ich sogar damit gerechnet, dass sie ein Paar würden, nachdem ich mit ihm Schluss gemacht habe, weil sie doch so eng waren, aber dass er sie jetzt mit nach Hause bringt, wo er weiß, dass ich da sein werde … Also, okay, wenn sie vielleicht um Weihnachten zu Besuch gekommen wäre, na gut, weil ich dann vielleicht über ihn weg gewesen wäre. Aber es ist doch gerade mal ein paar Wochen her.«

Mein Dad sagte nicht viel dazu. Er nickte nur und machte Mhm an den richtigen Stellen. Ansonsten ließ er mich reden, damit ich es loswürde.

Jetzt nickte er gerade wieder, während ich Luft holen musste.

»Und die Tatsache, dass er sich so schnell getröstet hat und schon eng genug mit ihr ist, um sie an so einem Feiertag mit nach Hause zu bringen, das nervt mich *richtig*. Ich meine, er kann ja wohl nicht allzu traurig über unsere Trennung gewesen sein, wenn es mit ihr jetzt schon so ernst ist.«

»Hat Lee aber nicht gesagt, sie wären bloß gute Freunde?«

Ich schnaubte. »Das hat Noah seiner Mom erzählt. Ich hab dir doch gerade von dem Telefonat berichtet, das ich mitgehört habe. Die beiden *müssen* zusammen sein. Ich meine, sie ist echt hübsch. Sie ist *sehr* hübsch. Und intelligent. Sie haben diese ganzen Kurse zusammen. Deshalb kann sie mit ihm über lauter Sachen reden, die ich gar nicht verstehen würde. Und wann sind Jungs wie Noah denn bitteschön nicht mit Mädchen wie ihr zusammen?«

»Elle, du weißt, ich bin nicht besonders gut in diesen Dingen, aber – na ja, vielleicht siehst du das doch irgendwie falsch. Es hat mit dir und Noah nicht funktioniert. Und du musst über ihn hinwegkommen, wie du selbst gesagt hast. Das könnte jetzt deine Chance sein, ihm zu zeigen, dass du es geschafft hast.«

»Habe ich aber nicht.«

Nun ja. Jedenfalls nicht *wirklich*. Dass ich heute Levi küssen wollte, bedeutete schließlich nicht, dass ich über Noah schon komplett hinweg war.

»Und wenn er seine neue Freundin für den Feiertag mit nach Hause bringt, willst du dann, dass er merkt, du weinst ihm immer noch nach?«

So hatte ich das noch gar nicht gesehen.

»Also … so tun, als wäre ich über ihn weg?«

Dad zuckte mit den Achseln. »Wenn du dich dann besser fühlst.«

Ich stellte mir das mal eben bildlich vor: Wie ich Noah und Amanda richtig höflich mit einem breiten Lächeln begrüße, das ihm sagt, mir ist es egal, ob sie jetzt zusammen sind, weil ich schon vollkommen darüber weg bin. Und dann Noahs enttäuschtes Gesicht, wenn ihm klar wird, dass ich ihm nicht mehr hinterherschmachte, ihn auch nicht mehr vermisse. Er kann sie mit nach Hause bringen und direkt vor meiner Nase mit ihr angeben – ich zeige ihm als Retourkutsche, wie wenig mir noch an ihm liegt. Mal sehen, wie er *das* findet.

»Ich schätze, das könnte ich schon.«

»Vielleicht hilft es dir ja *wirklich*, über ihn wegzukommen?«, fragte mein Dad.

»Vielleicht.«

19

»Vielleicht sollte ich mir einen neuen Boyfriend zulegen«, bemerkte ich Lee gegenüber, als wir in der darauffolgenden Woche zum Unterricht gingen. »Nicht unbedingt was Ernstes, aber, weißt du, jemand, den ich zu Thanksgiving einladen könnte, um Noah eins auszuwischen.«

»Ich glaube nicht, dass das der richtige Grund ist, um sich einen Boyfriend zuzulegen«, sagte Lee mit warnender Stimme.

»Ich meine ja bloß.«

»Ja, ich auch. Was kommt danach, Elle? Sex aus Rache?«

Ich lachte. Mit wem? Seinem Mitbewohner Steve am anderen Ende des Landes? Lee verdrehte die Augen und ich sah ihn durchdringend an. »Davon rede ich auch gar nicht. Nur …« Ich fuhr mir seufzend mit einer Hand durch die Haare und zog entnervt an den Spitzen. »Ich kann einfach nicht aufhören, daran zu denken. An die beiden.«

Ich konnte aber auch nicht aufhören, daran zu

denken, wie knapp davor ich gewesen war, Levi zu küssen.

»Ich verstehe ja, dass du dich betrogen fühlst, Shelly, aber ich denke wirklich, dass du versuchen musst, die Sache hinter dir zu lassen. Du bist echt wie besessen davon.«

»Ich versuche, die Sache hinter mir zu lassen! Und das habe ich auch schon! Bis er entschieden hat, sie für den Feiertag mit nach Hause zu bringen.« Ich knirsche mit den Zähnen. Das habe ich in den letzten Tagen oft getan, wenn ich mir vorstellte, wie Noah und Amanda im Esszimmer seiner Eltern zusammen sitzen. Die verschränkten Hände auf dem Tisch, während sie sich dauernd schmachtende, verliebte Blicke zuwerfen.

Was ich an dem Bild am meisten hasste, war, wie perfekt die beiden zusammenzupassen schienen.

»Wie? Wäre es denn leichter, Noah allein zu sehen, wenn er mit Amanda zusammen ist?«

Ich seufzte. »Also, ja. Es ist einfach … sie zu so einem Feiertag mit nach Hause zu bringen, macht eine ziemlich ernste Sache daraus. Oder nicht? Und es bringt mich zwangsläufig zu der Frage, ob da nicht schon was zwischen ihnen lief, während wir noch zusammen waren.«

»Wenn ich eins sicher weiß, dann dass mein Bruder dich niemals betrogen hätte. Er war ganz anders mit dir, weißt du nicht mehr? Ich meine, er hat dich richtig gedatet – das war schon mehr als er je mit irgendeinem anderen Mädchen hatte. Er kann ein Mistkerl sein, aber fremdgehen … so ist er nicht. Er war doch total verrückt nach dir.«

»Ich sage ja auch nicht, dass er mich definitiv betrogen hat, aber vielleicht haben sie ein bisschen geflirtet – und dann hat es eventuell gefunkt. Und vielleicht war der Besuch bei mir einfach der letzte Versuch, um zu sehen, ob die Chemie zwischen uns noch stimmte.«

»Shelly, jetzt mal im Ernst. Du übertreibst wirklich. Wir wissen doch nicht mal mit Sicherheit, ob da überhaupt was zwischen den beiden ist. Wahrscheinlich nicht.«

Ich winkte ab, weil ich seine Bemerkung gar nicht an mich ranlassen wollte. Ich wusste doch, dass Lee mich damit nur trösten wollte, also widersprach ich ihm gar nicht erst.

Aber wenn es keinerlei Grund zur Sorge gäbe, hätte Noah mir dann nicht persönlich Bescheid gesagt? Die Tatsache, dass er es mir nicht erzählt hatte, kam mir allein schon wie eine große Sache vor. Entweder war er zu feige dafür oder es … es kümmerte ihn nicht wirklich, wie sehr er mich damit verletzte.

Ich wünschte, ich hätte aufhören können, so viel für ihn zu empfinden. Ich war diejenige gewesen, die mit ihm Schluss gemacht hatte. Deshalb sollte es mich nicht dermaßen umtreiben. Wenn er Amanda daten und sie zu Thanksgiving mitbringen wollte … dann wünschte ich, es würde mir nicht so viel ausmachen.

Ein großer Teil von mir liebte ihn immer noch, trotz

allem. Und dieser Teil war zu verletzt, um es einfach auf sich beruhen zu lassen.

Levi versuchte ein paar Tage später, mich zu beruhigen: »Es wird an dem Tag selbst gar nicht so schlimm sein. Du wirst sehen. Dann kommt er mit dieser Amanda rein und es wird dich gar nicht so sehr verletzen, wie du gedacht hast. Die beiden zusammen zu sehen, hilft dir vielleicht sogar, über ihn hinwegzukommen.«

»Aber sie ist perfekt«, jammerte ich. Vor Kurzem hatte ich Rachel abends überredet, ein bisschen in Noahs Facebook- und Instagramprofilen zu schnüffeln. Bis dahin hatte ich der Versuchung widerstanden, aber jetzt wollte ich was sehen. Sein Beziehungsstatus war immer noch »Single«, aber das bedeutete ja nicht, dass zwischen ihm und Amanda nichts lief. Es bedeutete lediglich, dass er seinen Facebookstatus nicht geändert hatte. Es gab ein paar Updates, von »einem tollen Abend mit den Jungs« und Ähnliches. Außerdem Fotos, auf denen er getaggt war.

Amanda war auf vielen dieser Bilder mit ihm zu sehen. Auf keinem küssten sie sich, aber sie hatten die Arme umeinander gelegt und sahen schon pärchenmäßig aus.

Und sie war so viel hübscher als ich. Sie sah so … erwachsen aus.

Als könnte sie ein Model sein. Ihre Haut war makellos, ihre Haare sahen auf jedem einzelnen Foto gut aus, und nicht mal auf den Bildern von Partys, wo sie einen Drink in der Hand hatte, gab es eine einzige unattraktive Aufnahme. Nicht mal eine mit halb geschlossenen Augen, offenem Mund oder so was.

Das war dermaßen unfair.

Ich erzählte Levi davon, und er zuckte nur mit den Schultern. »Vielleicht hat sie einen total miesen Charakter. Oder sie ist sterbenslangweilig.«

Das konnte ich nur hoffen.

Aber ich bezweifelte es.

Während der November verflog und Thanksgiving näherrückte, tat ich mein Bestes, um mich nicht weiter auf diese ganze Sache – mein Ex und seine (wahrscheinlich) neue Freundin, die nach Hause kamen – zu konzentrieren, sondern widmete mich mit geradezu wütender Hingabe meinen College-Bewerbungen.

Ich beschloss sogar, mich an der Brown zu bewerben. Hauptsächlich weil ich bei Lee sein wollte, wie ich Dad gestand. Außerdem schickte ich meine Unterlagen an die University of California San Diego und ein paar andere Unis in der Gegend. Ich wusste zwar immer noch nicht genau, was ich nach dem College tun wollte, aber mein Dad versicherte mir, das würde ich schon noch rausfinden.

Am Sonntag vor Thanksgiving überredete ich Rachel, am Nachmittag mit mir zu Mani- und Pediküre zu gehen. Nur wir beide hatten außerhalb der Schulzeit schon ewig nichts mehr zusammen gemacht, was nichts mit College-Bewerbungen zu tun hatte. Außerdem brauchte ich einen Girly-Nachmittag, bevor ich mich Noah und Amanda stellte, fand ich.

Noch dazu hatte ich in letzter Zeit versucht, Levi ein bisschen auf Abstand zu halten. Es kam mir nicht richtig vor, ständig mit ihm abzuhängen und mich zu fragen, ob da zwischen uns irgendetwas war, wenn gleichzeitig Noah mich immer noch so beschäftigte.

»Wie geht's dir denn jetzt damit?«, fragte Rachel, als wir uns auf einen Kaffee ins Café setzten. »Okay? Oder immer noch entnervt?«

»Jetzt gerade okay. Wenn er ein totaler Dreckskerl sein und das durchziehen will, bitteschön. Aber ich habe nicht vor, ihn merken zu lassen, dass es mir was ausmacht. Und abgesehen davon verdiene ich sowieso jemand Besseren, der sich nicht so schnell über mich wegtröstet.«

»Ich glaube ja nicht, dass er so schnell über dich hinweggekommen ist«, sagte Rachel zögernd. »Ich meine … er hat dich geliebt. Und zwar sehr. Das hat jeder gesehen. Ich muss da Lee schon zustimmen – vielleicht hat Noah June doch die Wahrheit erzählt, und sie sind einfach nur gute Freunde.«

»Eine Freundin, die du zu einem so großen Feiertag mit nach Hause bringst, den man üblicherweise mit der Familie begeht?«

Rachel seufzte. »Ja, aber … Er hat dich so geliebt. Eine Beziehung, wie ihr beide sie hattet, hakt man doch nicht einfach ab.«

»Wenn sie nur gute Freunde sind, warum hat er mich dann nicht angerufen und es mir erzählt?«

Ich sah ihr ungefähr eine Minute lang beim Nachdenken zu. »Danach, wie die Trennung passierte, dachte er vielleicht, wenn er es dir direkt erzählt, würdest du ihm nicht glauben. Vielleicht wollte er … einen neuen Streit vermeiden?«

Ich schnaubte. Klar, eventuell, aber ich konnte mich nicht dazu durchringen, das zu glauben.

Rachel fuhr fort: »Wenn sie richtig zusammen sind oder nur Sex haben oder so, dann kannst du dir wenigstens ziemlich sicher sein, dass das nur eine Revanche ist und vermutlich nicht lange hält.«

»Meinst du?«

»Ja«, antwortete sie voller Überzeugung. Aber als ich den Blick hob und sie ansah, erweckte sie nicht den Eindruck, ganz sicher zu sein.

»Wie auch immer, genug von mir geredet. Ich hab es satt, mich verrückt zu machen und sauer zu sein. Jetzt kann ich damit schon umgehen. Ich werde ihm zeigen, dass er mein Herz nicht mehr in der Hand hält, auch wenn das nicht ganz stimmt. Wie läuft es bei dir und Lee?«

Rachels ganzes Gesicht strahlte, als sie lächelte, und ich spürte einen kleinen Stich von Eifersucht. »So toll! Ich hoffe wirklich, dass wir nächstes Jahr beide auf die Brown kommen, denn die Vorstellung, von ihm getrennt zu sein, macht mich fertig. Und ich hoffe natürlich, dass du auch mitkommst. Ich glaube nämlich nicht, dass Lee es schafft, normal zu funktionieren, wenn du nicht in seiner Nähe bist«, fügte sie rasch mit einem etwas verlegenen Lachen hinzu. »Aber ja, es ist − seltsam. Es kommt mir schon viel länger vor als die acht Monate, die wir inzwischen zusammen sind. Ich habe den Eindruck, ihn schon mein ganzes Leben lang zu kennen. Und wenn Lee bei mir ist, vergesse ich sofort, dass ich mich über irgendwas aufgeregt hatte oder genervt war. Er sorgt einfach dafür, dass ich mich viel glücklicher fühle.«

»Das ist toll«, sagte ich, obwohl meine Stimme nicht ganz so enthusiastisch klang, wie ich das gern gehabt hätte. Ich freute mich für sie, auch wenn ich ein kleines bisschen neidisch war. »Ganz ehrlich, ich bin froh, dass ihr beiden so gut klarkommt. Ich habe Lee nie so glücklich gesehen, wie wenn er mit dir zusammen ist. Oder wenn er von dir spricht. Oder dir schreibt. Oder an dich denkt.« Ich lachte.

Rachel wurde rot.

»Und«, ich senkte meine Stimme und lehnte mich ein bisschen weiter zu ihr, »wie läuft's im Bett?«

Sie wurde noch röter und ich lachte. »Das war nur ein Scherz«, versicherte ich ihr. »Du musst mir darauf natürlich nicht antworten, wenn du nicht willst. Ich weiß, wahrscheinlich ist es seltsam, mit mir darüber zu reden, weil ich Lee so nahestehe.«

Rachel biss sich lächelnd auf die Lippe. »Ehrlich gesagt weiß ich gar nicht, wovor ich solche Angst hatte. Im Ernst. Ich dachte, es wäre eine ganz, ganz große Sache, und … das war es einfach nicht.«

»Soll ich das mal Lee verraten?«, witzelte ich.

»O Gott, bitte nicht.« Sie kicherte. »Ich meine nur, man hört alle darüber reden, als wäre es eine Riesensache und das war es nicht. Im positiven Sinne, verstehst du? Ich hatte mir das in meinem Kopf so zurechtgelegt, dass ich deshalb total nervös sein müsste, doch dann gab es keinen Grund dafür.«

»Ich weiß genau, was du meinst.«

»Ja. Okay, jetzt aber genug Bettgeflüster«, sagte sie. »Weil Jungs anscheinend das Thema des Nachmittags sind – muss ich dich unbedingt was fragen, das ich schon so lange mit mir rumtrage, aber in der Schule, mit all den anderen rundherum nicht ansprechen wollte. Was läuft da eigentlich mit dir und Levi?«

Unwillkürlich wurden meine Augen schmal. »Was soll mit mir und Levi laufen?«

»Na ja, ihr seid doch dauernd zusammen. Und du flirtest ganz schön heftig.«

»Ich flirte nicht mit ihm!«

Hatten alle anderen das auch bemerkt? Und er? (Mir war ja selbst kaum aufgefallen, dass ich es tat.)

»Mhm.« Rachel schnitt eine Grimasse und schien nicht überzeugt. »Irgendwie schon. Und er flirtet zurück. Ich will dir nur sagen, Elle, alle sind überzeugt davon, dass ihr zusammen seid.«

»Ich … ich …«

Das Letzte, was mir jetzt noch fehlte, war, dass Rachel Lee erzählte, ich sei in Levi verknallt, und das dann als Gerücht die Runde machte. Vor allem wo ich mir selbst über meine Gefühle für ihn noch gar nicht im Klaren war.

»Ich bin nicht in ihn verknallt, falls du darauf hinauswillst«, erklärte ich und fügte noch hinzu: »Und abgesehen davon, was ist denn an ein bisschen harmlosem Flirten so schlimm?«

Sie sah immer noch nicht sehr überzeugt aus, ließ es aber auf sich beruhen und ich atmete erleichtert auf.

Nach unserer Mani- und Pediküre überredete ich Rachel, mit zu mir nach Hause zu kommen und mir zu helfen, ein Outfit für das Abendessen zu Thanksgiving auszusuchen.

»Ich weiß, dass ich gesagt habe, ich mache mich nicht verrückt«, erklärte ich ihr, als ich meinen Kleiderschrank öffnete, »aber das ist was anderes. Hier geht's um mein Outfit. Und ich will was anziehen, das schreit: ›Ich bin total glücklich mit mir und total über dich hinweg.‹«

»Und ›Schau, was du jetzt verpasst, Noah Flynn‹?«, fügte Rachel mit einem ironischen Grinsen hinzu.

»Na gut, das auch.«

Lachend machte sie es sich am Fußende meines Betts gemütlich. »Okay, was für Optionen hast du?«

Ich nahm ein Kleid aus dem Schrank, das ich mir vor etwa einem Jahr gekauft hatte. Es war senfgelb, hatte lange Ärmel und einen figurbetonten Rock.

Rachel verzog das Gesicht. »Das sagt mir überhaupt nicht zu. Sieht aus wie Hundekotze.«

»Was? Das ist doch die absolute Herbstfarbe!«

»Ich bin mir da nicht so sicher, du hast was Besseres. Nächstes!«

Ich zeigte ihr eine schwarze Bluse aus weich

fließendem, feinem Stoff. Die Knöpfe gingen nicht bis ganz oben zu, weil meine Oberweite zugenommen hatte, seit ich die Bluse zuletzt getragen hatte. Ich probierte sie an, um Rachel zu zeigen, was ich meinte.

Sie zog die Nase kraus. »Hot, aber vielleicht sieht es so aus, als hättest du es zu sehr drauf abgesehen? Und Schwarz ist für Thanksgiving irgendwie langweilig, wenn du kein klassisches Kleines Schwarzes anziehst. Als wärst du in Trauer oder so.«

»Okay …« Ich hängte die Bluse in den Schrank zurück und holte eine andere heraus, die ich ihr zeigte. Zu lässig, zu sommerlich, zu grell und bunt gemustert, zu bieder, zu offensichtlich …

In den Tiefen meines Kleiderschranks entdeckte ich schließlich noch ein Kleid, das ich schon fast vergessen und eine ganze Weile nicht mehr getragen hatte.

»O süß«, meinte Rachel, als ich es herausnahm. Das Kleid war aus leichter Baumwolle, burgunderrot und hatte einen runden Ausschnitt sowie Dreiviertelärmel. Ich zog es an, um Rachels Urteil zu hören.

»Ich glaube, wir haben gerade das perfekte Outfit gefunden«, verkündete Rachel.

»Findest du wirklich?« Ich drehte mich vor dem Spiegel, musterte meine Beine, meinen Hintern, Taille und Arme in dem Kleid.

»Trag es mit niedlichen flachen Schuhen und hübschen Ohrringen, dann wird Noah das Wasser im Mund zusammenlaufen«, versicherte sie mir.

Ich grinste. »Genau das schwebt mir vor.«

20

Ich strich meinen Rock glatt, aber eigentlich tat ich es nur, um mir den Schweiß von den Handflächen zu wischen. Mein Atem ging stoßweise, als wäre ich schnell gelaufen. Dabei hatte ich mich heute Morgen, während ich mich fertig machte, noch wirklich toll gefühlt. Tatsächlich so toll, dass es mir fast gelungen wäre, mir einzureden, dass ich über Noah hinweg war und es mir gar nichts ausmachte, ihn heute wiederzusehen.

Zum hundertsten Mal in der letzten Stunde war ich im Badezimmer der Flynns. Seit Matthew zum Flughafen gefahren war, um seinen Sohn und dessen wahrscheinliche neue Freundin abzuholen. Ich hob die Arme, um zu kontrollieren, dass ich keine Schweißflecken hatte. Das wäre das Letzte gewesen, was mir heute noch gefehlt hätte.

Ich checkte meine Nachrichten, obwohl mein Telefon keinen Ton von sich gegeben hatte, seit Levi mir vor ein paar Stunden geschrieben und viel Glück für das Treffen mit Noah und Amanda gewünscht hatte.

Immer noch hoffte ich, dass eine Nachricht von Noah käme. Nichts Ernstes, keine große Entschuldigung oder dass er mich zurückhaben wolle, keine Beteuerungen, dass er und Amanda nur gute Freunde wären.

Ich wünschte mir nur eine Nachricht von ihm, in der stand: *Nur damit du Bescheid weißt, ich bringe Amanda zu Thanksgiving mit. Dachte, das solltest du wissen.*

Denn, jetzt mal ehrlich, das wäre nur höflich. Oder etwa nicht? Er musste doch wissen, dass ich über Lee schon davon gehört hatte. Da konnte ich nicht anders als ein wenig angepisst zu sein, weil er nicht mal den Anstand besaß, mir zu schreiben und mich persönlich zu warnen. (Okay, sehr angepisst. Wenn man bedachte, wie unsere Trennung gelaufen war, kniff er und überließ es Lee, mich ins Bild zu setzen? Da hätte ich ihm echt mehr zugetraut.)

Es klopfte an der Badezimmertür, sodass ich fast mein Handy fallen ließ. »Eine Sekunde!«

Ich öffnete die Tür und zwang mich Lee zuliebe zu einem Lächeln. Sein Gesicht war voller Mitgefühl. »Shelly, ganz im Ernst, du musst aufhören, dir Sorgen zu machen. Es wird gut gehen. Du wirst ihn mit Amanda sehen und erkennen, dass er dich scheiße behandelt hat und du was Besseres verdienst, und dann bist du okay.«

»Mhmm.«

»Außerdem siehst du *hot* aus«, versicherte Lee mir. »Er wird sich fragen, wie er dich bloß für irgendeine hyperbrave Preppy-Langweilerin aufgeben konnte.«

Ich brachte ein echtes Lächeln zustande und umarmte Lee. »Woher weißt du bloß immer, was du sagen musst, damit ich mich besser fühle?«

»Ich schätze, dass unsere Gehirne einfach so synchron arbeiten, dass ich gar nicht anders kann. Ich wette, wenn ich ein Mädchen wäre, dann hätten wir sogar unsere Perioden genau gleichzeitig.«

Ich lehnte mich von ihm weg, um ihn mit strahlend blauen Augen grinsen zu sehen. Seine Sommersprossen waren gar nicht mehr so deutlich zu erkennen, stellte ich fest. Ein bisschen verblasst. Und in letzter Zeit hatte er mehr Muskeln bekommen, was natürlich daran lag, dass er Mitglied des Footballteams war. (Er hatte auch aufgehört, so viel auf Partys zu gehen, was ihm dabei zu helfen schien, sich weniger blöd aufzuführen.)

Ich zerstrubbelte ihm die Haare, die er heute Morgen mit irgendeinem Pflegeprodukt kunstvoll selbst durcheinandergewuschelt hatte, noch ein bisschen mehr. Er quietschte protestierend und schlug meine Hand weg.

»Gnade, Gnade!«, rief er, woraufhin ich lachen musste, und wich zurück.

»Siehst du Rachel heute noch?«

»Ich gehe nach dem Abendessen zu ihr. Aber nur wenn du okay bist. Ich hab ihr schon gesagt, vielleicht auch nicht, wenn du möchtest, dass ich hierbleibe. Wenn es zwischen dir und Noah seltsam ist. Und mit Amanda. Das hat Rachel total verstanden.«

Ich zuckte mit den Achseln. »Wenn wir Glück haben, läuft es okay. Dann kannst du zu Rachel.«

Lee lächelte, aber nicht mehr schelmisch, eher traurig. »Du weißt doch, dass ich immer da bin, wenn du mich brauchst, Elle.«

»Weiß ich.«

Ich umarmte ihn noch mal, und da hörten wir jemand sagen: »Oh, da störe ich doch hoffentlich nicht, oder?«

Das war Maureen, eine von Lees Tanten. Sie zog die Augenbrauen hoch, als hätte sie uns gerade beim Knutschen oder so erwischt. Lee warf mir einen Blick zu und ich verbiss mir ein Kichern.

»Kann ich nur mal eben ins Bad, Honey?«

»Entschuldigung«, sagte ich, trat einen Schritt von Lee weg und machte den Weg ins Bad frei. »Es gehört dir.«

Maureen lächelte uns verschwörerisch zu und schloss dann die Tür hinter sich. Sie war schon seit Jahren überzeugt davon, dass Lee und ich am Ende heiraten und ein Dutzend Kinder miteinander haben würden. Das prophezeite sie uns jede Weihnachten.

»Ich schätze, wir sollten mal nach unten gehen und sehen, ob deine Mom bei irgendwas Hilfe braucht«, erklärte ich Lee.

Lees Mom kochte zu Thanksgiving immer für ihre Familie und uns.

Die übliche Schar hatte sich schon eingefunden: eine Handvoll Tanten und Onkel, Großeltern, die meisten Cousinen und Cousins. Gerade kamen wir an Lees Cousin Liam vorbei, der ungefähr so alt war wie Brad. Er behauptete, dass die Fantasy-Reihe, die er gerade las, sogar noch cooler war als das Videospiel, von dem Brad schon den ganzen Tag redete. Aber ich wurde das Gefühl nicht los, er würde nicht viel Erfolg damit haben, Brad zu überreden, den Büchern eine Chance zu geben.

June sagte immer, die Zubereitung des Thanksgiving-Festessens mache ihr Spaß, aber das hätte man ihrer mehr als gestressten Miene, als wir jetzt die dampfige Küche betraten, niemals angesehen. Kurzangebunden befahl sie uns zu kontrollieren, ob der Tisch fertig gedeckt sei. Damit es genug Messer und Gabeln, Teller und Stühle, Tischsets, Gläser und Servietten gab. War der Wein im Kühlschrank? Könne das bitte mal *irgendwer* überprüfen?

Thanksgiving war immer das totale Chaos.

Aber, oh Mann, wir liebten jede Sekunde davon.

Es war sogar eine noch größere Sache als Weihnachten im Hause Flynn, wegen der ganzen zusätzlich anwesenden Verwandten. Weihnachten waren nur wir da, keine Großeltern, Tanten, Onkel, Cousinen und Cousins.

Onkel Pete und Tante Rose halfen June in der Küche, während Petes neue Frau Linda etwas abseits stand und sich bemühte, nicht im Weg zu sein. Das war erst ihr zweites Thanksgiving mit uns, deshalb konnte man ihr nicht verübeln, dass sie sich ein bisschen fehl am Platz vorkam. Sie warf mir einen Blick zu, als ich ins Esszimmer flitzte, und ich lächelte sie an.

Sie ließ den Wein in ihrem Glas kreisen und folgte mir, während ich das Besteck verteilte. Lee murmelte irgendwas von mehr Löffeln und verschwand wieder. Linda war ungefähr fünfzehn Jahre jünger als Pete – also altersmäßig näher an mir und Lee als an ihm. »Ich habe gehört, dass du und Noah euch getrennt habt.«

»Ja«, sagte ich.

Bisher hatte ich noch nie richtig mit Linda geredet. Jedenfalls nicht unter vier Augen. Ich meine, sie war nett, klar, aber mir war nicht danach, ihr alle Details der Trennung zu erzählen.

»Es ist wahrscheinlich besser so«, erklärte sie und nippte an ihrem Wein, bevor sie ein Messer geraderückte. »Als ich aufs College ging, war das ungefähr vier Stunden von dem entfernt, das mein damaliger Freund besuchte. Wir waren schon seit der Zehnten zusammen gewesen, aber wir kriegten es einfach nicht hin, nicht auf diese Distanz. Deshalb glaube ich, du hast das Richtige getan, als du Schluss gemacht hast. Ich habe versucht, meine Beziehung am Laufen zu halten. Wir versuchten, uns jedes Wochenende zu sehen, und darunter litten meine Noten. Und nach einer Weile existierte keine Beziehung mehr, für die sich das alles lohnte.«

»Das tut mir leid«, sagte ich, weil mir nichts anderes einfiel.

Linda zuckte mit den Achseln und nahm noch einen Schluck Wein. »Ich bin drüber weggekommen. Und ich meine nur, das wirst du auch, selbst wenn es dir jetzt hart vorkommt.«

»Danke«, sagte ich und meinte es ehrlich. »Ich weiß das zu schätzen.«

»Aber es ist schon ganz schön gemein von ihm, seine Nebenfrau mit nach Hause zu bringen«, meinte Linda, grinste und zwinkerte mir zu. »Verrat June bloß nicht, dass ich das gesagt habe.«

Ich lachte. »Mit keinem Wort.«

»Worüber tuschelt ihr beiden denn da?«, fragte Pete, der gerade reinkam und seine Frau als Erstes auf die Wange küsste.

»Ach, nur Mädchenthemen«, wehrte Linda ab.

Pete nickte, als würde diese Antwort alles erklären. Dann sah er mich an. »Ist es okay für dich, Noah heute zu sehen, Kleines?«

Er nannte uns immer so. Sogar zu Noah sagte er »Kleiner«.

»Äh, hm, ich denke schon. Ich wusste ja von Anfang an, dass ich ihn trotzdem weiterhin sehen müsste, falls es nicht funktionieren würde.«

»Elle ist ein toughes Mädchen«, mischte Lee sich ein, der gerade wieder reinkam. »Sie wird mit allem fertig.«

Pete lachte und June rief aus der Küche, wohin zum Henker er verschwunden sei – die Karotten würden gerade anbrennen.

»Ich geh mal lieber«, sagte er und verschwand wieder in der Küche, bevor einer von uns irgendwas dazu sagen konnte. Linda folgte ihm, und damit war unsere Unterhaltung offenbar zu Ende.

Lee sah mich an, als ich das Besteck verteilte und er den Korb mit den warmen Brötchen auf den Tisch stellte, den er aus der Küche gebracht hatte. »Hey«, sagte er leise, »bist du dir sicher, dass du klarkommst?«

»Ganz prima«, versicherte ich ihm und für den Moment stimmte das sogar.

Wir hörten alle das Auto in der Einfahrt. June kam aus der Küche geschossen und wischte sich eilig die Hände an ihrer mit Soße bespritzten Schürze ab, bevor sie die Haustür aufriss. Lee und ich gingen in den Vorraum vor dem Wohnzimmer, von wo aus man in den Flur sehen konnte.

Matthew kam als Erster rein, mit einer dicken violetten Reisetasche, danach Noah mit seiner eigenen grauen. Gefolgt von *ihr*.

Als Erstes fiel mir auf, wie gut Noah aussah. Irgendwie noch unglaublicher als sonst. Ich war einen Dreitagebart an ihm gewohnt, jetzt trug er einen Vollbart – der ihm richtig gut stand und ihn älter, reifer wirken ließ. Unter einem rot-grauen Flanellhemd, trug er ein weißes T-Shirt. Die Ärmel waren bis zu den Ellbogen hochgekrempelt. Und anstelle der üblichen Biker-Stiefel trug er schlichte schwarze Converse. Seine Jeans musste auch neu sein – denn sie hatte kein einziges Loch.

Noch nie hatte ich Noah so gut oder so lässig angezogen gesehen – außer als er mit mir zum Summer Dance gegangen war. Sonst trug er Stiefel wegen der einschüchternden Wirkung, alte, abgetragene T-Shirts, zerschlissene Hemden und löchrige Jeans.

»Hi, Sweetie«, sagte June und küsste Noah auf die Wange. Sie sah total euphorisch aus und ich bemerkte ihr erwartungsvolles Lächeln, während sie verstohlen zu Amanda hinübersah.

»Hi, Mom. Das ist Amanda«, stellte Noah das Mädchen an seiner Seite vor.

Amanda war eine große, langbeinige Blondine mit Stupsnase und dichtem Pony. Ihr Lippenstift war kaugummirosa und ihr Eyeliner perfekt bis in die Augenwinkel.

Genau wie auf ihren Fotos sah sie aus wie das Katalogmodell eines Preppy-College-Girls (zumindest fand ich das): eine weiße Bluse unter einem lavendelfarbenen Strickpulli, wahrscheinlich aus Kaschmir, dazu schwarze Skinny-Jeans und dezente graue Pumps. Sie hatte diese riesige rechteckige Handtasche bei sich, aus beigem Leder mit schwarzen Trägern und Verzierungen. Fast rechnete ich damit, dass ein Schoßhündchen den Kopf herausstrecken würde.

Sie war so was von hübsch.

Und ich hasste sie aus tiefster Seele.

»Hallo«, sagte June freundlich, streckte ihr die Hand hin und küsste sie auf die Wange. »Es ist schön, dich endlich kennenzulernen. Noah hat uns schon so viel von dir erzählt.«

Hat er das?

Ich warf Lee einen Blick zu, aber er schaute bewusst weg. Er hatte mir doch erzählt, er wüsste praktisch nichts von Amanda, weil Noah nicht viel erzählt habe. Jetzt gewann ich den Eindruck, er habe das nur gesagt, damit ich mich besser fühlen sollte.

Amanda lächelte ein breites Lächeln mit vielen Zähnen, das sie nur noch hübscher aussehen ließ. »Vielen Dank für die Einladung, Mrs Flynn. Ihr Haus ist absolut entzückend.«

O Gott.

Sie war *Engländerin*.

Gerade als ich gedacht hatte, sie könne nicht perfekter sein, stellte sich raus, dass sie auch noch einen niedlichen Akzent hatte.

Ich wollte gerade angewidert das Gesicht verziehen, als ich Noahs Blick auffing. Seine stechend blauen Augen hielten meine fest, doch sein Ausdruck war undurchdringlich.

War er sauer auf mich? Vermisste er mich? War er längst über die beste Freundin seines kleinen Bruders hinweg und es kümmerte ihn überhaupt nicht mehr?

Je länger wir einander anstarrten, desto weniger wollte ich es herausfinden.

Ich wandte mich ab und floh hastig durchs Wohnzimmer in die Küche, bevor ich Amanda auch noch offiziell vorgestellt würde. Sollte sie ruhig zuerst Noahs Familie kennenlernen. Das waren genug, um sie für eine Weile zu beschäftigen.

Lee folgte mir, erwischte auf der Höhe der Kochinsel meinen Arm und verschränkte seine Finger mit meinen. Dann drückte er meine Hand. »Hey, hey, ist schon gut. Hör mal, ich bin gleich hier.«

Ich blinzelte ein paarmal, nur um sicherzugehen, dass ich nicht weinen würde. Das würde ich nämlich keinesfalls tun. Gestern Abend hatte ich mir geschworen, egal was passierte, ich würde heute keine Träne wegen Noah Flynn vergießen.

Ich hatte gedacht, ich könnte damit umgehen. Hatte mir eingeredet, ich würde das schaffen. Aber sich an die Vorstellung zu gewöhnen, dass Noah mit einem anderen Mädchen zusammen war, das war doch etwas ganz anderes, als ihn tatsächlich mit ihr zu sehen. Es schmerzte so viel mehr, als ich erwartet hatte.

»Du musst nur das Essen überstehen«, erklärte Lee mir. »Zeig ihnen, dass es dir egal ist. Verdammt, es wird sie wahrscheinlich sowieso einschüchtern, dass meine Familie dich so sehr mag, dass du zu Thanksgiving hier bist.« Mir gelang ein schnaubendes Lachen. »Und dann verschwinden wir für eine Weile von hier. Fahren vielleicht ein bisschen durch die Gegend.«

»Aber du wolltest doch später zu Rachel.«

»Ich habe dir schon gesagt, dass ich heute für dich da bin, weil ich glaube, dass du mich dringender brauchst.«

June kam in die Küche geplatzt, bevor wir weiterreden konnten. Also drückte ich Lee nur die Hand aus Dankbarkeit dafür, dass er mir heute den Vorzug vor Rachel gab. June meinte: »Lee, du solltest Amanda Hallo sagen.«

Er verstand die Botschaft und salutierte. »*Yes, Ma'am.*«

Nachdem er weg war, kam June zu mir und drückte sanft meine Schultern. »Alles okay, Honey?«

»Ich werd's überleben.«

»Sie ist sehr nett.«

»Das ist das Schlimmste daran«, antwortete ich und brachte ein nervöses Lachen zustande. June war nach unserer Trennung sehr mitfühlend gewesen. Lee hatte ihr alles erzählt und mir dann gesagt, sie hätte vollstes Verständnis. Außerdem hoffe sie, ich wüsste, dass ich nach wie vor jederzeit willkommen sei. Auch wenn die Sache mit Noah vorbei sei, wäre ich immer noch ein Teil ihrer Familie. Trotzdem hatte ich es komplett vermieden, mit ihr über Amanda und Noahs Plan, sie mitzubringen, zu sprechen.

»Er hat mir gesagt, sie wären nur gut befreundet.«

»Hat Lee mir auch gesagt. Ich tue mich nur schwer damit, es zu glauben, das ist alles. Aber ist schon okay. Alles gut.«

»Sicher?«

Ich nickte. Das Letzte, was ich jetzt noch brauchte, war, dass sie Noah berichtete, wie nahe mir das alles ging, und er deshalb Rücksicht auf mein dummes, gebrochenes Herz nehmen solle. »Ich werde auch hingehen und Hallo sagen. In einer Minute. Außer du brauchst irgendwie Hilfe beim Kochen oder … was anderem? Ich bringe vielleicht mal den Müll raus.«

June lachte. »Ich glaube auch, dass du Hallo sagen solltest. Du musst ja nicht mit ihr plaudern, nur Hallo sagen. Und auf dein Angebot komme ich zurück – du kannst später gern den Müll rausbringen.«

»In Ordnung«, murmelte ich. Sie drückte meine Schultern noch mal, bevor sie mich losließ.

Ich holte tief Luft und machte mich bereit, ein breites, warmes und total falsches Lächeln aufzusetzen, um Amanda zu begrüßen.

Sie schüttelte gerade Lees Onkel Colin die Hand, als ich näherkam. Noah war auf der anderen Seite des Raums bei Brad und Liam in die Hocke gegangen.

Amanda sah mich an und lächelte.

»Hi«, presste ich hervor und räusperte mich. »Ich bin –«

»Elle!«, rief sie mit ihrem verdammten, schicken Akzent und lächelte noch breiter. Ich war so entsetzt, dass mein eigenes aufgesetztes Lächeln sich verflüchtigte. Sie lächelte jetzt sogar mit den Augen. Das sah überhaupt nicht gekünstelt aus. »Es ist so schön, dich endlich kennenzulernen! Ich hab schon *so* viel von dir gehört!«

Und dann umarmte sie mich.

Sie *umarmte* mich.

Sie umarmte *mich*.

Ich stand eine Sekunde lang einfach nur da, bis ich beschloss, dass es wahrscheinlich am besten war, die Umarmung zu erwidern. Noah fing wieder meinen Blick auf und schaute dann mit sichtlichem Unbehagen weg.

Tja, da waren wir schon zwei.

Amanda löste sich von mir. Immer noch strahlend. »Es ist wirklich so nett, dich kennenzulernen, Elle. Wie *geht's* dir?«

»Äh, mir … mir geht's gut. Danke.«

Meine ganze Einstellung von wegen »Ich bin super

selbstbewusst und so was von hinweg über alles, was nur wegen dir passiert ist, du absolute Schlampe« hatte sich in Luft aufgelöst und ich fand sie nicht wieder. Das brachte mich völlig aus dem Konzept. Amanda strahlte mich an und plötzlich konnte ich gar nicht anders, als zurücklächeln und fragen: »Wie geht's dir? Wie war der Flug?«

»Ich habe die *ganze* Zeit geschlafen.« Sie lachte und sogar das klang, wie ich es erwartet hatte – glockenhell und melodisch. »Ich fliege nicht besonders gern, um ehrlich zu sein.«

»Ach wirklich?«

»Noah kann dir mehr davon erzählen. Beim Start habe ich mich schrecklich benommen! Aber was machst du jetzt? Du bist in der Zwölften, nicht wahr? Wie läuft es mit den Collegebewerbungen? Ich schwör dir, in meinem ganzen Leben war ich noch nie so gestresst wie während der Zeit, als ich versuchte, eine Uni auszusuchen. Uaah!«

»Äh, ja, also, ich habe ein paar Bewerbungen rausgeschickt. Ich glaube, ich möchte Erzieherin oder so was werden.« Dann zählte ich noch ein paar der Colleges auf – einfach weil ich von ihrer Reaktion zu verblüfft war und noch irgendwas anderes sagen wollte.

Was machte ich hier bloß?

Mit ihr reden, als könnten wir Freundinnen werden? Als wäre sie nicht mit ein Grund, warum ich mit Noah Schluss gemacht hatte? Okay, der Hauptgrund.

Warum war sie so freundlich? Warum klang sie, als würde es sie wirklich kümmern? Und warum sah ich sie immer noch mit diesem schmeichelnden Lächeln an und nickte dazu, als würde es *mich* kümmern?

Ich wollte denken, dass sie irgendwelche Hintergedanken hatte – zur Ex-Freundin besonders freundlich sein, damit ich nicht versuchen würde, ihn mir zurückzuholen, jetzt, wo sie mit Noah zusammen war.

Aber sie wirkte einfach echt und verdammt nett, sodass es mir immer schwerer fiel, sie zu hassen. Sie stellte weitere Fragen, wie ich das letzte Schuljahr fände und was für Pläne ich fürs College hätte. Dann erzählte sie mir, dass ihre Mitbewohnerin ein totaler *Albtraum* gewesen sei, aber das College verlassen hatte, weil sie es nicht packte. So hatte Amanda jetzt ein Zimmer ganz für sich.

Ich war mir ziemlich sicher, Amanda immerhin dafür zu hassen, dass ich jemand, der so freundlich war, einfach nicht hassen konnte.

Ich stand da, redete mit ihr, perplex und unfähig, etwas anderes zu tun als zu lachen, zu lächeln und zu plaudern, als würden wir uns richtig gut verstehen (vielleicht taten wir das ja?), bis June zum Essen rief.

Noah kam herüber und berührte Amanda am Ellbogen. Mein Blick ging zu seiner Hand und er ließ sie sofort fallen. Ich wusste nicht, was das zu bedeuten hatte. Ich schaute ihm ins Gesicht, doch er hatte sich Amanda zugewandt. »Komm, hier entlang.«

Ich biss die Zähne zusammen, während er sie wegführte, und ballte die Hände so fest zu Fäusten, dass meine Nägel sich in die Handflächen bohrten.

Konnte er mich nicht mal ansehen? Mir nicht mal *Hallo* sagen? Hasste er mich so sehr?

Oder schämte er sich so, weil ihm endlich klar geworden war, dass er seine neue Freundin mit nach Hause gebracht hatte, um sie seiner ganzen Familie vorzustellen, während seine Ex-Freundin alles mit ansehen musste?

Irgendwie hoffte ich das. Ich wollte, dass er begriff, wie sehr er mich damit verletzte.

Da wedelte eine Hand vor meinem Gesicht und dahinter tauchte Lee auf. »Erde an Shelly. Was war das denn gerade?«

»Was?«

»Na du und Amanda. Ich dachte, du willst ihr an die Gurgel gehen und dann schaue ich rüber und sehe dich lachen, als wärt ihr plötzlich beste Freundinnen.«

»Sie ist ... nett«, rechtfertigte ich mich und biss mir auf die Lippen, während ich Lee schuldbewusst ansah. »Sie hat mich einfach umarmt und angefangen, nach dem College zu fragen und zu plaudern und – da wusste ich einfach nicht, was ich sonst tun sollte. Es ist schwer, sie nicht zu mögen. Und hast du ihren Akzent gehört? Es ist praktisch unmöglich, irgendwas doof zu finden, was sie mit dem Akzent sagt. Ich fange quasi schon an, mich dafür zu hassen, dass ich sie jemals gehasst habe.«

Lee schüttelte missbilligend den Kopf und sah mich geradezu enttäuscht an.

»Hey, ist doch besser so, als eine Schlägerei unter Frauen am Tisch, oder?«

Lee grinste und stupste mich an. »Ach, du weißt doch, dass ich einem ordentlichen Zickenkrieg nicht widerstehen kann, Shelly.«

Ich begnügte mich damit, ihm einen Klaps auf den Hinterkopf zu geben, dann hakte ich mich bei ihm unter. Meine Freundschaft mit Lee mochte in den letzten paar Monaten etwas rumpelige Phasen durchgemacht haben, aber im Moment war sie so felsenfest wie eh und je.

Selbst wenn ich Noah verloren hatte, Lee zumindest würde ich für immer haben.

21

Der Esstisch der Flynns war riesig – so riesig, dass drei stattliche Tischdekorationen darauf Platz fanden. Wie immer. Eine besonders große mit Kunstblumen, gewachstem Obst und Goldrand. Das hatte Junes Mom ihr vererbt, als sie selbst aufgehört hatte, zu Thanksgiving einzuladen. Und dann gab es noch je eine, die Brad und Liam in der Schule gebastelt hatten.

Unter dem Gewicht des ganzen Essens bog sich der Tisch beinah. Da gab es Schüsseln mit in Butter gebratenem Gemüse, noch dampfenden kleinen Brötchen und natürlich den riesigen Truthahn.

Mein Dad sprach dieses Jahr das Tischgebet. Weder Lees noch meine Familie war besonders religiös, aber zu Thanksgiving gab es immer ein Tischgebet. Während ich den Kopf gesenkt hielt, versuchte ich die ganze Zeit, einen Blick auf Amanda und Noah zu erhaschen, die Lee und mir auf der anderen Seite gegenübersaßen. Hielten sie Händchen? Pressten sie unter dem Tisch die Oberschenkel aneinander?

Kaum hatte ich das gedacht, stupste Lee mich mit dem Knie an.

Ich würde das schaffen.

Ich würde das absolut schaffen.

Nachdem der Truthahn zerteilt war und die Schüsseln am Tisch hin und her gereicht wurden, musste ich mich sehr anstrengen, Noah nicht dauernd anzusehen. Aber das war schwer, weil er mir direkt gegenüber saß.

Die Unterhaltung verlief nicht halb so unangenehm und schleppend, wie ich erwartet hatte. Die Erwachsenen fragten uns alle nach Schule und College. Lee und ich hatten nicht viel zu berichten, das die anderen nicht schon wussten. Brad und Liam waren so aufgeregt, dass sie sich die ganze Zeit, auch mit vollem Mund, miteinander unterhielten. Von Liams älterer Schwester Hilary, die offensichtlich ein Faible für Gothics hatte, bekam man nur säuerliche Bemerkungen als Antwort. (Ihre Eltern verdrehten liebevoll die Augen und erklärten, sie mache gerade eine »Phase« durch. Uns hatte sie erzählt, sie hätte bessere Optionen gehabt, wo sie heute sein könnte; wir nahmen es nicht persönlich.)

Hauptsächlich unterhielten sich alle mit Amanda und Noah. Man wollte alles darüber wissen, wie es ihnen am College erging, wie es für Noah im Football lief und ob Amanda auch irgendwelche Hobbys habe.

Sie lächelte, als Colin sie das fragte, und sagte: »Ehrlich gesagt liebe ich Reiten. Bei mir zu Hause gibt es eine Reitschule, zu der ich immer hingehe.

Die vermisse ich wirklich, und die Pferde. Ich habe kein eigenes, aber eines Tages hätte ich gerne eins.«

»Dann bist du nicht gerade ein Stadtkind, was?«, sagte Pete.

»Ach, die Stadt macht mir nichts aus, aber langfristig sehe ich mich eher irgendwo auf dem Land. Im Rahmen meines Fünf-Jahres-Plans kann ich mir die Stadt schon vorstellen, aber nicht um mich dort dauerhaft niederzulassen.«

Sie hatte einen Fünf-Jahres-Plan.

Ich begann zu glauben, sie sei tatsächlich makellos.

Ihre Antwort brachte natürlich alle auf die Frage nach ihren Plänen. Ob sie vorhabe, zu bleiben oder nach Großbritannien zurückzukehren und so. Während alle beschäftigt waren, flüsterte Lee mir ins Ohr: »Meine Güte, jetzt verstehe ich, was du meinst. Sie *ist* nett. Und es macht mich richtig wütend, aber ich kann tatsächlich nicht sauer auf sie sein.«

»Ich weiß«, flüsterte ich zurück. Dann drehte ich den Kopf seitlich, damit Noah nichts von meinen Lippen ablesen konnte.

»Noah schaut dich dauernd an«, fügte Lee hinzu. »Jetzt gerade auch.«

»Ich weiß«, antwortete ich wieder und sah ihn mit einem entschlossenen Lächeln, großen Augen und ansonsten unbeeindruckt an. »Ich versuche, es nicht zu bemerken.«

»Warum?«

»Er hat mir nicht mal *Hallo* gesagt«, murmelte ich.

»Ich krieg langsam den Eindruck, dass er sauer auf mich ist.«

»Er ist *definitiv* nicht böse auf dich, Shelly. Er sieht nur irgendwie traurig aus.«

Traurig? Welches Recht hat *er*, traurig über all das zu sein?

Ich drehte mich wieder von Lee weg. Damit würde ich gar nicht erst anfangen. Ich wollte kein Mitleid mit Noah haben. Und schon gar nicht heute, wo er es am wenigsten verdiente.

Ich versuchte, es nicht an mich ranzulassen, wenn Amanda eine Hand auf Noahs Arm oder seine Hand legte, wenn sie eine Anekdote über einen gemeinsamen Freund erzählte oder irgendeine Geschichte anfing mit: »Weißt du noch, wie wir …«

Jedes Mal, wenn sie ihn berührte, sah das so natürlich aus, so vertraut. Wie es zwischen uns gewesen war.

Und das tat weh.

Ich schob ein paar Süßkartoffeln auf meinem Teller herum, denn der Appetit war mir vergangen.

Dann lenkte Noah mich ab, indem er mich tatsächlich direkt ansprach. Die Erwachsenen waren inzwischen dazu übergegangen, von ihren Jobs, Vorgesetzten und Kollegen zu reden. Hilary unterhielt sich mit ihrer Grandma. Liam und Brad hatten endlich eine Gemeinsamkeit gefunden – sie liebten beide Marvel und diskutierten jetzt, ob in einem Zweikampf Iron Man oder Thor gewinnen würde. So achtete niemand wirklich darauf, dass Noah etwas zu mir sagte.

Also das Wort direkt an mich richtete.

Zum ersten Mal seit unserer Trennung.

Und zwar sagte er: »Also, äh, Elle ... wie geht's Levi?«

Echt jetzt? War das sein Ernst? Unter allen Themen, die er mir gegenüber ansprechen könnte – warum Levi? Er konnte nicht *Hallo* sagen, aber er konnte mich nach Levi fragen?

Lee hüstelte und sagte: »Hey, Brad und Liam, ihr wisst aber schon, dass Hulk sie beide schlagen würde, oder? Elle, sag du doch auch mal was dazu.«

Ich sah Noah an. Mein Gott, er sah so gut aus. Warum musste er bloß derart gut aussehen?

Und warum interessierte er sich für Levi, nachdem er mit seiner neuen Freundin hier war?

»Ja. Ihm geht's gut.«

Noah nickte. Und nickte immer weiter.

Ich biss mir auf die Lippe, starrte ihn nach wie vor an und wartete, dass er noch etwas anderes sagen würde. Aber gleichzeitig wünschte ich mir auch, dass er davon aufhörte.

Zum Glück mischte Amanda sich ein – denn langsam wurde es richtig unangenehm. »Ist Levi der Junge, der aus Detroit hergezogen ist? Du hattest doch all diese Spitznamen für ihn, Noah. Der Jeans-Typ, True Religion, Diesel und so was. Er wohnt neben eurem Freund, äh ... Heißt er Carl? Ich meine, er heißt Carl.«

»Cam«, verbesserte ich sie leicht überrascht.

Noah hatte ihr von Levi erzählt? Was zum Teufel

sollte das denn? Schon seltsam, dass es einfacher war, mit Amanda zu reden als mit Noah. Aber ich machte es einfach: »Ja, das ist er. Wir sind inzwischen richtig gut befreundet. Wir leisten uns gegenseitig Gesellschaft, wenn wir babysitten. Er hat eine kleine Schwester, die noch ein paar Jahre jünger ist als Brad.«

»Das ist ja nett.« Amanda lächelte strahlend. »Und ich schätze mal, so macht das Babysitten mehr Spaß.«

»Mhm.« Und weil ich danach einfach nicht widerstehen konnte, sagte ich: »Vor ein paar Wochen habe ich ihn zum Sadie Hawkins Dance eingeladen. Das war echt nett. Der Ball fand zwar nur in der Turnhalle statt, war aber richtig süß.«

Ich war mir nicht mal sicher, warum ich das gesagt hatte. Ich konnte einfach nicht anders. Vermutlich wollte ich, dass Noah sich genauso schlecht fühlte wie ich mich selbst.

Oder ich wollte ihn eifersüchtig machen.

Wie auch immer, lange darüber nachdenken wollte ich jedenfalls nicht.

»Ja«, meinte Noah und hatte offensichtlich Mühe, beiläufig zu klingen, denn seine Stimme hörte sich ziemlich gepresst an. Weil er das Gesicht verzog, bildeten seine Augenbrauen fast eine Linie. »Hab ich gesehen. Das Foto von euch in der Kissing Booth.«

O mein Gott. Er hatte das Foto gesehen. Und nach seiner Miene zu urteilen, *ärgerte* es ihn.

Tja, na und? Welches verdammte Recht hatte er, sich über ein Foto aufzuregen? Merkte er nicht, was für einen Heuchler das aus ihm machte? Ich war

wenigstens Single gewesen, als das Bild gemacht
wurde.

Ich starrte ihn mit trotzig vorgeschobenem Kinn an.
»Genau. Süß, oder?«

Noah starrte grimmig auf seinen Teller und sein
Adamsapfel hüpfte, als er schluckte. Amanda blickte
zwischen uns hin und her, lächelte wieder und
streckte dann den Arm über den Tisch in meine Richtung, um aufgeregt damit hin und her zu winken.
»Ach du meine Güte«, sagte sie total aufgekratzt, »an
meiner Schule gab es nie Bälle, so wie ihr das hier
macht. Erzähl mir *alles* darüber. Gab es ein Motto?
Noah meinte, du wärst im Planungskomitee für solche Anlässe. Was musstest du da machen?«

Sie plapperte immer weiter – und ich war mir ziemlich sicher, dass sie sich dessen auch selbst bewusst
war. Schätzungsweise machte sie das mit Absicht, um
die Spannung zwischen mir und Noah, die jetzt deutlich spürbar war, aufzulockern. Alles in mir sträubte
sich dagegen.

Unsere Blicke trafen sich, und ich spürte das Bedürfnis loszuheulen. Lee stieß mich unter dem Tisch mit
seinem Bein an und ich holte tief Luft. Dann versuchte ich, meine Augen daran zu hindern, wieder
Noah anzusehen.

Zwischen uns war es aus.

Ich musste nach vorne blicken.

Ich konnte nicht zulassen, dass er mir so sehr zu
schaffen machte.

Ich schluckte schwer, lächelte Amanda höflich zu

und erzählte ihr dann mit der fröhlichsten Stimme, zu der ich imstande war, alles über den Sadie Hawkins Dance.

Ich half beim Abräumen, als alle fertig waren. Lee fragte mich leise, ob ich okay wäre und ich versicherte ihm, ja (obwohl ich selbst gar nicht so überzeugt davon war). Dann ging er mit Brad und Liam in den Garten hinter dem Haus, um Football zu spielen.

»Ich helfe auch«, bot Amanda an, stand auf und fing an, Teller zu stapeln.

»O nein, Liebes, wirklich nicht«, protestierte June. »Du bist unser Gast! Das ist nicht nötig.«

»Es ist doch das Mindeste, was ich tun kann«, versicherte Amanda ihr fröhlich.

Verdammt, dachte ich. *Alles, was sie sagt, klingt fröhlich.* Sie ist wohl einer dieser Menschen, bei denen das einfach so ist. Oder vielleicht lag es am Akzent. »Es ist sehr großzügig von Ihnen, mich zu Thanksgiving einzuladen.«

»Keine Ursache, Amanda«, sagte Matthew. »Was macht ein hungriges Maul mehr schon aus, wenn wir sowieso schon siebzehn sind?«

»Das sagst du«, meinte June und schnalzte mit der Zunge, wobei sie aber lächelte. »Du hast doch nur die Cranberry-Soße gemacht!«

»Die Cranberry-Soße ist ein unverzichtbarer Bestandteil eines jeden Truthahn-Essens«, erinnerte Matthew uns.

»Tja, sie war auch ausgesprochen köstlich,

Mr Flynn.« Amanda lachte und sammelte weiter Teller ein. Linda und Colin erhoben sich auch, um zu helfen.

Da meinte Junes Schwester Rose: »Hilary, warum hilfst du nicht auch?« Woraufhin Hilary sie wütend anfunkelte und zischte: »*Na schön.*« Dann schnappte sie sich zwei Gläser und stürmte damit in die Küche.

Rose trank seufzend noch einen Schluck Wein. »Ich weiß langsam wirklich nicht mehr, was ich mit diesem Mädchen machen soll. Nur weil sie später noch mit ihren Freunden ins Kino wollte und – wie hat sie das noch genannt, Colin? FOMO! Die Angst, etwas zu verpassen. Man könnte meinen, ich hätte das Todesurteil über ihr soziales Leben gesprochen.«

Amanda und ich gingen gemeinsam in die Küche, obwohl ich versucht hatte, genau das zu vermeiden. Auch wenn sie geradezu frustrierend umgänglich war, wollte ich nicht mehr Zeit als unbedingt nötig mit ihr verbringen.

Wir stellten die Teller auf die Spülmaschine und räumten sie vorsichtig ein. »June bringt uns um, wenn ihr gutes Porzellan auch nur einen Kratzer kriegt«, bemerkte ich.

»Meine Mum ist genauso.«

»Warum bist du über Thanksgiving nicht nach Hause gefahren?«, fragte ich. Es klang irgendwie pampig, obwohl ich es nicht so gemeint hatte. Ich wollte es nur wissen. Beschämt schaute ich weg.

Anstatt der Antwort, die ich mir gewünscht hätte – »zwischen Noah und mir ist es jetzt was richtig

Ernstes, und da dachten wir, ich sollte mal seine Familie kennenlernen« oder »Noah und ich sind einfach nur sehr eng befreundet« – sagte Amanda: »Na, weil wir gar kein Thanksgiving feiern.«

»Ach, richtig, stimmt. Natürlich …«

»Noah wollte nicht, dass ich über das lange Wochenende ganz allein am College rumhänge. Und ich dachte, es wäre bestimmt lustig, ein echtes amerikanisches Thanksgiving mitzuerleben.«

Am liebsten hätte ich gefragt: »Ja, aber bist du nur als gute Freundin oder als die Neue von Noah hier?«

Stattdessen kam aus meinem Mund: »Das war ja nett von ihm.«

Da meinte Amanda: »Ich hoffe, du nimmst es mir nicht übel, wenn ich das sage, aber das vorhin war ein bisschen heikel zwischen dir und Noah. Zumindest hatte ich den Eindruck.«

Wow. Voll auf die zwölf, was?

Ich biss die Zähne zusammen. »Sozusagen.«

»Empfindest du noch was für ihn?«

Mal ehrlich, wie kann jemand so nett klingen, wenn er eine dermaßen direkte, persönliche Frage an jemand stellt, den diese Person erst vor wenigen Stunden kennengelernt hat? Noch dazu der Exfreundin ihres neuen Freunds? Das war doch unfair.

Ich sah Amanda an. Da standen echte Besorgnis und offene Neugier in ihrem Gesicht. Meine Augen wurden schmal. »Mir ist nicht danach, darüber zu reden.«

Damit drehte ich mich um und verließ die Küche.

Es kamen sowieso gerade ein paar Erwachsene herein, die mit Gläsern und leeren Weinflaschen jonglierten, als gehörten sie zu einer Zirkustruppe.

»Elle …«, hörte ich Amanda noch entschuldigend sagen, aber ich drehte mich nicht mehr zu ihr um.

Als ich an den Tisch zurückkehrte, um das restliche Geschirr abzuräumen, wollte Noah gerade das Esszimmer verlassen. Ich stieß voll mit ihm zusammen, fuhr zurück und stolperte. Er griff nach meinem Arm, um mich aufzufangen, und ich zuckte zusammen, als hätte er mir einen Elektroschock verpasst.

Und ganz ehrlich, genauso fühlte es sich auch an.

Ich musste an Levi denken und daran, dass genau das zwischen uns fehlte. Dieser Funke. Obwohl das jetzt gerade kein guter Funke gewesen war. Vielleicht erginge es mir ohne ihn sowieso besser.

Ich schaute zu Noah hoch, unbeeindruckt, als er mich nicht vorbeiließ. »Was?«

»Elle, ich wollte nur …«

»Was wolltest du nur?«

Er presste die Lippen zusammen und schaute weg.

Schön. Wenn er nicht mit mir reden wollte, dann … dann konnte ich …

Tja, ich wusste auch nicht, was.

»Warum gehst du nicht raus und spielst mit den Jungs Football, mein Sohn?«, sagte Matthew, der hinter Noah auftauchte und ihm einen Klaps auf die Schulter gab.

Noah sah mich noch mal mit diesen stahlblauen Augen an, die sich glühend in meine bohrten, dann marschierte er davon. Die Hintertür zum Garten knallte hinter ihm zu.

Ich lächelte seinen Dad verlegen an. »Äh, danke.«

»Ihr beiden kriegt das schon hin«, sagte er und schaute dabei so unbehaglich drein, wie ich mich fühlte.

»Oh, ich … ich glaube wirklich nicht, dass wir jemals wieder zusammenkommen«, murmelte ich und schaute in die Richtung, in die Noah gerade verschwunden war. »Ich glaube, nach all dem könnte das keiner von uns.«

»Ich meinte auch nur, dass ihr beide drüber wegkommen werdet. Irgendwann.«

»Oh.« Ich rieb mir mit einer Hand über den Nacken, der sich so heiß anfühlte wie mein Gesicht. »Äh, ja. Eines Tages.«

Matthew klopfte mir auf die Schulter und ging dann mit dem restlichen Truthahn auf der Servierplatte in die Küche.

Ich sah, dass nur noch wenig auf dem Tisch stand. Aus der Küche war Amandas Lachen zu hören.

Ich konnte *wirklich* nicht mehr.

Also ging ich zur Haustür und zog dort meine Stiefeletten an, während ich schon Levis Nummer wählte.

»Hey«, sagte der nach dem zweiten Klingeln. »Was gibt's?«

Was gab es tatsächlich? Ich konnte es gar nicht so genau sagen. Ich wollte ihn gern sehen und für eine Weile hier rauskommen. Ich wollte nicht bei Noah oder Amanda sein und so tun, als ginge es mir gut.

Das sagte ich ihm. »Können wir uns beim Park treffen? Ich muss für eine Weile von hier weg. Ich schaff das nicht mehr.«

»Klar. Ich kann in ein paar Minuten aufbrechen.«

»Super. Dann treffen wir uns auf dem Parkplatz.«

Ich legte auf und drehte mich um, weil ich meinen Mantel vom Haken an der Wand nehmen wollte. Als ich plötzlich Lee im Flur stehen sah, zuckte ich zusammen. »Mein Gott, Lee«, keuchte ich und legte eine Hand auf mein rasendes Herz, »hast du mich erschreckt.«

»Willst du irgendwohin?«

Daran, dass Lee mit mir rausgehen könnte, hatte ich gar nicht gedacht. Mir war direkt Levi eingefallen. Und eigentlich fühlte ich mich schon beschissen genug, sodass ich nicht auch noch darüber grübeln wollte.

»Äh, ja. Ich will kurz in den Park. Ein bisschen Luft schnappen, verstehst du?«

»Ganz alleine?«

»… ja.«

Lee zog die Augenbrauen hoch und verschränkte die Arme. Bei der Bewegung rutschten die Ärmel seines grünen Wollpullovers nach oben. »Shelly, bitte lüg mich nicht an.«

Ich schlüpfte in die Ärmel meines Mantels und ging auf Lee zu. »Na schön. Ich treffe Levi, aber ich … ich will dazu von dir jetzt nichts hören. Das ist alles. Tut mir leid, aber ich muss wirklich gehen. Ich komme mit dem hier nicht so zurecht, wie ich dachte, dass ich es könnte und …« Ich seufzte und gab ihm einen Kuss auf die Wange. »Fahr du zu Rachel, ja? Ich komme schon klar.«

»Elle …«

Da griff ich schon nach meiner Tasche und öffnete die Haustür.

»Shelly!«, rief er mir nach, aber die Tür war schon zu, bevor er noch mehr sagen konnte.

22

Der Park lag nicht besonders weit weg, aber doch so weit, dass ich das Auto nahm. Ich fuhr sogar einen Umweg, damit es länger dauerte. Dazu drehte ich die Lautstärke am Radio hoch und sang den neuen Song von Taylor Swift mit, den der Sender gerade spielte. Die Hälfte des Texts war falsch und ich schmetterte irgendwelche Unsinnswörter raus. Das lenkte mich wenigstens von den Flynn-Brüdern ab. Nachdem ich den Motor abgestellt hatte, musste ich dann aber doch an sie denken.

Ich war mir gar nicht sicher, ob ich sauer auf Noah war oder nur traurig. Ich hätte auch nicht sagen können, ob ich von Amanda genervt war, weil sie mich gefragt hatte, ob ich noch etwas für Noah empfände. Oder hatte mich die Frage nur gereizt reagieren lassen, weil ich eben tatsächlich noch Gefühle für Noah hatte?

Dabei wollte ich keine Gefühle mehr für ihn haben. Ich wollte über ihn wegkommen.

Aber das war so, so schwer.

Und Lee … Ich wollte ihn nicht in all das reinziehen. Vor allem weil ich den Eindruck hatte, er würde sich für mich entscheiden. Aber ihn wollte ich jetzt gerade gar nicht sehen. Er war nicht derjenige, den ich brauchte.

Ich stützte mich aufs Lenkrad und massierte meine Stirn mit den Fingerknöcheln.

Ich war so durcheinander.

Aber ich würde nicht losheulen. Nicht wenn es sich vermeiden ließ.

Als jemand an mein Fenster klopfte, fuhr ich hoch. Levi stand draußen. Er hatte den Kragen seiner Jacke hochgeschlagen. Sein Haar war verstrubbelt und er lächelte mich an.

Ich stieg aus. »Hey.«

»Hi. Happy Thanksgiving.«

»Dir auch. Tut mir leid, dass ich dich angerufen und von deiner Familie weggeholt habe, aber ich … ich hab einen Freund gebraucht.«

Levi sah nicht im Geringsten verärgert aus. »Das ist okay. Abgesehen davon war meine Mutter damit beschäftigt, sich mal wieder *La La Land* anzusehen, und meine Schwester legt ein Puzzle. Das heißt, die beiden werden mich vorläufig sowieso nicht vermissen.«

»Und was ist mit deinem Dad?«

»Der macht gerade ein Nickerchen. Wobei ich glaube, das war nur eine Ausrede, um *La La Land* zu entgehen. Oder vielleicht machen seine Medikamente ihn wieder müde.«

Ich lächelte nur, sagte aber nichts.

»Sollen wir ein bisschen spazieren gehen?«

Ich nickte und wir schlenderten durch das Tor des Parks. Es war für spätnachmittags ziemlich ruhig dort: Ein paar Kinder spielten Fangen, während die dazugehörige Familie in der Nähe auf einer Bank saß; ein älteres Paar ging Hand in Hand spazieren. Der Wind raschelte durch die Bäume und ließ Blätter auf uns herabregnen.

»Möchtest du darüber reden?«, fragte Levi.

»Jetzt nicht.«

Er streckte mir seine Hand hin und ich ergriff sie. Noch nie hatten wir so Händchen gehalten, aber … es war schön. Es fühlte sich richtig an. Auch wenn bei der Berührung keine Funken sprühten und kein Stromschlag zu spüren war. Wieder dachte ich mir, dass das vielleicht nicht so schlecht war.

Eine Weile liefen wir durch den Park, bis wir zu den Schaukeln kamen, wo wir uns hinsetzten. Ich schaukelte vor und zurück, blieb aber mit den Fußspitzen am Boden. Levi schaukelte gar nicht, sondern strich nur mit den Fingern über die rostigen Flecken der Kette.

Nach einer weiteren Runde Schweigen schüttete ich ihm mein Herz aus. Ich erzählte, wie blöd mein Thanksgiving Day gewesen war und wie sehr ich es hasste, dass Amanda so nett war und dass sie mich sogar gefragt hatte, ob ich noch Gefühle für Noah hätte und –

»Hast du?«, unterbrach er mich.

»Was?«

»Hast du noch Gefühle für Noah?«

»Weißt du, was das Schlimmste ist?«, sagte ich, statt zu antworten. »Er hat mir nicht mal *Hallo* gesagt. Und die halbe Zeit konnte er mir nicht in die Augen schauen.«

»Bist du dir denn sicher, dass er wirklich eine Beziehung mit Amanda hat?«

Die Frage irritierte mich.

»Also … er hat … die muss er haben. Ich meine …«

Alle Indizien wiesen darauf hin. Oder darauf, dass da irgendetwas zwischen den beiden lief. Das Foto, das Telefonat, all die Partys, die sie zusammen besucht hatten, die beiläufigen Berührungen, die Tatsache, dass er sie an diesem Feiertag mit nach Hause gebracht hatte … Dass sie wissen wollte, ob ich noch Gefühle für ihn habe …

Und dennoch. Kein Beziehungsstatus auf Facebook. Keine Vorstellung von ihr als seine Freundin. Keine Erwähnung von ihr als seine Freundin oder so. Kein Kuss. Nicht mal eine richtige Umarmung. Keine schmachtenden Blicke zwischen den beiden.

Ich war so überzeugt gewesen, dass mir nicht aufgefallen war, dass niemand sie tatsächlich als »seine« Freundin bezeichnet hatte.

Ich starrte zu Boden und stieß mich seitwärts ab, sodass die Ketten meiner Schaukel sich eindrehten. Gleichzeitig biss ich mir auf die Lippe.

Was, wenn die beiden offiziell nichts miteinander hatten? Dann musste doch irgendwas anderes sein. Sonst … sonst …

Ich stieß mich mit beiden Füßen ab und wirbelte so schnell um mich selbst, dass mir ein bisschen schwindelig wurde. Levis Stimme war von allen Seiten zu hören.

»Wenn du nicht darüber reden willst, kann ich auch das Thema wechseln. Lass mal überlegen … Da gäbe es Football, die Parade, ähm … *Frozen*. Ich kann *Frozen* inzwischen auswendig rezitieren. Wir können eins von den Duetten singen, wobei ich die Anna sein muss. Oder wir sprechen über die Französische Revolution. Den Spanischen Bürgerkrieg. Die Folge von *Jeopardy!*, die ich gestern Abend gesehen habe …«

Ich hatte aufgehört, mich zu drehen, aber er redete einfach immer weiter.

»Levi –«

»Peinliche Geschichten aus meiner Kindheit –«

Eigentlich wollte ich ihm sagen, er solle die Klappe halten und dass ich gerade am liebsten gar nicht reden wollte.

Aber das passierte nicht.

Aus irgendeinem unbesonnenen, verrückten Impuls heraus streckte ich den Arm nach ihm aus, packte seinen Jackenkragen und zog ihn zu mir.

Und dann küssten wir uns einfach so.

Ich hatte bisher nur Noah geküsst. Seine Küsse waren vertraut und hatten auf meiner Haut ein Feuerwerk ausgelöst, wie ich das vorher in Büchern gelesen hatte. Seine Küsse waren die Einzigen, die ich kannte.

Levi zu küssen, das war so anders und gleichzeitig so seltsam ähnlich.

Ich schob alle Gedanken an Noah aus meinem Kopf und konzentrierte mich darauf, Levi zu küssen. Es fühlte sich sanft und zögerlich an – zuerst hatte er sich eine Sekunde lang gar nicht gerührt. Aber jetzt lag seine Hand an meinem Gesicht und er erwiderte meinen Kuss.

Ich wusste, dass ich das aus völlig falschen Gründen tat. Ich wusste, Levi gegenüber war das unfair. Aber ich konnte irgendwie nicht anders. Ich war ein schrecklicher, schrecklicher Mensch.

Alles, was ich denken konnte, war, wie schön es war, genau wie ich es erwartet hatte, als ich darüber nachgedacht hatte, ihn zu küssen. Aber es war nicht so wie mit Noah.

Weil mich die Gedanken an Noah weiter quälten, küsste ich Levi leidenschaftlicher. Ich musste Noah vergessen. Ich musste nach vorne schauen. Außerdem mochte ich Levi. Warum also nicht mit Levi etwas Neues anfangen?

Ich war wirklich der schlimmste Mensch der Welt.

Ich war diejenige, die den Kuss beendete. Endlich.

Als ich das tat, schämte ich mich fürchterlich. Levi sah ein bisschen glücklich und sehr durcheinander aus. Seine Augenlider wirkten schwer, sein Atem ging flach.

Ich wollte gerade den Mund aufmachen, um mich zu entschuldigen, als das Parktor klirrte, weil jemand es wohl schwungvoll zugeworfen hatte. Ich drehte mich um und sah eine großgewachsene, breitschultrige Gestalt davongehen. Es dämmerte schon, deshalb konnte ich ihn nicht genau erkennen – aber ich wusste es auch so.

Noah war mir hierher gefolgt – oder Lee hatte es ihm gesagt und er war deshalb gekommen. Er hatte es gesehen.

Mein Magen zog sich zusammen. Meine Lippen formten seinen Namen, aber es fühlte sich an, als hätte jemand mir schlagartig alle Luft aus den Lungen gepresst.

Wir waren zwar nicht mehr zusammen, und deshalb konnte ich Levi küssen, wenn mir danach zumute war, aber trotzdem … Zu wissen, dass er uns gesehen hatte, sorgte dafür, dass ich mich genauso schlecht fühlte, als hätte ich ihn betrogen.

Ich drehte mich wieder zu Levi um. Der arme Junge sah so verwirrt aus, von der Unterbrechung, von meiner plötzlich veränderten Stimmung. Ich fühlte mich … *schrecklich*. Er verdiente das nicht. Ich hätte ihn nie bitten sollen, sich mit mir zu treffen. Ich hörte, wie mein Atem zitterte.

»Tut mir leid. Das hätte ich nicht tun sollen. Ich meine – das ist jetzt nichts gegen dich, aber ich … Es tut mir wirklich leid. Gott, ich hab alles verbockt. Tut mir leid. Ich bin so ein schlechter Mensch.«

Levi sah noch verlegener aus, als ich mich fühlte. »Nein, es ist … ist auch meine Schuld. Ich hätte dich nicht zurückküssen sollen.«

Ich schüttelte den Kopf. »Das war nicht … Es war ein Fehler. Nicht wegen dir oder so, aber … ich meine … Ich kann das jetzt einfach nicht. Denkst du, wir könnten einfach … vergessen, dass es passiert ist? Vorläufig wenigstens? Ich will das mit uns nicht kaputtmachen. Ich weiß, dass dieses Rummachen schon was kaputtgemacht hat, aber –«

»Elle«, unterbrach er mich. Ich schaute von meinen Knien hoch und sah, dass Levi mich mit seinem üblichen ungezwungenen Lächeln ansah. Aber der Schmerz in seinem Blick war unübersehbar. Er konnte mich nicht so richtig anschauen, und dann verschwand sein Lächeln auch schon. »Ich verstehe.«

»Es tut mir leid. *Fuck*, Levi, ich … Ich weiß nicht mal, was ich mir dabei …« Ich biss mir auf die Lippe und sah ihn dann entschlossen an. »Nein, weißt du was? Ich weiß, was ich mir dabei dachte. Und es war eine ganz miese Aktion von mir.«

»Ist schon okay.«

»Ist es nicht.«

»Na gut.« Er verzog den Mund. »Ja, ist es nicht. Aber ich werde es dir nicht vorhalten. Wir machen alle Dummheiten, wenn wir verliebt sind.«

Ich machte den Mund auf, um ihm zu widersprechen, gab es aber sofort auf.

»Du musst echt aufhören, so oft recht zu haben«, murmelte ich und versuchte, die Stimmung ein bisschen aufzuhellen. »Eines Tages bringst du dich damit sonst noch in Schwierigkeiten.«

»Das liegt daran, dass ich ein Ravenclaw bin. Wir sind so. Haben einfach recht, meine ich.«

Ich erlaubte mir ein Lächeln und zog die Augenbrauen hoch. »Ach, bitte, du bist doch ein lupenreiner Hufflepuff.«

Wir blieben noch ein bisschen auf der Schaukel sitzen, sahen zu, wie die untergehende Sonne den Himmel in Pink- und Rottönen färbte und der Wind mehr Laub von den Bäumen wehte.

»Ich sollte dann wahrscheinlich mal nach Hause«, sagte Levi nach einer Weile. »Nachdem ich meiner Mom versprochen habe, nicht zu lange wegzubleiben. Kommst du zurecht?«

Ich nickte. »Klar. Danke, dass du dich mit mir getroffen hast. Und … es tut mir leid. Wirklich. Das tut es wirklich.«

Er zuckte mit den Achseln. »Ich werd's überleben. Fairerweise muss man sagen, dass du mich angerufen hast, um dir Luft wegen deinem Ex zu verschaffen. Da hätte ich es schon ahnen können. Komm, ich begleite dich zurück zu deinem Wagen.«

Ich ließ es zu, aber diesmal hielten wir uns nicht an den Händen.

Er umarmte mich, bevor er ging. »Wenn du irgendwas brauchst, kannst du mich immer anrufen, ja?«

Ich nickte. »Ich glaube, ich fahre einfach nach Hause. Mir ist jetzt nicht danach, Noah und Amanda unter die Augen zu kommen, verstehst du?«

»Okay.«

»Grüß deine Eltern und Becca von mir.«

»Mach ich. Man sieht sich, Elle.«

»Ja, man sieht sich.«

Ich fuhr nicht sofort los, sondern saß da und starrte

in den Park, während ich mich fragte, warum Noah mir gefolgt war.

Hatte er reden wollen? Oder plagte ihn nur das schlechte Gewissen, weil er mich aus dem Haus vertrieben hatte, und wollte sich womöglich entschuldigen? Oder steckte mehr dahinter?

Er hatte mich nach Levi gefragt. Er hatte das Foto gesehen, das ihn offenbar so gestört hatte, dass er eine Bemerkung dazu gemacht hatte. Und dann war er mir gefolgt.

Ich verbot mir weiterzudenken. Zwischen mir und Noah war es aus. Und ich musste mir vor Augen halten: Ich war diejenige, die Schluss gemacht hatte. Er hatte kein Recht, sauer zu sein, weil ich mich zu Thanksgiving davongeschlichen hatte, um mit Levi zu knutschen. Und ich hatte kein Recht, mir zu wünschen, dass er mich vermisste.

Als Nächstes drehte ich den Schlüssel so heftig in der Zündung, dass ich den Motor gleich wieder abwürgte. Ich knirschte mit den Zähnen. Egal, wie ich mich fühlte, ich musste wirklich aufhören, mich zu fragen, ob da noch irgendwas zwischen uns war oder je wieder sein würde.

Es tat nur so weh, weil er der erste Junge war, in den ich mich verliebt hatte. Das war alles. War es doch? In ein paar Monaten würde ich zurückblicken und darüber lachen, wie dumm ich mich in der ganzen Sache benommen hatte. Und es war deshalb so schwer, weil er ein Teil meines Lebens bleiben würde, egal ob wir zusammen waren oder nicht.

Ich ließ den Motor erneut an und im Radio kam ein Song von den Imagine Dragons. Dann fuhr ich nach Hause.

Dort angekommen rief ich als Erstes meinen Dad an.

»Ist alles okay, Kumpel? Wo steckst du? Lee meinte, du hättest dich mit Levi getroffen.«

»Ja, hab ich. Aber jetzt bin ich zu Hause.«

»Kommst du nicht mehr hierher zurück?«

»Ich hab echt schlimme Bauchkrämpfe, Dad. Deshalb gehe ich jetzt einfach ins Bett.«

»Oh, tja, okay. Wenn du meinst. Sollen wir auch nach Hause kommen?«

»Nein, nein, bleibt ruhig noch. Mir geht's gut hier.«

Mit leiser Stimme fragte Dad: »Das hat aber nichts mit Du-weißt-schon-wem zu tun, oder?«

»Nein, Dad, Voldemort hat nichts damit zu tun.«

»Oh, haha, sehr lustig.« Ich konnte praktisch hören, wie er über meine Bemerkung die Augen verdrehte. »Du weißt, was ich meine. Es muss ja hart für dich gewesen sein, die beiden heute zusammen zu sehen, aber –«

»Ich hab nur Bauchweh, Dad.«

»Wenn du es sagst. Also, wir kommen dann auch nicht so spät, wenn es dir nicht gut geht.«

»Okay«, sagte ich, weil alles andere sowieso nichts gebracht hätte. »Dann bis später. Kannst du allen von mir Auf Wiedersehen sagen und dass es mir leidtut, dass ich gehen musste?«

»Natürlich. Das werden sie verstehen.«

Ich legte auf und bekam schon nach zehn Minuten eine Nachricht von Lee.

Lügnerin. Ich weiß, dass deine Periode letzte Woche war.

Dann noch eine Nachricht: *Noah sieht angepisst aus. Hat er mit dir geredet? Er sagte, er wollte sich bei dir entschuldigen, weil er wüsste, dass du wegen ihm gegangen bist. Was hast du zu ihm gesagt?*

Und noch eine: *SHELLY HÖR AUF MICH ZU IGNORIEREN*

Und: *Okay. Ich hoffe, es geht dir bald besser. Wenn das so ist, schreib mir und erzähl, was passiert ist.*

Und schließlich: *Hab dich lieb, auch wenn du mich ignorierst.*

Als keine weiteren Nachrichten mehr kamen, legte ich mein Handy beiseite und fuhr mir mit den Fingern durch die Haare. Einen Neustart-Knopf für den heutigen Tag, den könnte ich jetzt brauchen.

Ich ließ mir Zeit beim Abschminken und Umziehen. Vom vielen Grübeln hatte ich rasende Kopfschmerzen. Deshalb nahm ich eine Schmerztablette und ging direkt ins Bett. Kaum hatte ich mir die Decke über den Kopf gezogen, hörte ich auch schon das Auto meines Vaters in der Einfahrt parken.

Ein paar Minuten später klopfte es an meine Tür.

»Elle? Kann ich reinkommen?«

»Ja.«

Ich setzte mich im Bett auf, als Dad eintrat und über seine Schulter noch Brad auftrug, sich zu duschen, bevor er ins Bett ging. Dann sagte er zu mir: »Wie fühlst du dich?«

»Ganz okay.«

Das war nicht komplett gelogen. Körperlich war ja wirklich alles in Ordnung.

»Hör mal, Kumpel. Ich weiß, wie schwer das heute für dich gewesen sein muss, weil ich auch weiß, wie sehr du Noah mochtest, aber −«

»O mein Gott, Dad, ich werde jetzt bestimmt nicht darüber sprechen.«

Zumal meine Kopfschmerzen gerade anfingen nachzulassen.

»Na gut, na gut ...« Er hob beschwichtigend die Hände. »Aber du weißt, dass ich hier bin, falls du darüber reden willst.«

»Will ich aber nicht. Meine Güte, ich interessiere mich weder für Noah noch für seine tolle neue Freundin.«

Er seufzte. »Okay, schön. Aber nur für den Fall, dass es dich interessiert, die beiden reisen am Sonntagnachmittag wieder ab. Noah meinte, er würde gerne mit dir reden, bevor er fährt, wenn das für dich okay wäre. Weißt du, er wirkte ganz schön mitgenommen von irgendwas.«

»Kann mir nicht vorstellen, von was.«

Ich war ein furchtbar furchtbarer Mensch, weil ich hoffte, es wäre Eifersucht.

»Elle ...«

»Dad«, fauchte ich zurück und hatte sofort ein schlechtes Gewissen deshalb. Ich verzog den Mund. »Ich will nicht mit und nicht über Noah reden. Können wir das jetzt ausklammern?«

»Na schön. Möchtest du eine heiße Schokolade? Ich mache gleich Brad und mir eine Tasse.«

»Nein danke. Ich glaube, ich schlafe jetzt einfach.«

Noch ein Seufzer. Dad schob seine Brille die Nase hinauf. »Na gut. Schlaf schön. *Happy Thanksgiving*.«

»Dir auch.«

Im Hinausgehen machte er das Licht aus und ließ mich allein in der Dunkelheit zurück.

Mein Handy brummte wieder und vibrierte auf meinem Nachttisch. Ich warf nur einen flüchtigen Blick darauf und erwartete eine weitere Nachricht von Lee oder vielleicht eine von Levi. Aber falsch geraten.

Können wir uns morgen treffen? Möchte reden x

Geschockt starrte ich aufs Display und dachte: *Er muss echt dringend reden wollen, wenn er erst mit meinem Dad gesprochen hat UND mir dann auch noch schreibt.*

Aber ich ignorierte die Nachricht und den Kuss am Ende. Mehr schrieb er nicht. Bis Mitternacht lag ich wach und versuchte, nicht an das Fiasko des vergangenen Tags zu denken, während ich gleichzeitig an nichts anderes denken konnte.

23

Wie durch ein Wunder gelang es mir, Noah den ganzen nächsten Tag über zu meiden – und Lee gleich mit. Ich schrieb mir ein bisschen mit Levi, wobei keiner von uns den Kuss erwähnte. Ich war erleichtert, dass die Dinge zwischen uns (relativ) normal waren. Nach einer Weile machte ich mein Handy aus und surfte ein paar Stunden am Laptop durch die Black-Friday-Sales. Danach sah ich mir mit Dad und Brad einen Film an, bevor ich meinem Bruder bei den Hausaufgaben half, einfach weil ich so dringend nach Ablenkung suchte.

Als ich das Handy vor dem Abendessen wieder anmachte, waren einige Nachrichten eingegangen. Eine von Levi, drei von Lee, der mich bat, endlich zu antworten. Außerdem wollte er wissen, ob ich wegen irgendwas sauer auf ihn sei. Eine Nachricht kam von Rachel. Darin schrieb sie, ich solle doch bitte Lee antworten, weil der sich Sorgen mache und nicht vorbeikommen wolle, für den Fall dass ich sauer auf ihn wäre. Eine war von Noah. Er bat mich, doch bitte zu antworten, weil er einfach nur mit mir reden wolle, bevor er ans College zurückkehrte.

Ich antwortete als Erstes Lee.

Dabei blieb ich vage und entschuldigte mich nur dafür, nicht früher geantwortet zu haben. Ich schrieb, dass ich gestern nicht mit Noah gesprochen hätte und heute einfach meine Ruhe bräuchte.

Dann meldete ich mich bei Rachel, um sie wissen zu lassen, dass ich Lee geantwortet hatte. Ich fragte auch, wie ihr Thanksgiving gewesen war. Levi schrieb ich ebenfalls. Seine Nachricht hatte sich nur auf ein Quiz bezogen, das er irgendwo entdeckt hatte: »Welches klassische Thanksgiving-Gericht bist du?«

Zögernd las ich Noahs Nachrichten noch mal.

Und ignorierte sie.

Was kümmerte es mich, wenn er sich für sein Verhalten gestern entschuldigen wollte und dafür, dass er Amanda mit nach Hause gebracht hatte, was total unsensibel gewesen war? Und was, wenn er sich dafür entschuldigen wollte, wie es zwischen uns zu Ende gegangen war und dass er Dinge vor mir verheimlicht hatte? Ich wollte nichts von ihm hören. Nicht einmal das. Er musste für eine Weile aus meinem Leben verschwinden, damit ich über ihn hinwegkam. Und wenn das bedeutete, ihn mir vom Leib zu halten, wenn er doch nur versuchte, nett zu sein, dann war mir das auch egal.

Nach dem Essen (Reste von Süßkartoffeln, Karotten und Brokkoli, die June meinem Vater gestern mitgegeben hatte, und dazu Hackbraten) saßen wir wieder im Wohnzimmer, zappten durch die Sender und konnten uns auf kein Programm einigen, als es an der Tür klingelte.

Dad warf mir einen Blick zu, bevor er sagte: »Ich mache schon auf.«

Als würde er denken, das könnte Noah sein.

Ganz ehrlich, das dachte ich auch. Wenn er so dringend mit mir sprechen wollte, konnte ihn wohl nichts daran hindern, rüberzukommen, um von Angesicht zu Angesicht mit mir zu reden, zumal ich seine Nachrichten ignorierte. Aber dann sagte ich mir, vielleicht war es doch Lee – denn warum auch nicht Lee?

Ich wusste schon, dass es keiner der beiden war, nachdem ich den Blick sah, den Dad mir von der Haustür zuwarf. »Elle, du, äh, hast Besuch«, sagte er und schien genauso verwirrt, wie ich mich fühlte.

Ich stand auf und kam in den Flur. War es vielleicht Levi? Oder –

Oder nicht.

»Oh. Äh … äh, hi«, stammelte ich, während ich einer lächelnden Amanda mit rosigen Wangen gegenüberstand. Sie trug ihre Haare geflochten, aber der Wind hatte ein paar Strähnen herausgezogen, die ihr jetzt ums Gesicht hingen.

Eigentlich wollte ich wütend auf sie sein, weil sie, sogar vom Wind zerzaust, so verdammt hübsch aussah.

»Hey. Ich, äh, dachte mir, wir könnten vielleicht reden, wenn das für dich okay ist. Ich will mich nicht aufdrängen oder so, aber ich dachte, es wäre auch seltsam, einfach anzurufen …«

»Nein, äh, das ist schon in Ordnung.« Ich warf Dad einen Blick zu, woraufhin er sich ins Wohnzimmer verzog und die Tür hinter sich zumachte.

Was tat sie hier?

Und worüber konnte sie mit mir reden wollen?

Ich riss mich zusammen. »Möchtest du irgendwas trinken?«

»Wasser wäre toll. Danke.«

Wieder ihr seltsamer Akzent.

»Klar«, murmelte ich, immer noch völlig verwirrt.

Sie folgte mir in die Küche, wo ich ihr ein Glas Wasser gab. Dann standen wir uns gegenüber und ich nestelte nervös an meinen Fingern herum. Mein Herz hämmerte und ich versuchte, den Kloß in meinem Hals zu schlucken.

»Ich weiß, dass das wahrscheinlich sehr seltsam für dich ist, aber ich wollte über Noah reden.«

Tja, es gab wohl nicht viel mehr, worüber sie mit mir reden wollen konnte, aber trotzdem – was zum Teufel sollte das?

Ich sah sie nur an und wartete, weil ich auch nicht wusste, was ich sagen sollte.

Amanda nippte an ihrem Wasser und nahm dann die Schultern zurück, als würde sie sich für irgendetwas bereit machen. War sie hier, um mir zu sagen, ich sollte mich zurückhalten? Um darauf zu bestehen, dass ich mich von Noah fernhielt oder so? Um mir zu sagen, ich solle endlich über ihn wegkommen und aufhören, ihm nachzujammern wie ein dummes kleines Mädchen?

»Warum willst du nicht mit ihm reden?«

»Was?«

»Er hat mich nicht hergeschickt oder so was, aber ich dachte mir – also, ich dachte, wenn du nicht mit ihm reden kannst, dann vielleicht mit mir? Er vermisst dich wirklich, weißt du. Und ich weiß, dass er ein schlechtes Gewissen hat wegen dem, was zwischen euch passiert ist, und wegen gestern. Du meine Güte, seit wir die Flüge gebucht haben, um herzukommen, hat er von nichts anderem mehr geredet als davon, was er zu dir sagen wird. Er redet nur von dir. Ich verstehe ja, dass du ihn wahrscheinlich nicht sehen willst, aber er will wirklich nur reden. Er sagt, du verdienst eine Erklärung.«

Ich starrte sie mit offenem Mund wahrscheinlich eine ganze Minute lang an. Vielleicht auch länger.

Amanda, die jetzt zur Abwechslung mal verlegen aussah, nippte wieder an ihrem Wasser und schaute sich in der Küche um.

»Ich kapier's nicht«, sagte ich schließlich. »Warum redest *du* denn mit mir darüber?«

»Ich weiß ja, dass mir das eigentlich nicht zusteht, aber Noah liegt mir am Herzen und er ist wirklich fertig wegen dem, was passiert ist, also dachte ich –«

»Ja, schon klar, du dachtest, du versuchst mal, mich dazu zu bringen, mit ihm zu reden. Ich kapiere nur nicht, warum *dich* das kümmert. Ich meine, ich dachte … Ihr beide … Das ergibt einfach überhaupt keinen Sinn.«

Sie starrte mich einen Moment lang fragend mit ihrem hübschen Gesicht an.

Shit, zwang sie mich wirklich, es laut auszusprechen?

»Ich verstehe nicht, warum das so eine große
Sache für dich ist, jetzt, wo ihr beiden doch, du weißt
schon … was miteinander habt.«

Amanda gab einen seltsam erstickten Laut von
sich, riss die Augen auf und kicherte. »O mein Gott.
Er hat's dir gar nicht gesagt.«

»Mir *was* gesagt?«

»Oh, Shit. Sorry. Ich meine …« Sie sah durcheinander aus und biss sich zwischendrin auf die
Lippe. Schließlich sah sie mich ruhig und gefasst an –
und auch ein bisschen amüsiert. »Wir haben definitiv
nichts miteinander. Hatten wir auch nie.«

Jetzt war ich damit an der Reihe, wie eine Idiotin
dazustehen und sie anzuglotzen. Ihr Gesicht wirkte
offen, ehrlich und ihre großen blauen Augen schienen sich zu entschuldigen.

»Ganz ehrlich. Ich dachte, er hätte es dir gesagt.
Ich meine … Er hat es nie ausdrücklich erwähnt, aber
ich dachte, dass er es getan haben muss. Er sagte, du
dachtest, wir wären zusammen, und dass das mit ein
Grund war, warum ihr euch getrennt habt. Aber ich
dachte, er hätte dir gesagt, dass wir nie zusammen
waren.«

»Ich meine, er hat gesagt, ihr wärt … befreundet.
Er sagte, ihr wärt Lern-Partner. Ihr würdet euch
nahestehen und ich könnte das nicht kapieren. Und
dann hat er dich zu Thanksgiving mit nach Hause
gebracht.«

»Ja, weil er nicht wollte, dass ich allein im Wohnheim zurückbleibe. Wir stehen uns auch nahe. Versuch mal, Stunden in *Labs* und Kursen mit jemand zu verbringen und dich nicht anzufreunden. Natürlich hat er mich zu Thanksgiving eingeladen, als er hörte, dass ich vorhatte, es allein zu verbringen. Er ist ein netter Typ.«

»Das kann man wohl sagen«, meinte ich, wobei meine Stimme so seltsam klang, als gehöre sie gar nicht mir. Sie klang unbeteiligt und tonlos und nicht halb so verwirrt, wie ich mich gerade fühlte.

»O Gott. Das glaube ich jetzt nicht. Kein Wunder, dass du gestern so verlegen aussahst. Ich dachte, es wäre nur wegen Noah. Ich dachte nicht, das wäre, weil du dachtest, wir wären zusammen. Das tut mir *so* leid.«

»Ist ja nicht deine Schuld«, sagte ich mit dieser Stimme, die nicht wie meine eigene klang.

»Ich hab überhaupt nicht daran gedacht. Das tut mir so leid, Elle. Aber ich versichere dir, da ist nichts zwischen uns. Und da war auch nie was. Er ist wie … wie ein kleiner Bruder oder so. Ein bisschen hilflos. Wusstest du, dass er kaum seine Wäsche selber waschen kann? Auf Partys versucht er, mich mit Jungs zu verkuppeln.«

Ich wusste nicht, was ich mit dieser Information anfangen sollte.

Ich versuchte, sie zu verarbeiten, aber die Worte wirbelten nur durch meinen Kopf. Ich war wie betäubt. Mein Mund fühlte sich trocken an.

»Er fühlt sich *furchtbar* wegen dem, was zwischen euch passiert ist. Und wegen gestern. Er war wirklich bestürzt, dass du gegangen bist. Er wollte dich suchen gehen, aber er meinte, er hätte dich nicht finden können. Ich weiß nicht, ob er nur reinen Tisch zwischen euch machen wollte, damit ihr beide nach vorne schauen könnt, oder was vielleicht noch. Er war auch überhaupt nicht dazu aufgelegt, gestern mit mir oder Lee darüber zu reden.«

Ich starrte sie weiter an.

»Ihr seid nicht zusammen.«

»Nein.«

»Du bist nicht seine Freundin.«

»Nein. Glaub mir, er ist nicht mein Typ.«

Ich konnte sie wieder nur anstarren.

O mein Gott.

Was zum Teufel hatte ich getan?

»Es tut mir echt leid, wenn ich die Sache jetzt noch schlimmer gemacht habe«, sagte Amanda nervös. »Ich dachte, du wüsstest das. Ich dachte, du würdest vielleicht nur nicht mit ihm reden wollen, weil du sauer auf ihn bist oder einfach zu aufgebracht oder …«

Ich schüttelte den Kopf.

Sie streckte den Arm aus und drückte meine Hand. »Ich fühle mich ganz schrecklich. Es tut mir so leid, Elle.«

»Nein, muss es nicht – es ist ja nicht deine Schuld. Er hätte es mir sagen sollen. Okay, ich meine … das … das hat er. Er hat mir erklärt, da wäre nichts zwischen euch beiden, aber ich hab ihm nicht wirklich geglaubt.

340

Das war, als wir Schluss gemacht haben. Seither hat er kein Wort mehr mit mir geredet.«

»Er hat irgendwie keinen Peil, wenn es um Mädchen geht«, sagte Amanda lächelnd und verdrehte die Augen. »Er benimmt sich wie ein Womanizer und ist alles andere als das. Eher ein ausgesetzter Welpe. Auf dem Football-Feld macht er einen auf harter Typ, aber dann hat er meinen Farn gegossen, als ich übers Wochenende in Washington war.«

Ich lachte und das schien ein bisschen von der Last auf meiner Brust zu nehmen.

Amanda lächelte auch. »Redest du dann mit ihm?«

»Ich …«

Ich zögerte. Okay, Noah und Amanda waren nicht zusammen, aber das änderte nichts an der Tatsache, dass er seit der Trennung nie versucht hatte, mit mir zu reden und dass er gestern nicht wirklich mit mir geredet hatte. Er hatte sich nicht die Mühe gemacht, mich zu warnen, dass er Amanda mit nach Hause bringen würde, egal ob sie jetzt zusammen waren oder nicht. Er hatte das sogar in dem Wissen getan, dass ich glaubte, die beiden wären ein Paar.

Außerdem … wenn es nicht Amanda gewesen war, was er vor mir geheim hielt, was war es dann?

Amanda sah mich erwartungsvoll an und schien auf meine Antwort zu warten.

Würde ich mit Noah reden?

»Ich weiß es nicht. Es ist kompliziert.«

Sie nickte und lächelte mitfühlend. »Das ist okay. Ich verstehe es. Er wahrscheinlich nicht. Aber kann ich ihm sagen, dass du mit ihm reden wirst, wenn du dazu bereit bist?«

»Klar. Danke. Glaube ich.«

»Es tut mir wirklich aufrichtig leid«, versicherte sie mir erneut.

»Was denn?«

»Na ja, ich weiß, dass ich eines der Probleme zwischen euch beiden war. Er hat mir von der Sache mit dem Foto erzählt. Und es tut mir auch leid, dass ich gestern nicht erwähnt habe, dass wir nicht zusammen sind. Ich dachte ehrlich, du wüsstest das. Dann hättest du dich vielleicht weniger … also, dann hättest du dich gestern vielleicht *besser* gefühlt. Ich wette, es war ziemlich übel zu denken, dass er so kurze Zeit nach eurer Trennung seine neue Freundin mitgebracht hat.«

»*Übel* ist gar kein Ausdruck dafür.«

Amanda lachte. »Ja. Also, dann lass ich dich mal wieder. Danke für das Wasser.«

»Kein Problem.«

Ich begleitete sie zur Tür und sagte, als sie rausging: »Amanda?«

»Ja?«

»Danke. Dass du es mir gesagt hast. Und fürs Erklären.«

»Natürlich. Man sieht sich!«, fügte sie in ihrem quirligen, fröhlichen Ton, den sie gestern die ganze Zeit an den Tag gelegt hatte, noch hinzu und schenkte mir ein ebenso strahlendes Lächeln, bevor sie sich Richtung Straße umdrehte.

Ich war immer noch perplex, als ich ins Wohnzimmer zurückkehrte. Dad reagierte sofort und schaltete den Fernseher stumm. Brad rief empört: »Hey!«, aber Dad kümmerte sich nicht darum.

»Was wollte sie denn?«

»War das Noahs neue Freundin?«, fragte Brad und schien den Fernseher schon vergessen zu haben.

»Sie ist … sie ist nicht … die beiden sind nicht zusammen.«

Mein Vater zog die Augenbrauen hoch, sah aber nicht besonders überrascht aus. »Aha.«

Brad meinte: »Heißt das, dass du jetzt wieder seine Freundin bist?«

»Ich glaube nicht. Keine Ahnung. Wir haben nicht … sie wollte nur …«

Dad sagte: »Aber hast du nicht erzählt, sie wären zusammen?«

»Das habe ich geglaubt. Ich meine, angenommen … Ich meine, er hat schon versucht, mir das zu sagen, als wir Schluss gemacht haben, aber …«

»Ich verstehe. Also was willst du jetzt tun? Wirst du mit ihm reden?«

Ich schnaufte und verzog den Mund. »Keine Ahnung, Dad.«

»Ich möchte nur nicht, dass du irgendwas Dummes machst.«

»Und zwar? Wieder mit ihm zusammen sein?«

»Nein, dir noch mal das Herz brechen lassen.«

24

In der Mall ging es schlimmer zu denn je. Menschenmassen strömten in die Geschäfte, wegen der Sales und um mit ihren Weihnachtseinkäufen zu beginnen, nachdem Thanksgiving offiziell vorbei war. Erst um kurz vor drei gelang es Lee und mir, einen Platz zum Mittagessen zu ergattern.

Ich hatte Lee immer noch nicht erzählt, was mit Levi passiert war, aber ich hatte ihm ausführlich von meinem Gespräch mit Amanda berichtet.

»Tja«, hatte er gesagt, »fairerweise muss man zugeben, dass wir alle es nur vermutet haben …«

»Ja. Aber er hätte es erwähnen können. Also mir gegenüber.«

»Er hat dir doch gesagt, dass zwischen den beiden nichts wäre.«

Dafür warf ich ihm einen finsteren Blick zu. »Was ja wohl genau das ist, was er auch gesagt hätte, wenn zwischen den beiden was gelaufen wäre. Und dann hat er sie zu Thanksgiving mitgebracht. Was hätte ich denn da anderes denken sollen?«

»Ich weiß, ich weiß. Ich mache dir ja keinen Vorwurf. Ich dachte auch, sie wären zusammen. Ich bin mir sicher, dass meine Eltern genauso davon überzeugt waren, obwohl Noah gesagt hatte, sie wären nur gut befreundet.«

Nachdem wir bei der Kellnerin bestellt hatten, machte Lee ein ernstes Gesicht. »Was ist tatsächlich passiert, nachdem du an Thanksgiving abgehauen bist?«

»Hast du Noah gesagt, wo ich hin wollte?«

»Er hat gefragt. Er hörte dein Auto wegfahren. Da hab ich ihm gesagt, du würdest in den Park gehen, weil du seine Art satt hättest –«

»O mein Gott, sag mir, dass du das nicht so gesagt hast.«

»Und dann ist er dir nachgefahren. Sonst hat er nichts gesagt. Als er wiederkam, sah er echt angepisst aus. Ich dachte mir, ihr hättet noch mal gestritten oder so, vor allem als du dann nicht wiederkamst. Ich hab versucht, ihn danach zu fragen, aber er sagte nur, ich solle davon aufhören. Also? Habt ihr euch gestritten?«

»Ich hab kein Wort mit ihm gesprochen.«

»Was ist denn dann passiert? Hat er sich mit Levi geschlagen?«

»Nein.« O Mann, ich wollte Lee nicht anlügen oder was vor ihm verheimlichen, aber … Ich rutschte nervös auf meinem Stuhl herum. »Okay, aber du musst mir versprechen, nicht zu lachen.«

»Warum?«

»Versprich's mir.«

»Ich verspreche es.«

»Also, ich habe Levi am Park getroffen. Ich wollte ein bisschen Dampf wegen Noah und Amanda ablassen, und dann ... haben wir geknutscht.«

Lee starrte mich erst einen Moment lang an, dann verzog er den Mund. Die Muskeln an seinem Kinn und den Wangen zuckten, während er sich größte Mühe gab, nicht zu lachen. Ich funkelte ihn an.

»Du hast versprochen, nicht zu lachen.«

Ich sah ihn tief durch die Nase Luft holen und wieder ausatmen, bevor er sagte: »Sorry, aber du hast *Levi* geküsst? Also Levi Monroe? Denselben Levi, mit dem du schon das ganze Semester abhängst und von dem du schwörst, dass du ihn nicht *auf diese Weise* magst?«

Stöhnend vergrub ich das Gesicht in meinen Händen. »Ich weiß. Das war ein mieser Schachzug. Jetzt habe ich alles total kaputtgemacht.«

»Ich kann einfach nicht glauben, dass du mit Levi Monroe geknutscht hast.«

»Würdest du vielleicht aufhören, ihn bei seinem ganzen Namen zu nennen? Das ist schräg.«

»War es gut?«

»Was für eine Frage ist das denn?«

»Okay – war es seltsam?«

»Nicht so, wie es hätte sein können. Aber es war einfach ... war nicht ...« Ich seufzte. »Er war nicht Noah.«

Lee verzog mitfühlend den Mund. »Und was ist dann passiert?«

»Noah hat's gesehen. Ich wusste nicht, dass er da war, bis ich ihn gehen sah. Ich glaube nicht, dass er irgendwas mitgehört hat, aber er hat eindeutig gesehen, wie wir uns küssten.«

»Mist«, sagte Lee und stieß einen langen, leisen Pfiff aus. »Ihr beiden müsst echt reden und die Sache klären.«

Ich brummte etwas Unverständliches, unbeeindruckt von seinem Vorschlag – vor allem weil er wahrscheinlich recht hatte – und wir unterhielten uns danach über etwas anderes. Allerdings wurden wir alle fünf Minuten davon unterbrochen, dass Lee sagte: »Ich kann einfach nicht glauben, dass du mit Levi geknutscht hast« oder »Warte, bis die Jungs das hören. *Levi*.«

»Ich schwöre bei Gott, wenn du irgendwem davon erzählst, dann erzähle ich Rachel was, wovon du nicht willst, dass sie es erfährt.«

»Ich erzähle Rachel sowieso alles.«

»Ach ja? Dann weiß sie also, dass du mehr geheult hast als ich, als wir *Marley & Ich* gesehen haben? Oder dass du, als ich meinen ersten BH bekam, ihn einen Tag lang getragen hast, um zu sehen, wie sich das anfühlt?«

Das Lachen verschwand aus Lees Gesicht und er holte drohend mit einem Pommes aus. »Wage es bloß nicht …«

Ich zog die Augenbrauen hoch und grinste ihn triumphierend an.

Lee kam nach der Mall mit zu mir. Er schlug nicht mal vor, dass wir zu ihm nach Hause gehen könnten, wo ich vielleicht Noah begegnet wäre. Er hatte versucht, mich dazu zu bringen, noch mal über Noah zu reden – was ich vorhätte und ob ich mit ihm sprechen würde –, aber ich blieb bei diesem Thema stumm.

Ehrlich gesagt wusste ich selbst noch nicht, was ich tun sollte.

Ich wusste, dass ich Noah noch liebte, aber das machte alles irgendwie nur schlimmer. Ich war hin und her gerissen zwischen dem Wunsch, wieder mit ihm zusammen zu sein, und dem Wunsch, nicht mehr mit ihm reden zu müssen, bis ich nicht offiziell und zu hundert Prozent über ihn hinweg war.

Aber was, wenn ich nicht über ihn hinwegkam, bevor wir uns nicht ausgesprochen und er mir erklärt hatte, dass die Sache mit Amanda nur ein schlimmes Missverständnis war? Was, wenn ihn allein zu treffen der beste Weg war, um mit ihm abzuschließen?

Und was, wenn dadurch aber alles nur schlimmer wurde?

Mir schwirrte der Kopf vor lauter Was-wäre-wenn. Außerdem wusste ich, dass ich noch Wochen darüber grübeln konnte, ohne herauszufinden, was ich am besten tun sollte.

Lee versuchte nur, mir zu helfen – das wusste ich.

Aber er hatte eben nicht nur mein Bestes im Sinn, sondern dachte auch an seinen Bruder. Und er wusste, dass Noah mit mir reden wollte.

Ich ignorierte zwei verpasste Anrufe von Noah und

eine Nachricht, die lautete: *Wenn du nicht reden willst, verstehe ich das, aber kannst du mir das wenigstens sagen?*

»Ich finde, du solltest ihn zumindest anrufen und sagen, dass du nicht reden willst«, meinte Lee. »Oder schreib es dem armen Kerl wenigstens.«

Ich wusste immer noch nicht, was ich machen sollte, als ich mich spätabends im Bett hin und her wälzte. Vor lauter Nachdenken konnte ich nicht einschlafen.

Ich werde ihn morgen Früh besuchen, bevor er fährt.

Ich schreibe ihm morgen Früh, um zu sagen, dass ich glaube, es ist besser, wenn wir nicht reden, und dass ich hoffe, er und Amanda hatten eine schöne Zeit hier.

Ich ignoriere alles, was mit ihm zu tun hat.

Ich treffe ihn morgen Früh.

Ich rufe ihn an, wenn er wieder im College ist.

Ich spreche nicht mit ihm.

Ich werde –

Etwas schlug gegen mein Fenster.

Ich setzte mich auf, drehte mich zu dem Geräusch und starrte auf die zugezogenen Vorhänge.

Noch mal. Wie ein Klopfen, aber was immer es war, fiel danach in die Dachrinne.

Das Geräusch wiederholte sich noch dreimal, bis ich aufstand, um nachzusehen.

Ich warf die Decken zurück und riss die Vorhänge auf, dann spähte ich in die Dunkelheit. Die Straßenlaterne warf ihr gelbes Licht auf den Jungen in unserem Vorgarten. Ich biss die Zähne zusammen, während mein Herz einen Salto schlug und sein Name mir schon auf der Zunge lag.

Kaum sah er mich, winkte er.

Ich öffnete das Fenster.

»Was machst du da? Es ist zwei Uhr morgens!«

»Ja, ich weiß.«

Einen Moment lang starrte ich ihn nur an. »Was willst du?«

»Ich muss mit dir reden. Mein Flug geht um zwölf und ich hatte keine Gelegenheit, mit dir zu reden. Deshalb dachte ich, das ist die einzige Möglichkeit, dich dazu zu bringen, mit mir zu sprechen.«

Ich starrte ihn noch einen Sekundenbruchteil an, bevor ich das Fenster schloss. Dann suchte ich mir Sneakers und einen Hoodie, die ich anzog. Anschließend schlich ich die Treppe runter und zur Haustür. Die zog ich leise hinter mir zu, hatte die Verriegelung aber so eingestellt, dass ich auch wieder reinkam.

»Du hast zwei Minuten, Noah Flynn.«

»Ich dachte schon, du würdest nicht kommen.«

Er hielt eine Tüte Skittles in der Hand – mit denen musste er auf mein Fenster geworfen haben.

Noah kam auf mich zu, die Stufen zur Veranda herauf. Ich wich einen halben Schritt zurück. Irgendwie hatte ich vergessen, wie groß er war. Wie ich im Licht der Veranda feststellte, trug er eine Pyjamahose aus Flanell, einen Hoodie und Sneakers ohne Socken, fast genau wie ich. Er war wohl direkt aus dem Bett hierher gekommen.

Entschlossen schaute ich zu ihm hoch. »Die Zeit läuft.«

Das klang lahmer, als ich gedacht hatte. Noah sah ernst und zielstrebig aus.

Ich zählte die Sekunden. Ich kam bis sechzehn, bevor er den Mund aufmachte.

»Bauchweh, ja?«

»Wie bitte?«

»An Thanksgiving. Wir wissen beide, dass das totaler Bullshit war.«

»Du bist mir gefolgt«, warf ich ihm vor.

»Ich hatte den Eindruck, dass du wegen mir gegangen bist. Ich dachte, ich sollte ... mich entschuldigen oder so. Es war nicht fair dir gegenüber, dass du wegen mir gehen musstest. Und was Lee mir erzählte, das klang so, als wärst du noch nicht über mich weg, also dachte ich, ich sollte vielleicht reinen Tisch machen. Aber anscheinend lag ich da falsch.«

Ich reckte das Kinn vor. »Welchen Unterschied macht das denn? Wir haben Schluss gemacht. Wen ich küsse, geht dich überhaupt nichts mehr an. Ich dachte, das wäre umso klarer gewesen, nachdem du mich nicht mal angerufen hast, um mir zu sagen, dass du zu Thanksgiving nach Hause kommst, ganz zu schweigen von Amanda.«

Noah seufzte und fuhr sich mit der Hand durch seine sowieso schon zerzausten Haare, die dadurch erst recht in alle Richtungen abstanden. »Ich dachte nicht, dass du von mir angerufen werden wolltest.«

Natürlich wollte ich von dir angerufen werden! Ich wollte, dass du anrufst und mir sagst, dass du mich vermisst, wie sehr du mich liebst und dass es ein Fehler war, mich von dir zu trennen!

Stattdessen sagte ich: »Wenn du mir schon zum Park gefolgt bist, um mit mir zu reden, warum hast du dann nicht mit mir geredet? Warum bist du einfach wieder gegangen?«

Er schnaubte, fast höhnisch, aber den verletzten Ausdruck in seinem Gesicht konnte er nicht verbergen. »Das fragst du mich? Ich dachte, ihr beiden wärt *nur gute Freunde*. Du hast mir gesagt, dass du in der Hinsicht nicht an ihm interessiert wärst. Lee hast du das auch gesagt. Ich war nicht überzeugt, als du Fotos und andere Sachen von ihm geteilt hast, und als ich dann das Foto von euch auf dem Ball sah … Aber Lee meinte zu mir: ›Da läuft nichts.‹ Anscheinend machst du es dir zur Gewohnheit, ihn bezüglich der Jungs, die du magst, anzulügen.«

Ich biss die Zähne zusammen und merkte, wie die Muskeln in meinem Gesicht zuckten, als wüssten sie nicht, für welche Miene sie sich entscheiden sollten. Ich atmete schwer und zitterte am ganzen Körper, doch das hatte nichts mit der kühlen Nachtluft zu tun.

»Du hast kein Recht … so etwas zu mir zu sagen. Es geht dich überhaupt nichts an, ob ich Levi date, aber nur zu deiner Information, ich tue es nicht. Ich hatte ihn gebeten, sich mit mir zu treffen, weil ich einen Freund brauchte, der diesmal nicht Lee war. Ja, ich habe ihn geküsst. Na und? Das war eine dumme Entscheidung, aber sie stand mir zu. Und überhaupt, was ist denn mit dir und Amanda? Du hast nicht mal dran gedacht, mir zu sagen, dass du sie zu Thanksgiving mit nach Hause bringst.«

»Du … du datest ihn gar nicht.«

»Nein«, sagte ich, etwas sanfter, und die Verspannung in meinen Schultern ließ ein wenig nach. »Tue ich nicht.«

»Also, was hätte ich denn denken sollen, als ich euch beide so zusammen gesehen habe, Elle?«

»Also, was hätte ich denn denken sollen, als ich all die Fotos von dir und Amanda gesehen habe, und dann bringst du sie zu Thanksgiving mit nach Hause? Du hättest es mir sagen können. Du hättest mir wenigsten sagen können, dass du sie nicht datest.«

»Das hab ich! Aber du wolltest es ja nicht hören!«

»Hast du echt gedacht, ich würde dir das glauben, als du sie zu Thanksgiving mitgebracht hast?«

»Sie wäre übers Wochenende ganz allein gewesen! Das hatte nichts mit dir zu tun, nichts damit, dich eifersüchtig zu machen oder sonst was!«, rief er und ich schwieg erschrocken. »Du hast mit mir Schluss gemacht, schon vergessen? Ich dachte nicht, dass es dich kümmert. Mir war nicht klar, dass es für dich eine so große Sache wäre, wenn ich eine gute Freundin hätte, die eben zufällig ein Mädchen ist. Als du dann so aus heiterem Himmel mit mir Schluss gemacht hast, dachte ich, da müsse jemand anderer im Spiel sein. Das war das Einzige, was Sinn ergab.«

Plötzlich fühlte ich mich atemlos.

Und noch nie war ich mir so dumm vorgekommen.

»Was hast du denn erwartet, dass ich denke,

nachdem du mit mir Schluss gemacht hast?«, fuhr er aufgeregt fort. »Ich dachte, du suchst nur nach einer Ausrede. Ich dachte, du hättest jemand anderen. Ich wusste ja, dass du und Levi euch angefreundet hattet, und als ich dann die Fotos vom Sadie Hawkins Ball sah und schließlich euch beide vorgestern Abend –«, seufzend brach Noah mitten im Satz ab. Seine Stirn war gerunzelt, seine Augen glänzten, traurig und verzweifelt, und das brach mir fast das Herz. »Ich meine, du und Lee, ihr steht euch so nah. Also ehrlich. Als ich dir von Amanda erzählte, dachte ich, du wärst der letzte Mensch, der eifersüchtig reagieren würde, wenn ich mich mit einem anderen Mädchen anfreundete. Und ich weiß, ich hätte dir früher von ihr erzählen sollen, aber … ich war eben dumm. Okay? Ich will nicht …«

Wir waren beide so dumm gewesen.

»Ich kann nicht glauben, dass du gedacht hast, ich hätte mit dir Schluss gemacht, um mit Levi zusammen zu sein.«

»Aber du hast ihn geküsst.«

»Weil ich versucht habe, über dich wegzukommen! Und es hat *nicht* funktioniert! Es war dumm und ich habe es sofort bereut. Ich dachte, vielleicht wäre da was, aber …« Ich schüttelte den Kopf. »Es hat nie jemand anderen gegeben, Noah. Gibt es immer noch nicht. Wir haben Schluss gemacht, weil wir einander nicht mehr vertrauen konnten.«

»Ich vertraue dir!« Er streckte die Arme aus, als wollte er mich bei den Schultern packen, ließ dann aber die Hände doch wieder fallen und schob sie in die Tasche seines Hoodies, wo die Skittles-Packung knisterte. »Natürlich habe ich dir vertraut. Aber ich war nie gut genug für dich. Ich war nie der richtige Typ. Und die ganze Zeit hatte ich Angst, dass der Richtige daherkommen würde. Ich kam mir vor, als würde ich nur darauf warten, dass dir das klar wird und du kapierst, dass ich nicht der Richtige für dich bin. Und ...«

»Und was?«

»Und ich hab dich zu sehr geliebt, um dich gehen zu lassen«, sagte er leise und schaute mich unter seinen Wimpern hervor an. Seine Augen strahlten dabei geradezu unnatürlich, obwohl es ziemlich dunkel war. »Und das tue ich immer noch.«

Ich biss mir auf meine Unterlippe. Heftig. Warum, warum war mir jetzt nach Weinen zumute? Warum spürte ich Tränen aufsteigen und ein Kratzen im Hals, als müsste ich gleich losschluchzen? Nur weil er gesagt hatte, er liebe mich ...

Er liebt mich noch.

Aber ich hatte weitere Fragen. Die bloße Tatsache, dass er nicht aufgehört hatte, mich zu lieben – und dass ich ihn auch noch liebte –, änderte jetzt rein gar nichts.

»Du hast mich in dem Glauben gelassen, dass da was zwischen dir und Amanda war.«

Er zuckte mit einer Schulter. »Ich war eifersüchtig. Ich war wütend. Es hat mich verletzt, Elle, als du mit mir Schluss gemacht hast. Du bist wegen ihr so dermaßen ausgeflippt, dass ich dachte ... Ich dachte, du würdest es sowieso nicht verstehen, dass wir nur gute Freunde waren.«

»Ich bin ausgeflippt, weil du mir Sachen verheimlicht hast. Dann das Telefonat, das ich mitgehört habe – wenn es dabei nicht darum ging, dass du mit Amanda zusammen bist, worum zum Teufel ging es dann?«

Noah wurde rot und sah nervös aus. Er trat von einem Fuß auf den anderen und fuhr sich noch mal mit einer Hand durch die Haare. Jetzt wirkte er wie derjenige, der kurz vor dem Heulen stand.

So wütend ich auf ihn gewesen war und immer noch war, das alles löste sich in nichts auf.

»Noah?«, sagte ich leise und berührte spontan seinen Arm. Er zuckte zusammen und wir fuhren beide auseinander, als hätte uns ein elektrischer Schlag getroffen.

»Ich bin in einigen Kursen fast durchgefallen«, sagte er schließlich. »Die wollten mich aus der Footballmannschaft werfen. Ich war gestresst. Gute Noten waren für mich nicht so leicht zu kriegen wie an der Highschool. Das hat mich so gestresst, dass es sich auf meine ganze Arbeit auswirkte. Amanda hat mir viel geholfen. Sie wusste Bescheid, weil sie die Noten, die ich in den Kursen bekommen hatte, kannte. Ich hab mich zu sehr geschämt, um dir davon zu erzählen. Ich wollte nicht, dass du denkst, ich wäre ... dumm. Ich wollte dich nicht enttäuschen. Und ich wollte dir nicht sagen, wann ich sie traf, weil ich dann hätte erklären müssen, warum wir so viel gelernt haben. Und das brachte ich nicht übers Herz.«

Plötzlich ergab alles einen Sinn.

Es ergab vor allem Sinn, nachdem er mir mal erzählt hatte, dass er sich solchen Druck in der Schule gemacht hatte, bevor er sich sein Image als Bad Boy zulegte. Ich konnte gar nicht begreifen, wieso ich das nicht selbst in Erwägung gezogen hatte.

»Du hättest dich nicht genieren sollen, es mir zu erzählen«, sagte ich leise. »Ich hätte dich nicht für dumm gehalten. Das tue ich ja immer noch nicht. Ich wünschte nur, du hättest es mir gesagt.«

»Hätte das einen Unterschied gemacht?«

»Ja!«, rief ich aufgebracht, riss mich aber gleich wieder zusammen. Ich wollte ja niemand aufwecken. Dann blinzelte ich ein paarmal, aber trotzdem lief mir eine Träne über die Wange. Ich holte tief Luft und brachte meine Stimme wieder unter Kontrolle.

»Noah, ich … Bevor wir Schluss gemacht haben, kam es mir vor, als würdest du kaum noch mit mir reden. Du hast mir nichts mehr von deinen Kursen erzählt. Ich hatte das Gefühl, du klammerst mich fast vollständig aus deinem Leben aus. Als würde ich nicht mehr dazugehören. Jetzt verstehe ich es, aber damals nicht, und das hat mir Angst gemacht. Ich dachte, wir entfernen uns voneinander und dass du mich nicht mehr so liebst wie zuvor und … Als du mir dann nichts über dieses Telefonat sagen wolltest, da dachte ich natürlich, du hättest was mit Amanda. Das war die einzige Sache, die einen Sinn ergab.«

»Es tut mir leid«, flüsterte er, und ich sah entsetzt, dass er weinte. Da hingen tatsächlich Tränen an seinen Wimpern. Eine davon fiel auf seine Wange. Sein Adamsapfel bewegte sich, als er schluckte. »Es tut mir leid. Ich hätte mit dir reden sollen. Übers College, über Amanda ... Ich weiß, dass da zwischen dir und Levi nichts war, aber ich fing an, mir einzureden, dass vielleicht, nachdem wir Schluss gemacht hatten, und an Thanksgiving ...«

Noah verstummte, als ich näher zu ihm trat.

»Du bist so ein Dummkopf, Noah Flynn.«

Er lachte leise auf und ich hob meine Hand an sein Gesicht, wo ich mit dem Daumen die Tränenspur von seiner Wange wischte.

»Aber du bist mein Dummkopf.«

Ich küsste ihn nicht. Ich wartete nur, während alle meine Nerven zum Zerreißen gespannt waren.

Als er mich dann küsste, fing ich Feuer.

Seine Lippen berührten meine zärtlich und drängend. Dann schloss er mich fest in die Arme und ich fuhr mit den Fingern in sein weiches Haar.

Ich hatte geglaubt, mich noch daran zu erinnern, wie es war, ihn zu küssen. Doch diese Erinnerungen waren nur ein blasser Abglanz der Realität. Und ich hatte recht gehabt: Noah zu küssen, das war so viel *mehr* als Levi zu küssen. Ich fühlte mich, als würde ich im besten Sinne von innen verbrennen. Meine Fingerspitzen glitten über sein Gesicht, zurück in sein Haar und dann über seine Arme. Nie hatte ich mich lebendiger gefühlt als bei diesem Kuss.

Als wir aufhörten, schmiegte ich mich an ihn und er ließ mich nicht los.

»Ich liebe dich«, flüsterte er und die Worte kamen so schnell, als könne er es gar nicht erwarten, sie auszusprechen. Sein Blick war dabei so intensiv, als würden die Worte allein nicht genügen. »Ich hab's verbockt. Ich hätte einfach mit dir reden sollen. Das weiß ich. Ich hab alles kaputtgemacht. Ich hatte einfach solche Angst, dich zu verlieren, dass ich alles nur noch verschlimmert habe.«

Ich lachte, aber es war eher ein Ausdruck von Fassungslosigkeit. »Deshalb habe ich mit dir Schluss gemacht. Weil ich fürchtete, du hättest jemand Besseren gefunden und mich vergessen. Ich wollte dich nicht so verlieren. Deshalb bekam *ich* Angst und habe alles noch schlimmer gemacht.«

Noah verzog den Mund und sein Atem kitzelte meine Nase. Ich schloss die Augen, presste meinen Kopf an seine Schulter und holte tief Luft. Er roch immer noch genauso. Fühlte sich genauso an. Er war immer noch mein Noah.

Widerwillig hob ich den Kopf und trat einen Schritt zurück, damit ich ihn richtig sehen konnte. »Ich liebe dich immer noch, Noah Flynn. Nur damit du's weißt. Falls du dich das gefragt haben solltest.«

»Also …«

»Also.«

Er küsste mich. Diesmal aber nur zögernd auf die Lippen. Sogar das brachte mein Herz dazu, Purzelbäume zu schlagen. »Wenn du immer noch nicht mit mir zusammen sein willst, verstehe ich das. Ich versteh's. Es ist schrecklich, so weit von dir weg zu sein und ich vermisse dich die ganze verdammte Zeit, aber ich will mit niemand außer dir zusammen sein. Wenn dir das zu schwerfällt, dann verstehe ich das. Sag es mir einfach.«

»Ich denke …«

O Gott. Was dachte ich denn? Ich vermisste Noah so sehr, während er am College war, aber …

Aber wie sehr ich mich auch bemüht hatte, ich war nicht über ihn hinweggekommen, nicht einmal ein kleines bisschen.

Ich wollte ihn nicht verlieren, aber vielleicht war es richtig gewesen, Schluss zu machen. Für den Fall, dass es nicht funktionierte, für den Fall, dass wir nur unsere Zeit vergeudeten …

Nur, wenn ich Noah so ansah, dann kam es mir nicht so vor, als vergeudete ich meine Zeit. Wie ich so in seinen Armen dastand, spürte ich, dass ich genau dort war, wo ich sein wollte. Ich strahlte ihn an.

»Ich denke, wir kriegen das hin.«

25

Noah küsste mich zum eine millionsten Mal auf die Nase. Mmm, er roch so gut. »Nach meinen Prüfungen komme ich über Weihnachten nach Hause. Das dauert nicht mal mehr einen Monat. Die Zeit wird nur so verfliegen.«

»Na hoffentlich.« Ich küsste ihn. Wir hatten Wochen nachzuholen. Gestern Nacht war er noch mit reingekommen und wir hatten ausführlicher über alles gesprochen. Wir redeten, bis wir auf der Couch einschliefen. Ich schlummerte als Erste ein, während Noah mit den Fingern über mein Haar strich und mich gleichzeitig fest im Arm hielt.

Ich konnte *spüren*, wie sehr er mich liebte. Wie hatte ich bloß an ihm zweifeln oder glauben können, dass es da jemand anderen gab?

Dad stand gegen acht Uhr auf und reagierte nicht besonders überrascht auf Noah, als er nach unten kam. Er sagte nur: »Was möchtet ihr zum Frühstück? Und du machst dich besser bald auf den Heimweg Noah. Du musst ja schon früh zum Flughafen.«

Nachdem Noah gegangen war, erklärte ich meinem Vater alles. Er meinte seufzend: »Versteh mich nicht falsch, ich mag Noah – er ist ein guter, kluger Junge, und ich weiß, dass du ihn liebst –, aber ich mochte Levi.«

Jetzt standen wir in der Einfahrt der Flynns. Noah streichelte geistesabwesend meinen Arm, während ich versuchte, mir die Sommersprossen in seinem Gesicht einzuprägen. Er hatte sich heute Morgen rasiert, sodass seine Wange sich unter meiner Hand ganz glatt anfühlte.

Mein Gott, wie hatte ich ihn vermisst.

Amanda kam gerade aus dem Haus und grinste uns an. »Siehst du, Noah? Ich hab dir doch gesagt, dass du das in Ordnung bringen wirst.« Und zu mir meinte sie: »Ich bin so froh, dass ihr das geschafft habt. Ihm ging es wirklich schlecht ohne dich. Ständig lief er mit so einer Jammermiene herum. Dadurch fühlten wir anderen uns auch ganz elend. Und das sage ich nicht als Scherz.«

Ich lachte und löste mich kurz von Noah, um Amanda anzusehen. »Es tut mir echt leid, falls ich gemein zu dir war, als du hier ankamst.«

Sie winkte ab und ein Silberring an ihrem Mittelfinger blitzte auf. Strahlend sagte sie: »Nicht der Rede wert. Ich hätte an deiner Stelle genauso reagiert. Aber du warst übrigens gar nicht gemein.«

Bevor ich noch etwas darauf antworten konnte, fiel sie mir um den Hals. »Ach, es war schön, dich kennenzulernen!«

»Das finde ich auch«, sagte ich, und war selbst überrascht, weil ich merkte, dass ich ihre Umarmung aus ganzem Herzen erwiderte.

Dann lief sie ins Haus zurück, und wir hörten, wie sie sich bei June für die Einladung und die Gastfreundschaft bedankte. Noah küsste mich auf die Schläfe und zog mich wieder eng an sich.

»Ich rufe dich später an, wenn ich wieder im Wohnheim bin.«

»Okay.«

»Und in ein paar Wochen bin ich zurück.«

»Vielleicht kann ich ja auch mal nach Boston auf Besuch kommen? Nach Weihnachten.«

»Vielleicht könntest du dir dort ein paar Colleges ansehen«, meinte er, und obwohl sein Ton beiläufig war, sahen seine Augen mich ernst und hoffnungsvoll an. Als Antwort küsste ich ihn, wobei ich mich auf Zehenspitzen stellen und vorn an seiner Jacke festhalten musste.

»Na schön, ihr Turteltäubchen, lasst dann mal voneinander ab. Dieses Flugzeug wird nämlich auch ohne euch starten«, verkündete Matthew, klatschte in die Hände und schlug den Kofferraumdeckel zu. Amanda kam mit ihrer übergroßen Handtasche aus dem Haus und verabschiedete sich von June, während Noah mir noch einen Kuss gab.

Lee stand neben mir, als wir zum Abschied winkten, und es fühlte sich seltsamerweise an wie im Sommer, als wir Noahs Flugzeug nachgeschaut hatten. Nur war es diesmal besser, friedlicher, tröstlicher. Wir wussten inzwischen genau, was uns bei dieser Fernbeziehung erwartete. Und wir waren entschlossen, alles dafür zu tun, damit sie funktionierte.

Lee legte seufzend einen Arm um meine Schultern. »Ich kann immer noch nicht glauben, dass du mit Levi geknutscht hast.«

»Und ich werde jedem erzählen, dass du bei *Marley & Ich* Rotz und Wasser geheult hast, wenn du irgendwem auch nur ein Sterbenswort darüber erzählst. Und vergiss auch die BH-Story nicht. Die gebe ich dann bei deinen Kumpels aus dem Footballteam zum Besten.«

Lee schubste mich gegen die Schulter. »Ja, ja. Keine Sorge, ich erzähl's keinem. Was aber nicht heißt, dass ich es nicht immer noch zum Totlachen finde.«

»Das ist nicht witzig. Mein Gott.«

»Doch, irgendwie schon.«

Als ich Levi am Montagmorgen auf dem Parkplatz traf, erwähnte er unseren Kuss überhaupt nicht. Stattdessen grinste er mich nur wissend an und sagte: »Wie ich sehe, hast du deinen Beziehungsstatus wieder geändert.«

»Habe ich.«

»Erzähl mir alles.«

Er klang ehrlich interessiert – und schien sich so aufrichtig für mich zu freuen –, dass ich mich entspannte. Ich hatte mir Sorgen gemacht, wie es sein würde, ihn wiederzusehen, selbst wenn wir uns schon wieder normale Nachrichten geschrieben hatten. Doch es war wirklich alles wieder genau wie vorher.

(Nur fragte ich mich jetzt nicht mehr, ob ich ihn küssen sollte, ob es zwischen uns funkte oder ob ich ihn daten wollte. Ich wusste jetzt ganz genau, wem mein Herz gehörte.)

Also erzählte ich ihm alles. Wie Noah mitten in der Nacht vorbeigekommen war, wie sehr die Trennung ihm zu schaffen gemacht hatte und wie wir alle Missverständnisse ausgeräumt hatten.

»Ich freue mich echt für dich«, sagte Levi, und das tat er tatsächlich. Ich konnte es seinem Lächeln ansehen. »Aber schau jetzt nicht hin – ich glaube, ein paar Mädchen kommen herüber, die jetzt auch alle Einzelheiten wissen wollen.«

Ich drehte mich um und sah eine Gruppe von Mädchen auf mich zukommen. Levi war von meiner Seite verschwunden, als sie mich erreicht hatten. Lisa grinste geradezu irre und Rachel packte meine Hand.

»Wir wollen *alles* hören!«

Einen ganzen, sehr langen Vormittag würde ich gefragt sein.

Aber ich war nicht die Einzige mit guten Neuigkeiten: Dixon konnte auch nicht aufhören zu lächeln. Den ganzen Tag hatte er dieses dämliche Grinsen im Gesicht, aber erst als wir uns zum Mittagessen zusammensetzten, hatte ich Gelegenheit, ihn darauf anzusprechen.

»Ach, komm schon«, sagte ich und warf eine Pommes nach ihm. »Du kannst nicht *dermaßen* glücklich sein, weil zwischen mir und Noah alles wieder gut ist. Spuck's schon aus.«

Dixon wurde rot. Leuchtend rot. Dann biss er sich auf die Lippe. »Äh, also – ich meine, es ist gar keine große Sache, aber … irgendwie doch, insofern …«

»Ach du lieber Himmel, in dem Tempo werden wir frühestens Weihnachten Bescheid wissen. Komm schon, Mann, spuck es aus.«

Warren lachte und Dixon schien sich für etwas bereit zu machen. Eine Sekunde lang sah er ganz ernst aus, dann strahlte er auch schon wieder übers ganze Gesicht.

»Danny hat mich gefragt, ob ich sein Boyfriend sein will. Also, offiziell. Also … ja.«

»Omeingott«, rief ich.

»Das gibt's ja nicht«, stieß Rachel hervor.

»Mir war gar nicht klar, dass da was Ernstes zwischen euch beiden war«, sagte Warren, während Olly *Love Is in the Air* zu grölen begann. Lee und Lisa übernahmen mit *Doo-doo-doo* den Background-Gesang.

Dixon senkte achselzuckend den Blick, hatte aber immer noch dieses breite, törichte Lächeln im Gesicht. Ich wechselte einen Blick mit Rachel und wir mussten uns beide das Lachen verbeißen. Ich glaube, noch keiner von uns hatte Dixon je so aufgedreht gesehen.

»Also, ja, ich meine, ich wollte keine große Sache daraus machen, aber wir hatten schon ein paar Dates und … ich mag ihn echt gern.«

»Das ist so klasse, Mann«, meldete Lee sich zu Wort, nachdem die Gesangseinlage vorbei war.

»Ja, wir freuen uns echt für dich«, meinte Levi.

»Weil wir schon bei den guten Neuigkeiten sind«,

sagte Cam. »Ich habe endlich meine College-Bewerbungen abgeschickt. Ich weiß, das kommt nicht
ganz an eure Sachen ran, aber ich hab endlich den
Hintern hochgekriegt und es erledigt.«

»Mann, was ist das bloß mit diesem ganzen guten
Karma?«, lachte Warren. »Und wann kommt das endlich auch zu mir?«

Eine Woche vor Beginn der Weihnachtsferien hing
ich mit Levi ab. Wir backten mit Becca Cookies. Die
sollten für den Kuchenverkauf am nächsten Tag in
ihrer Schule sein, doch sie aß sie selbst fast so schnell
auf, wie wir sie produzierten. Dann rief auch noch
ihre Mom an und fragte, ob wir ein paar zusätzliche
Cookies backen könnten, damit sie welche fürs Büro
hätte.

Während ich Becca half, Lebkuchenmänner auszu-
stechen, rührte Levi die nächste Portion Teig an. Da
öffnete und schloss sich die Haustür.

»Hey, Kinder«, rief Levis Dad.

Er war während des vergangenen Monats immer
wieder im Krankenhaus gewesen. Aber inzwischen
ging es ihm besser, versicherte Levi mir. Manche Tage
seien gut, andere weniger. Aber er war auf dem Weg
der Besserung, und das war die Hauptsache.

»Da riecht es aber gut«, war seine laute Stimme zu
hören. Becca sprang von ihrem Hocker, um ihn zu
begrüßen.

Mr Monroe war groß und sah aus wie jemand, der
mal ziemlich gut gebaut gewesen war, aber in kurzer

Zeit viel Gewicht verloren hatte. Sein Gesicht war schmal, sein Haar dünn. Er trug Jeans und ein einfarbig blaues Hemd. Wenn er lächelte, sah er aus wie Levi.

»Hey, Sweetiepie«, sagte er und umarmte Becca. Dann lächelte er uns an. »Alles klar, Levi? Elle? Wie war die Schule?«

»Alles klar«, gab Levi sofort zurück. »Wir hatten mal wieder die beste Zeit unseres Lebens.«

Becca kam wieder zu mir und nahm mir den Ausstecher aus der Hand. »Elle hilft uns beim Backen.«

»Tja, eigentlich backe ich nicht wirklich«, erklärte ich. »In der Küche bin ich eine ziemliche Katastrophe.«

»Das ist sie echt«, kommentierte Levi. Ich wusste, er dachte an den Abend, irgendwann nach Thanksgiving, als ich versucht hatte, Lasagne zuzubereiten. Das Ergebnis war ein ungenießbarer Matsch gewesen, von dem wir uns wahrscheinlich eine Lebensmittelvergiftung zugezogen hätten. Mein Dad hatte dann doch lieber was zu essen bestellt.

Mr Monroe nahm sich einen Lebkuchenmann aus einer offenen Keksdose und biss ihm den Kopf ab.

»Mhmm«, schwärmte er mit vollem Mund, schluckte und meinte dann: »Kinder, ihr könnt mir wohl nicht noch ein paar davon für meine Selbsthilfegruppe backen, oder?« Und an mich gewandt: »Mein Arzt und meine Frau bestehen drauf, dass ich diese Selbsthilfegruppe für Rekonvaleszente besuche. Ein vergeudeter Montagabend, wenn ihr mich fragt. Ich sage ihnen immer wieder, dass ich das nicht brauche.«

»Oh, verstehe, aber … mit ein paar Weihnachtsplätzchen sollte es leichter gehen, stimmt's?«

Er grinste. »Mit Weihnachtsplätzchen geht alles leichter.«

»Klar, was sind schon ein paar Dutzend mehr?« Levi seufzte theatralisch und da meldete sich auch schon der Alarm des Backofentimers zum sechsten oder siebten Mal an diesem Nachmittag.

Ich lachte nur.

Becca stopfte sich noch einen Keks in den Mund, als sie dachte, keiner von uns würde es sehen.

»Tut mir leid, das mit meinem Dad«, sagte Levi später, als wir in seinem Zimmer Videospiele spielten. Wir hatten beide was zu lernen und uns vorgenommen, nach dem Backen damit anzufangen, aber jetzt hatte keiner von uns Lust, irgendwelche Fakten auswendig zu lernen. »Falls es dir peinlich war oder so. Ich glaube, in seiner Selbsthilfegruppe geht es viel darum, Krebs zu enttabuisieren, damit sie alle leichter darüber reden können.«

»Das ist okay. Wirklich. Da war gar nichts peinlich.«

Levis Erleichterung war deutlich spürbar.

»Du hast den anderen Jungs doch nichts erzählt, oder?«, fragte ich, obwohl ich die Antwort schon kannte.

»Ich wüsste nicht, warum.«

»Vielleicht musst du auch in eine Selbsthilfegruppe«, sagte ich, was aber nicht etwa böse gemeint war. »Keiner der Jungs wird deshalb anders mit dir umgehen. Das schwör ich dir. Sie würden es verstehen. So wie bei Dixons Coming-out, weißt du? Alle haben es nur … zur Kenntnis genommen und dann einfach weitergemacht. Es ändert überhaupt nichts.«

Levi murmelte nur irgendetwas Unverständliches, deshalb ging ich nicht weiter auf das Thema ein. Doch ein paar Minuten später seufzte er, drückte auf die Pausentaste und sagte mit angespannter Stimme: »Mir fällt es irgendwie schwer, damit umzugehen. Deshalb, je weniger Leute mich dauernd fragen, wie es ihm geht, desto besser komme ich klar. An meiner alten Schule war es so, dass jeder mich ständig darauf angesprochen hat. Ich wusste, es war nett gemeint, aber es nervte trotzdem.«

Ich zuckte mit den Achseln. »Es ist deine Entscheidung. Aber selbst wenn du es den Jungs nicht sagen willst, weißt du, dass du mit mir immer darüber reden kannst, okay? Also, wenn es dich mal runterzieht oder so.«

»Ja«, sagte er leise. »Ja, ich weiß.«

Dann spielten wir weiter und sprachen nicht mehr davon.

Dafür sagte er irgendwann: »Elle? Ich bin froh, dass wir noch befreundet sind. Sogar nach …«

»Nachdem ich dich benutzt habe, um zu versuchen, über meinen Freund wegzukommen?« Wir sahen uns direkt an und Levi grinste. Ich war so verdammt froh, dass er mir das nicht übelnahm. »Wenigstens kriege ich jetzt keine fiesen Blicke mehr auf den Fluren von den Mädchen ab, die in dich verknallt sind, seit ich wieder mit Noah zusammen bin.«

Er sah sehr zufrieden mit sich aus, als ich erwähnte, dass Mädchen in ihn verknallt waren.

Am nächsten Tag erzählte Levi den anderen in der Schule von seinem Dad.

Und genau wie von mir vorhergesagt gingen sie danach nicht im Geringsten anders mit ihm um. Sie erklärten ihm nur, wann immer er Ablenkung brauche, wären sie für ein paar Bier und Pizza oder Footballspielen im Park zu haben.

»Siehst du«, sagte ich hinterher zu Levi und grinste selbstgefällig. »Hab ich dir doch gesagt.«

»Wer ist jetzt hier der Ravenclaw?«, gab er so schlagfertig und ironisch zurück, dass ich lachen musste. »Wenn du jetzt auch noch vorhersagen könntest, welche Fragen in der Abschlussprüfung in Bio drankommen, wäre das auch toll.«

»Ich wette, die fragen uns, was Mitochondrien sind.« Unser Biolehrer hatte uns das in den letzten Monaten immer wieder eingebläut. Bestimmt würde ich die Definition noch wissen, wenn ich fünfzig war.

»Erinnerst du mich noch mal dran?«

Da verdrehte ich lachend die Augen und Levi musste auch losprusten.

Vielleicht wäre er der Typ Junge gewesen, den ich gedatet hätte, wenn die Sache zwischen mir und Noah anders ausgegangen wäre. Oder wenn Noah nicht so entschlossen gewesen wäre, mich zu sehen und die Sache in Ordnung zu bringen. Vielleicht wäre ich mit Levi zusammen, wenn Thanksgiving anders verlaufen wäre.

Ich kann mir allerdings nicht vorstellen, dass es lange gutgegangen wäre.

Ich brauchte eben diesen Funken, diese Leidenschaft, die ich bei Noah spürte. Die gab es bei Levi einfach nicht.

Wir waren als bloße Freunde einfach besser dran. Ich war dankbar, dass er das auch so zu sehen schien.

Und dann dachte ich: Selbst angesichts der bevorstehenden Abschlussprüfungen und der drohenden Warterei auf eine Reaktion auf meine College-Bewerbungen würde der Rest des Schuljahrs okay sein. Ich hatte meinen Tiefpunkt bereits hinter mir. Von jetzt an konnte es nur noch aufwärts gehen.

Epilog

Die Sonne brannte. Irgendwo zwitscherten sogar Vögel. Der Himmel war so blau wie seine Augen und nirgends eine Wolke zu sehen. Ich fühlte mich so leicht wie schon seit Monaten nicht mehr. Als hätte ich bis gerade eben gar nicht gewusst, welche Last auf meinen Schultern gelegen hatte.

Lee und ich hatten die Arme umeinander gelegt und sprangen auf und ab. Dann gerieten wir aus dem Takt und ich knallte mit dem Kopf an seine Schulter.

Das tat weh, aber es war mir egal.

Ich befand mich in einem Freudentaumel.

Leute riefen irgendetwas, lachten, weinten, versuchten, mit allen gleichzeitig zu reden.

»WIR HABEN'S GESCHAFFT!«, brüllte eine Stimme und dann warf Cam sich auf uns beide. »Wir sind fertig! Wir gehen aufs College!«

»College!«, schrie Lee zurück.

»College!«, rief ich.

»COLLEGE!«, brüllte Cam.

Wir machten jede Menge Lärm. Und wir waren nicht die Einzigen.

Lee und ich ließen uns los – Cam war schon weitergerannt, wahrscheinlich, um noch andere mit »COLLEGE!« anzubrüllen. Gerade als ich dachte, die Umarmung sei zu Ende, legte Lee noch mal einen Arm um meine Schulter und gab mir einen laut schmatzenden Kuss auf den Scheitel.

»Das ist es. Der Beginn eines gloriosen, goldenen Sommers von der Sorte, über die Indie-Teenie-Filme gedreht werden. Und danach hat das Glück ein Ende und man wirft uns in die zermürbend düsteren Katakomben der Collegewelt.«

»Das College wird definitiv nicht zermürbend düster sein.«

»Woher weißt du das?«

»Tja, woher weißt *du*, dass es so schlimm sein wird?«

Lee lachte nur. »Du hast recht. Es wird toll werden. Ganz bestimmt.«

»Verschrei es nicht! Ich will nicht mit einer schrecklichen Mitbewohnerin enden. Was, wenn meine Mitbewohnerin so ist wie du? O Gott, bring mich lieber gleich um.«

Lee lachte wieder und klang so freudentaumelig, wie ich mich fühlte. Das war herrlich. Alles war so herrlich.

Gerade jetzt fühlte ich mich wie high vom Leben und wünschte mir, dieses Gefühl würde nie enden.

Ich war in Berkeley genommen worden. Lee auch.

Auf die Brown hatte er es nicht geschafft.

Rachel war am Boden zerstört gewesen, aber ich wusste, dass Lee insgeheim erleichtert war. Die Brown wäre zu viel Druck für ihn gewesen, hatte er mir nach der Absage verraten. Obwohl er natürlich enttäuscht war, weil das bedeutete, so weit von Rachel weg zu sein. Aber die beiden würden das schaffen. Wenn es einem so schwierigen Paar wie Noah und mir glückte, dann würde das Lee und Rachel bestimmt gelingen.

Ich sah mich nach Noah um. Als mein Name aufgerufen wurde, hatte ich ihn irre laut jubeln gehört – genauso als Lee an die Reihe kam. (Er hatte mir auch mehrere Ballons in die Schule schicken lassen, als ich meine SAT-Ergebnisse bekam, der Softie.) Jetzt hatte ich ihn zuletzt vor Beginn der Zeugnisverleihung gesehen, bevor ich ihn in der Menge der Talare aus den Augen verlor.

Gerade als ich an ihn dachte, tauchte Noah hinter mir auf, schlang die Arme um mich und drehte mich zu sich. Bei seiner Berührung durchfuhr mich ein Schauer. Er küsste mich entschlossen auf den Mund, bevor er sagte: »Glückwunsch, Shelly. Jetzt bist du offizielle Highschool-Absolventin!« Dann strich er mir übers Haar. Das hatte ich heute Morgen zeitaufwendig perfekt geglättet, aber nachdem ich den Absolventenhut getragen hatte, standen mir bestimmt ein paar Haare vom Kopf ab.

»Danke!«

Die letzten sechs Monate waren nicht gerade

einfach gewesen. Wir hatten zwar nicht noch mal gestritten, aber ich vermisste ihn so dermaßen. Und ich wusste auch, wie sehr er mich vermisste. Am Valentinstag hatte er mich mit einem Besuch überrascht, damit wir zusammen feiern konnten. Zu dem Anlass hatte er mir sogar einen riesigen Teddy mit Harvard-Sweatshirt und Cap mitgebracht.

Aber wir hatten es hingekriegt. Seit Thanksgiving war uns die Fernbeziehung gelungen. Und sie war es absolut wert gewesen, stellte ich fest, als wir jetzt so dastanden und der ganze Sommer vor uns lag. Die Sonne wärmte meine Wangen, meine Finger spielten mit Noahs Haarspitzen und seine Lippen lagen auf meinen.

»Na schön, ihr beiden. Jetzt aber mal auseinander«, sagte mein Dad. Ich hörte June lachen und drückte mein Gesicht noch eine Sekunde lang an Noahs Schulter, bevor ich mich zu unseren Eltern umdrehte. »Komm, wir wollen noch ein paar Fotos machen. Ich möchte das Graduation-Foto meiner Tochter nicht nur als Selfie aus ihrem Twitter Feed.«

Noah hatte irgendwelche Bekannten entdeckt und entfernte sich ein Stück und ich strich mein Haar glatt, bevor ich mein nagelneues Highschool-Diplom hochhielt. Mein Dad hatte das Foto kaum gemacht, als ein Schatten im Talar auf uns zu gestürmt kam. Er blieb abrupt stehen, als er die Kamera bemerkte, und ruderte mit den Armen, um nicht das Gleichgewicht zu verlieren.

»Sorry! Sorry! Hab ich das Bild ruiniert?«

»Nein, alles gut«, sagte mein Dad und checkte die Kamera. »Hey, gut gemacht, Levi.«

»Danke!« Er grinste, drehte sich zu mir, und in dem Moment, als ich damit rechnete, dass er mir gratulieren würde, riss er nur den Mund auf und schrie. Nicht mal irgendwelche Worte, nur ein lang gezogenes »AAAAAHHH!«

Ich schrie genauso zurück.

Dann mussten wir beide lachen, umarmten uns und er meinte: »Ich komme dich nächstes Jahr definitiv am College besuchen. Es macht mir auch nichts aus, auf dem Boden zu schlafen. Ich bringe mir einen Schlafsack mit.«

»Besser wär's.«

Wir grinsten einander an. Levi jobbte seit ungefähr einem Monat ein paar Stunden die Woche in einem 7-Eleven-Supermarkt. Jetzt, wo wir mit der Schule fertig waren, auch länger. Außerdem hatte er ab nächster Woche eine Stelle in einer Bäckerei, auf die er sich schon wahnsinnig freute.

Er wusste immer noch nicht, was genau er machen wollte. Also, sagte er, würde er erst mal arbeiten, bis er sich entschieden hätte. Seine Mom hatte mir, als ich vor ein paar Tagen zum Abendessen bei ihnen war, erzählt, sie hätte gehofft, er würde seine Meinung noch ändern und sich, wie die meisten von uns, noch an einem College bewerben. Doch dann seufzte sie resigniert: »Ich schätze mal, ich kann ihn nicht zwingen.«

Jetzt brüllte irgendwer: »Hey, Monroe! Schlepp deinen dürren Arsch hier rüber!« Wir schauten beide zu einer Gruppe von Jungs, die anscheinend ein Foto machen wollten – das Baseballteam. Levi war mit Saisonbeginn dazugestoßen.

Jetzt stürmte er davon und schob sich durch die Menge, um mit aufs Bild zu kommen. Da tauchte Noah wieder an meiner Seite auf und nahm meine Hand. Ich ertappte ihn dabei, wie er Levi nachsah. Sie waren sich inzwischen schon ein paarmal begegnet und einigermaßen höflich miteinander umgegangen. Aber es war immer etwas steif und gezwungen zugegangen. Auch jetzt wurden Noahs Augen ein bisschen schmal. Ich drückte seine Hand und er drehte sich zu mir zurück. Dabei entspannte seine Miene sich. Die Sonne stand direkt hinter ihm am Himmel und ließ sein Haar fast golden schimmern. Als er mich strahlend anlächelte, entstanden um seine Augen kleine Fältchen.

Ich legte meine freie Hand um seinen Bizeps (meine Güte, was für ein Bizeps) und grinste zurück. Bevor ich ihn zu einem weiteren Kuss zu mir herunterziehen konnte, sprang Lee mich von hinten an. Seine Hände lagen auf meinen Schultern, sodass ich nach vorne taumelte. Wir blieben alle auf den Beinen, weil Noah mich lachend auffing. Ohne mich umzudrehen wusste ich, dass Lee das war. Das freudige Lachen an meinem Ohr hatte ihn verraten.

Über meinen Kopf hinweg begannen die Flynn-Brüder, sich über eine Party zu unterhalten. Dort wollten wir alle später am Abend hin, um unseren Abschluss zu feiern. Lee erwähnte, er habe gerüchteweise gehört, dass dort eine Kissing Booth aufgestellt würde. Ich hörte nur mit halbem Ohr zu.

Irgendwie fühlte ich mich wie losgelöst. Wie in einem Traum. Mein Blick wanderte zu Familien, die sich umarmten, zu Freunden, die Selfies machten und versuchten, alle aufs Bild zu quetschen, dann zu Leuten, die herumrannten, um sich noch mit allen zu unterhalten, bevor man einander nach dem heutigen Tag vielleicht nie mehr wiedersah. Aber meine beiden liebsten Jungs der Welt würden immer an meiner Seite bleiben.

Levi fing von dort, wo er sich gerade mit seinen Eltern unterhielt, meinen Blick auf. Sein Dad sah in letzter Zeit so viel besser aus – sein Gesicht nicht mehr so mager und seine Haut nicht mehr grau. Ich sah Dixon mit einer Gruppe von Leuten reden – allerdings nicht mit Danny. Die beiden hatten schon im Januar Schluss gemacht. Rachel umarmte weinend ihre Mom. Sie war, natürlich schon über die vorzeitige Zulassung, an der Brown genommen worden. Ich wusste, dass sie und Lee viel geredet hatten. Nachdem sie gesehen hatten, wie turbulent es zwischen mir und Noah zugegangen war, wussten sie, wie viel Arbeit es bedeuten würde, während der Zeit am College zusammenzubleiben.

Und was Noah und mich betraf?

Wir hatten das Schlimmste schon hinter uns. Ich war mir sicher, dass wir besaßen, was man für eine Fernbeziehung brauchte, egal, was noch kam. *Going the Distance*. Wir würden das schaffen.

Noah küsste mich auf die Schläfe und Lee hielt meinen Arm fest, während er aufgeregt über irgendetwas sprach.

Es hieß ja immer, dass die Highschool die beste Zeit deines Lebens sein sollte – und es dann in Wirklichkeit doch nicht war. Ich kam zu dem Schluss, wenn das jetzt nicht die beste Zeit meines Lebens war, dann konnte der Rest aber trotzdem nicht mehr viel besser werden.

Dank

Es gibt so viele Menschen, bei denen ich mich für dieses Buch bedanken muss. Es hat ungefähr sieben Jahre für seine Entstehung gebraucht. Dass es letztlich so weit gekommen ist – und wirklich veröffentlicht wurde –, kommt mir ganz seltsam vor. Es ist schon so lange her, dass ich in meinem Zimmer saß und beschloss, mit *The Kissing Booth* zu beginnen, und ganz ehrlich, ich bin richtig aufgeregt, wenn ich denke, was alles noch kommen mag.

Zuerst danke ich meiner absolut unglaublichen Agentin Clare für ihre Geduld und Hilfe während des gesamten Prozesses. Meinen Lektorinnen Naomi und Kelsey danke ich für all die harte Arbeit, mit der sie dieses Buch so gut wie möglich gemacht haben.

Als ich 2017 einen früheren Entwurf überarbeitete und mit meinen Figuren nicht weiterkam, war die Truppe in Kapstadt eine ungeheure Inspiration. Joey, Joel, Jacob und alle anderen – ihr habt meine Figuren lebendig gemacht und mich angespornt, wenn ich mich erschöpft fühlte. Vine, Andrew und Ed, ihr habt mir neue Leidenschaft für meine Story gegeben. »Danke« ist nicht annähernd genug dafür, aber ... danke.

Ich danke auch meinen Freunden und all unseren Gruppenchats, weil ihr es mit mir ausgehalten habt, wenn ich eine Krise hatte oder euch mit meinen neuesten Nachrichten zugespammt habe, weil ich immer noch nicht auf Twitter posten kann. Leute, ihr wisst einfach immer, wie ihr mich aufrichten könnt, wenn ich einen Durchhänger habe. Also danke an: Lauren und Jen; Katie und Amy; Emily und Jack und meinen Lab-Buddy Harrison (ein Extradank für all deine Memes); an Ellie und Hannah, ohne die Levi immer noch Kevin hieße.

Die Reise bis an diesen Punkt war ziemlich wild. Von der Idee der Thanksgiving-Szene über mehrere Runden Überarbeitung bis zu einem unerwartet beliebten Netflix-Film und noch mehr ist so viel in dieses Buch mit eingeflossen. Meine Familie war die ganze Zeit über mein Fels in der Brandung. (Vor allem während ich mit zwei Jobs jonglierte, ein paarmal im Land umgezogen bin und noch so manches.)

Ein besonderer Dank geht auch an meine Schwester Kat, weil eine von uns die Coole in der Familie sein muss, während ich hier draußen an meinem Laptop und dem Telefon klebe. Danke, dass du mein Buch liebst und mich erdest.

Ich danke meinen Eltern, meiner Tante und meinem Onkel sowie meinem Granddad. (Es tut mir leid, dass ihr einige meiner neuesten Nachrichten zuerst über Twitter erfahren habt. Aber zu meiner Verteidigung kann ich sagen, dass ihr normalerweise ungefähr schon ein Jahr vorher Bescheid wusstet, wenn ich etwas bekanntzugeben hatte.)

Am Ende danke ich euch, meinen Leserinnen und Lesern. Egal ob ihr Elles Story erst nach dem ersten Netflix-Film im Mai 2018 entdeckt habt oder ob ihr sie schon seit den allerersten Kapiteln auf Wattpad 2011 kennt, eure Unterstützung und Zuneigung hat mir so viel bedeutet. – Ich glaube nicht, dass dieses Buch ohne euch alle möglich gewesen wäre. Ganz ehrlich: Ihr habt mein Leben verändert.